天府永藏

天府永藏

兩岸故宮博物院文物藏品概述

鄭欣淼 著

藝術家出版社

目　錄

前　言

　　故宮博物院是在明、清皇宮（紫禁城）及其收藏的基礎上建立起來的。故宮博物院的文物分為兩部分：一是紫禁城古建築，它是全國重點文物保護單位、世界文化遺產，為不可移動的文物；二是其中珍藏的各種文物，為可移動文物。著名考古學家裴文中先生説：「無論是紫禁城這一古代建築物本身，還是紫禁城內珍藏的各種文物，都是罕見的曠世之寶。」[註1] 紫禁城與皇宮珍藏是不可分的，二者的結合構成了故宮無與倫比的價值及故宮博物院的豐富內涵與崇高地位。

　　故宮博物院成立於1925年10月10日，至今已走過了80多年的非凡歷程，今天正以全新的、堅實的步伐，向著世界一流博物館邁進。上世紀40年代末，故宮博物院抗日戰爭時期南遷文物的1/4運到了台灣，1965年在台北成立故宮博物院。從此，世界上同時有了兩個故宮博物院。

註1　裴文中：《曠世之寶——紫禁城》，載《故宮新語》，上海文化出版社，1984年。

　　海峽兩岸兩個故宮博物院，其藏品都主要來自清代宮廷。北京故宮博物院現有文物藏品即可移動文物150多萬件（套），其中130多萬件（套）是清宮藏品和遺存，占藏品總數的85％。台北故宮博物院現有文物藏品65萬件套，清宮舊藏及遺存占到92％。也正因為這個原因，這個遠離故宮的博物院才冠名「故宮」。很顯然，兩個故宮博物院同根同源，其藏品互補性很強，只有把它們作為一個整體來看待，才能全面認識中華文明的源遠流長、燦爛輝煌與一脈相承。但是長期以來，由於種種原因，兩個故宮博物院的文物藏品並未為人們所廣泛瞭解，或者知此而暗彼，或者只知其一而不知其二，甚至有些誤傳，可以說，藏品狀況一直為兩岸同胞乃至國際社會所關注。有鑒於此，把兩岸故宮博物院的文物藏品進行全面介紹就顯得十分必要。在這裡，筆者不揣淺陋，力圖對此進行一番研究，探討兩個博物院藏品的變化情況，並把這些藏品放在一起，分類論述，以幫助讀者對這個問題有明晰的認識。

　　為了行文簡略與讀者易於區分，本文把「北京的故宮博物院」簡稱為「北京故宮」，「台北的故宮博物院」簡稱為「台北故宮」。

第一章　閎富珍貴的清宮舊藏及其厄運

　　北京故宮博物院85％的文物藏品屬於清宮所留，台北故宮博物院藏品的92％來自清宮。這些文物的來源比較複雜，除過大量的清宮舊藏，也有一部分為清宮遺存。回溯並梳理清宮舊藏的來源，對兩岸兩個故宮博物院文物的構成及特點當有更多的瞭解。

一　清宮舊藏的來源

　　主要有以下五個方面：

1.歷代皇家收藏的承襲

　　中國歷代宮廷都收藏有許多珍貴文物，到宋徽宗時，收藏尤為豐富。《宣和書譜》、《宣和畫譜》、《宣和博古圖錄》，就是記載宋朝宣和內府收藏的書、畫、鼎、彝等珍品的目錄。清代帝王重視文物收藏，特別是乾隆皇帝，更使宮廷收藏達到了極盛，清宮編有《西清古鑒》、《西清續鑒》甲乙編及《寧壽鑒古》，均為清宮所藏古

代銅器的著錄；另有《石渠寶笈》、《秘殿珠林》，為當時宮廷所收藏各類書畫的著錄。這些收錄清宮藏品的書籍均編寫於乾隆、嘉慶年間，並形成了以考據為特徵的乾嘉學派。見於著錄中的很多古代文物早已散失，但也有不少幾經聚散，歷盡滄桑，保存了下來。例如晉王珣《伯遠帖》、隋展子虔〈遊春圖〉、唐韓滉〈五牛圖〉、五代顧閎中〈韓熙載夜宴圖〉等著名書畫，都曾載在《宣和書譜》、《宣和畫譜》或《石渠寶笈》中，現仍藏在北京故宮。晉王羲之《快雪時晴帖》（唐人摹本）、唐孫過庭《書譜》、唐懷素《自敘帖》等著名法書，曾入存宋元宮廷，現藏台北故宮。這些名品流傳至今，頗為不易，許多都有鮮為人知的故事。例如〈清明上河圖〉，最初在宣和「御府」，宋徽宗趙佶原有簽題，至明中葉還存在，以後失去了。入金後為張著、張公藥、王礀、張世積等人鑒賞題詠，但是不知道那時為何人所藏。元代又入內藏。為官匠裝池者以橅本易出，售於貴官某氏，又鬻於武林陳彥廉，至正年間楊准得之陳氏。明代先後由朱文徵、徐溥、李東陽、陸完等收藏，繼入嚴世藩家，嚴敗籍沒，隆慶年間為馮保所竊據。萬曆六年（1578年）馮自題跋。明末清初時，不知何在。至乾隆中有陸費墀、畢沅印記，可能先在陸手，後為畢沅所收。嘉慶二年，畢死，四年（1799年）其家被籍，又入嘉慶內府，遂一直藏於清宮。後為溥儀盜出，攜至長春。長春解放，人民解放軍在通化一帶繳獲，曾藏東北博物館，1958年撥交故宮博物院收藏。【註1】

2.清宮的徵集

清代除承襲前朝宮廷收藏外，又著力各方搜求，其主要途徑有

註1　參閱徐邦達《清明上河圖的初步研究》，載《故宮博物院藏寶錄》，上海文藝出版社、三聯書店香港分店，1986年10月。

三個:

其一,進呈物品。專制時代帝王一家天下,逢年過節、萬壽大典或外出南巡,臣工往往多有貢獻,其中又以進書畫、文玩較為討喜。乾隆皇帝在《續纂秘殿珠林石渠寶笈序》中說:「自乙丑至今癸丑,凡四十八年之間,每遇慈宮大慶、朝廷盛典,臣工所獻古今書畫之類及幾暇沙筆者,又不知其凡幾。」【註1】《石渠寶笈三編》嘉慶皇帝的上諭中也說:「朕自丙辰受璽以來,幾暇怡情,惟以翰墨為事,閱時既久……至內外臣工,祝暇抒誠,所獻古今書畫亦復不少。」【註2】大約清宮書畫,臣工所獻占一大部分。書畫如此,其他珍寶也進獻不少。除過國內進獻外,還有藩屬國貢品、外國禮品等。這些所進之物,往往與重大的政治事件有密切關係。

其二,多方徵求。例如訪書。為了豐富、充實清宮藏書,清朝諸帝即不斷廣搜博採天下遺書。康熙二十五年(1686年)四月,聖祖諭禮部、翰林院:「自古帝王致治隆文,典籍俱備,猶必博採遺書,用充秘府。善以廣見聞而資掌故,甚盛事也。朕留心藝文,晨夕披覽,雖內府書籍篇目粗陳,而裒集未備。因思通都大邑,應有藏編;野乘名山,豈無善本?今宜廣為訪輯,凡經史子集除尋常刻本,其有藏書秘錄作何估值採集及借本抄寫事宜,爾部院會同詳具奏,務令搜羅罔佚,以付朕稽古崇文之意。」【註3】乾隆皇帝即位後,更是多次徵書,其時間之長,規模之大,均超越前代。

其三,查抄沒收物品。明珠為康熙時的權相,喜收藏,「好書

註1　《秘殿珠林石渠寶笈彙編》,北京出版社,2004年1月,第3冊,第1頁。

註2　《秘殿珠林石渠寶笈彙編》,北京出版社,2004年1月,第8冊,第4頁。

註3　《清聖祖御製文集》卷三。

畫，凡其居處，無不錦卷牙籤，充滿庭宇，時人有比鄴架者，亦一時之盛也。」【註1】乾隆五十五年（1790年），明珠的後嗣、駐伊犁領隊大臣承安因罪革職，乾隆帝即命將其家產嚴密查抄。時乾隆皇帝正在巡幸山東返回的路上，便傳旨索看查抄承安家產中之珍稀字畫：「昨據綿恩等奏稱，查出承安什物內所有字畫冊頁已交懋勤殿認看，書籍請交武英殿查檢，分別呈覽等語。書籍卷帙浩繁，即有宋元舊版之書，只可小心存貯，俟回鑾後進呈。惟字畫一項，伊系世家，必有唐宋名人真跡可供鑒賞之物，著彭元瑞、金簡擇其佳者數件，附本報之便，先行寄至行在，以備途中遣興。其單內所開西洋器皿，想自非鐘錶，或另有製作精巧足供玩賞者，著金簡挑出幾種，一併隨報附寄呈鑒。」【註2】明珠藏書數萬卷，宋元版及名貴抄本尤多，其藏書處所為「謙牧堂」。嘉慶二年（1797年）重輯《天祿琳琅書目續編》時，原「謙牧堂」書便是入選的重要物件。又如高士奇、畢沅，都身居高位又精鑒賞，家藏書畫古帙甚富，後也均被抄沒入內府。

3.清宮製作

為了滿足皇帝對宮廷日用器皿及各種工藝品的需要，清宮內務府一直設有造辦處，從全國各地選拔技藝高超的工匠，在宮廷內造做各種物件，均不惜工本，精益求精。乾隆二十年（1755年）前，造辦處曾設立有匣作、裱作、畫作、廣木作、燈作、裁作、花兒作、條兒作、穿珠作、皮作、繡作、鍍金作、銀作、玉作、纍絲作、鏨花作、鑲嵌作、牙作、硯作、銅作、鋄作、雜活作、槍作、眼鏡作、如意

註1 〔清〕昭槤：《嘯亭雜錄》卷十。
註2 《乾隆朝上諭檔》第15冊，第540～541頁。

館、做鐘處、玻璃廠、鑄爐處、砍槍處、輿圖房、弓作、鞍甲作、琺瑯作、畫院處、木作、漆作、雕鑾作、旋作、刻字作等38個，後將一些活計相近的作處合併，減為15作，後又有所調整。這時懋勤殿、如意館並造辦處所屬的單位共有41作，每月僅食1兩錢糧的各項匠役就有595名。【註1】這是一個規模很大的綜合性的手工業工廠，常年按照御旨製作獨有清代皇家風範的藝術品、工藝品和各種精美的日用品。造辦處各作的地點，有宮中造辦處一帶廠房，有畫畫人在啟祥宮、慈寧宮作畫，在景山、圓明園尚有許多製作地點。還有些器物由造辦處設計畫樣，或撥蠟樣、或做木樣交蘇州、揚州、南京、浙江、江西、廣東等處，由當地最優秀的匠人製作，應該說造辦處的製作網是全國性的。遺留至今的很多精美絕倫的工藝品，如玉器、琺瑯器、鐘錶、文玩等，都是當年造辦處製造的。造辦處的檔案保存至今，故宮所藏清代工藝美術品，有許多仍可以在檔冊中找到作者是何人，是某年月日開始設計畫樣、做模型，某日完成，以及陳設地點等。瓷器幾乎全由景德鎮官窯燒造，有時也用民窯代燒，要求質量極高，尤其是某些觀賞瓷器，經反覆篩選，方能進呈宮廷。

4.清宮編刻書籍

　　清宮藏書是以明代皇宮秘籍為基礎，又經過歷年的搜求，加上清宮編纂刊刻、抄寫的各類圖籍，其收藏之富，超越以前各代。清前期，清內務府主持編纂、刊刻和抄寫了許多大部頭的圖書。這些圖書不僅在中國圖書史上占有極為重要的位置，同時也成為清宮藏書的重

註1　轉引自萬依、王樹卿、劉潞著《清代宮廷史》，遼寧人民出版社，1990年，第316頁。

要來源。康熙時把武英殿作為清代內府專門的修、刻書機構。康熙一朝內府刻書不少，從內容上看，門類齊全。特別是中國第一部帶有經緯度的全國地圖——〈皇輿全圖〉，雖於乾隆二十五年（1760年）才由內府用銅版印刷，但其編繪仍在康熙一朝。雍正年刊印的《御製數理精蘊》和中國現存最大的一部類書《古今圖書集成》，其編纂亦在康熙年間。雍正帝在位時間較短，也編刊了幾十種書。乾隆朝內府大約刻了150多種大小不等的書，不算《清文翻譯全藏經》，仍鐫有18,000餘卷。清內府在編刊圖籍的同時，由於康乾二帝崇尚書法，內府抄寫書籍亦極為盛行，其抄寫之精、裝幀之美、數量之大，均可與內府刊本書相媲美。乾隆年間編纂的《四庫全書》最為有名，同時產生的《四庫全書薈要》和《武英殿聚珍版叢書》也頗有影響。這些內府刊本與抄本，都成為爾後故宮博物院的文物藏品。

5.明清檔案

　　明清檔案與殷墟甲骨、敦煌經卷，被譽為中國近代文化史上的三大發現。文書是傳達政令的工具，是國家機關上傳下達的紐帶。文書辦理完畢後，例行存檔以備查考。這樣，檔案就成為統治者在施政過程中必備的依據或者參考資料。明清王朝都建有比較完整的文書檔案制度。明代檔案在當時已多次被燒毀、變賣，到清代又數次銷毀，幾乎損失殆盡。清末，內閣大庫部分倒塌，大量檔案流於宮外，釀成「八千麻袋事件」。清在入關前就開始積累保存檔案，存留至今的有「滿文老檔」等。入關後建立起全國政權，各項制度進一步完備，中央和地方衙署設有典籍廳、滿本房、漢本房、檔房等文書檔案機構。皇史宬仍被沿用為保存清代「實錄」、「聖訓」和玉牒的皇家御用檔

案庫。中樞機關內閣設內閣大庫，除保存內閣形成的承宣、進呈的日行公事檔案外，有官修實錄、聖訓、玉牒、會典的稿本，修書徵集的檔案，以及盛京移來的舊檔，庫藏極其宏富。內閣還設有副本庫，建於嘉慶朝，專藏內閣的題本副本。清代設軍機處，其檔案庫稱方略館大庫。清代國史館也設有檔案庫，稱國史館大庫，主要保管為修史而徵集來的檔案。1925年故宮博物院成立後，這些明清檔案就成為博物院的重要文物藏品，並專設文獻館進行管理。

此外，故宮還保存了大量清宮衣食住行的用品，當時並不是收藏品，而是實用之物，但在今天看來，同樣是宮廷歷史的見證，具有重要的歷史價值、認識價值，又由於是皇家日常生活用品，一般製作十分講究，也有著相當的藝術價值。這批物品種類繁多，數量龐大，例如宮燈、樂器、車輿、家具、戲衣道具、服飾衣料及金銀器、錫器、銅器、梳妝具、玩具、地毯、藥材、藥具等等，都是清宮典制及文化娛樂活動的反映，同樣具有文物的意義。

二　清宮舊藏的三次厄難

清宮舊藏，至乾隆年間最為豐盛，爾後隨著國力衰敗，外患頻仍，收藏日漸式微，特別是近代以來，清宮文物珍藏更是多次遭到劫掠或毀損，比較大的厄難有三次：

第一次：第二次鴉片戰爭中英法聯軍對圓明園的野蠻劫掠和焚毀

圓明園是清代皇帝的別宮，有著綜合中西建築藝術、規模宏大、舉世罕見的壯麗宮殿，是清代帝后的「宸居遊豫之所」，也是皇帝處

理政務的重要場所之一。園內陳設極為華麗，不僅收藏有國內外極為珍貴的藝術品，而且還保存了大量歷代圖書字畫、鼎彝禮器和清代文書檔案，像是一座宏大的博物館。咸豐十年（1860年），在英法聯軍發動的第二次鴉片戰爭中，侵略者占領了圓明園，法軍司令孟托邦函告法國外務大臣說：「予命法國委員注意，先取在藝術及考古上最有價值之物品，予行將以法國極罕見之物由閣下以奉獻皇帝陛下（指拿破崙第三），而藏之於法國博物院。」【註1】這個清廷經營了150多年的東方藝術之宮，被英法聯軍洗劫一空之後，在英國首相巴麥尊的批准下，又被放火燒毀。大火焚燒了3天，號稱「萬園之園」的圓明園化成了一堆堆敗瓦頹垣。據《石渠寶笈》記載，圓明園收藏有歷代書畫200多件，或被燒毀，或被劫掠。

英法等國一些博物館、圖書館現收藏有大量從圓明園劫掠去的珍貴文物。英國倫敦大英博物館收藏有3萬多件中國文物，包括書畫、古籍、玉器、瓷器、青銅器、雕刻品等，其中直接從圓明園掠奪的文物就達2萬多件，包括唐人所摹晉代著名畫家顧愷之的〈女史箴圖〉。法國收藏圓明園文物最為著名的是楓丹白露宮的中國館，達到3萬多件，多是珍貴無比的中華民族歷史文化的精華。康有為1904年到法國遊歷，在巴黎乾那花利博物院看到了從圓明園掠奪去的文物：「內府珍器，陳列滿數架，凡百餘品，皆人間未見之瑰寶，精光射溢，刻鏤精工。有碧晶整塊，大五六寸。一白玉大瓶，高尺許。一白玉山，亦高尺許，所刻峰巒樓閣人物精甚。其五色玉盤、玉池、玉屏、玉磬、玉羅漢、玉香橼，皆精絕，亦多有刻字者。玉瓶凡十一，

註1　轉引自《清代宮廷史》第426頁。

大小不一，皆華妙。有玉刻綺春園記十簡，面底皆刻龍，精絕。一白玉羊大三寸許，尤華妙。如意亦百數，以紅玉鑲碧玉及白玉者佳；有一純白玉米，至清華矣。其他水晶如意、磁如意，亦極清妙。其銅鐵如意尤多，不可數。其刻漆、堆藍、雕金之屏盤杯盃百器甚多，皆非常之寶也。」「其御製磁有字者甚多。有御書『印心石屋』墨寶六幅，金紙〈印心石屋圖〉三幅，亦刻龍。齋戒龍牌一。封妃嬪寶牒一。其他晶石漆瓶盤、人物無數。皆中國積年積世之精華，一旦流出，不痛甚哉！」【註1】

第二次：1900年八國聯軍對皇室財寶的搶劫與破壞

1900年（清光緒二十六年），八國聯軍攻占了北京，不僅大肆殺戮義和團民，還大掠三日，更繼以私人搶劫。各官衙所存庫款被洗劫一空，頤和園、三海（南海、中海、北海）等地，也遭到搶劫。頤和園為清宮避暑遊樂之地，陳列著大量的歷代珍貴文物、圖書字畫和金銀珍寶，尤以碧璽、寶石、翡翠居多，大多是各地進呈給慈禧太后的壽禮，都被掠走。頤和園的珍寶被搶掠殆盡，佛香閣下排雲殿內的什錦櫃只剩下空格子了，而那些前來「參觀的」各國遊客，仍然「皆爭取一二物，謂留為紀念品，遂至壁間所糊字畫，窗間雕刻之畫板，亦瓜剖豆解矣。」【註2】正如時人所言，經過這場浩劫，「中國自元明以來之積蓄，上自典章文物，下至國家奇珍，掃地遂盡。」【註3】

紫禁城是皇宮，自然是各國侵略者搶劫的重點目標。但侵略軍

註1　康有為：《歐洲十一國遊記二種》（《走向世界叢書》），嶽麓書社，1985年，第220頁。
註2　《義和團檔案史料》下冊，第667頁。
註3　柴萼：《庚辛紀事》，《義和團》第1冊，第316頁。

總部怕各國在搶劫中產生矛盾和衝突，另外他們還準備繼續承認清政府，於是決定不占領紫禁城。但事實上各國侵略者都曾利用各種機會進入皇宮進行搶劫，部分檔案對此有所記載，如八月初四日，「洋人拿去乾清宮等物品清單」中記載有：玉器163件、瑪瑙44件、瓷器3件、筆16支、核桃珊瑚20件、扇子5把、搬指6個、竹木器7件、玩器35件、冊頁14冊、手卷4軸、掛軸2件、銅器8件和石器墨紙4件，以上共331件。乾清宮內的青玉古稀天子之寶1方、青玉八徵耄念之寶1方、銅鍍金佛2尊、碧玉雙喜花觚1件和碧玉英雄合巹觚1件等珍貴物品，也被洋人相繼搶去。另外，八月初六日、十二日、二十七日、九月初一日、十月初三日、初七日和初十等日的檔案中，也有洋人搶劫東西的類似記載。【註1】些記載遠遠不是皇宮御園損失的全部。

　　光緒年間，中海西岸修建了慈禧太后的寢宮和歸政後的頤養之所，稱為儀鸞殿。據《儀鸞殿陳設帳》記載，其內陳設著近千件珍寶，有玉器、瓷器、玻璃器皿，還有各式各樣的鐘錶和寶石。這些陳設品有一部分來自大臣的進貢，如袁世凱獻給慈禧太后的一件「四季花鏡」，上面除鑲有墨綠玉、藍寶石外，還有珍珠54顆。八國聯軍侵入北京，中南海成為聯軍司令部的駐地，聯軍總司令瓦德西挾名妓賽金花住儀鸞殿達半年之久。一天深夜，儀鸞殿突然起火，瓦德西狼狽逃出，聯軍參謀長則燒死殿內，殿內珍寶化為灰燼。皇宮御園損失的價值是無法估量的。正如瓦德西供認：「所有

註1　轉引自《清代宮廷史》第542頁。

中國此次所受毀壞之損失及搶劫之損失，其詳數將永遠不能查出，但為數必極重大無疑。」【註1】

第三次：遜帝溥儀在內廷13年中文物的損失

1911年辛亥革命後，根據清室優待條件，遜帝溥儀仍「暫居宮禁」，皇宮裡大量堆積的文物珍寶仍然由皇室和內務府占有。但是，「這些財寶每一分鐘都在被贈送、出售或典押，甚至被偷竊。」【註2】文物財寶流失的渠道主要有以下三個方面：

其一是賞賜。遜帝溥儀經常拿一些名貴的字畫珍籍賞人，主要是他身邊的「師傅們」，如「宣統八年十一月十四日」：

> 賞　陳寶琛　王時敏晴嵐暖翠閣手卷一卷
> 　　伊克坦　米元章真跡一卷
> 　　朱益藩　趙伯駒玉洞群仙圖一卷
> 　　梁鼎芬　閻立本孔子弟子像一卷

又如「宣統九年三月初十日」記的單子，上有賞伊克坦、梁鼎芬每人「唐宋名臣像冊」一冊，賞朱益藩「范中正夏峰圖」一軸、「惲壽平仿李成山水」一軸。溥儀後來回憶說：「這類事情當時很不少見，加起來的數量遠遠要超過這幾張紙上的記載。」他又說：「我當時並不懂什麼字畫，賞賜的品目，都是這些最內行的專家們自己提出來的。」【註3】這些「師傅們」還以「借」為名，公然將宮中之物據為己有。1925年3月19日清室善後委員會點查毓慶宮時，發現一份《諸位大人借去書籍字畫古玩等糙帳》，是宣統庚申年（民國9年，

註1　轉引自《中國近現代史綱要》，高等教育出版社，2007年，第23頁。
註2　〔英〕庄士敦：《紫禁城的黃昏》，山東畫報出版社，2007年，第228頁。
註3　溥儀：《我的前半生（全本）》，群眾出版社，2007年，第49頁。

1920年）記的。「諸位大人」指陳寶琛、朱益藩，下面或有註「收回」，未註「收回」字樣的則是已侵為己有了。不過，在溥儀印象中，真正盜賣珍貴文物的老手，還是羅振玉。溥儀對於北京城裡掌握實權的人物，遇到他們的生日或新年，都免不了送古玩字畫等作為賀禮，以為巴結、籠絡。如1923年曹錕當了大總統後，溥儀送給他一份豐厚的生日禮物：

哥窯天盤口大瓶	2件
嘉靖青花果盤	2件
玉雕雲龍大洗	1件
白玉雙管甲扁瓶	1件
白玉詩意山子	1件
碧玉仙人山子	1件
古銅三足朝天耳爐	1件
古銅鼎	1件
古銅鎏金雙鹿耳尊	1件
古銅提樑卣	1對
琺瑯葫瓶	1對
琺瑯宮薰	1對
紅雕漆格	1對
紅雕漆雙耳尊	1對

吳佩孚、徐世昌、張作霖等人的生日或新正度歲，溥儀都曾以古玩充作賀禮。1923年9月，日本東京發生大地震，溥儀也選了一批約價值美金30萬元的古物、字畫、珍寶，送交日本駐華公使芳澤謙吉，以代現金作為賑災之用，向日本示好。

其二是拍賣典押。溥儀在暫居內廷期間，不僅大清皇帝「尊號」仍在，而且繼續使用宣統年號，仍有所謂內務府、宗人府等衙署操辦事務，更有大批太監、宮女等供其役使。為了滿足龐大的開支，維持小朝廷的局面，他們不惜拍賣或典押宮內的珍貴文物。民國11年（1922年）、12年（1923年）清室曾幾次公開投標拍賣宮中珍寶、金銀器。

最顯著的例于是溥儀岳父榮源經手的一次抵押。抵押合同日期是民國13年（1924年）五月三十一日，簽字人是內務府的紹英、耆齡、榮源和北京鹽業銀行經理岳乾齋，抵押品是金鐘、金冊、金寶和其他金器，抵押款數80萬元，期限1年，月息1分。合同內規定，40萬元由16個金鐘（共重111,439兩）作押品，另40萬元的押品則是：包括八個皇太后在內的金寶10個，金冊13個，以及金寶箱、金印池、金寶塔、金盤、金壺等，計重10,969.796兩；不足十成的金器36件，計重883.8兩，嵌鑲珍珠1,952顆，寶石184塊。另外，還有瑪瑙碗等珍品45件。只這後一筆的40萬元抵押來說，就等於是把金寶、金冊等十成金的物件當作荒金折賣，其餘的則完全白送。後來故宮博物院在宮廷物品點查中發現了這一合同，遂給北洋政府內務部致函，提出防止這批寶物變賣：

查本院於接收保管故宮物品中，曾發見有清皇室內務府將宮中所存寶冊、古樂金鐘及各種金器，抵押於北京鹽業銀行之事。曾經致函該行，請將所押物品暫為保存，勿即變賣。俟與內務府商定辦法後，再與該行接洽。函達去後，迄未見複。該項抵押品中有古樂金鐘十六件，聞為曠代僅存之品，為研究古樂所必需。

其餘冊寶等物，亦多有關文獻，均屬明令應行保存範圍，自未便
聽其變賣處分。相應照錄原訂合同及抵押品全單，函請貴部查
照，禁止變賣處分，並希轉行稅務處對於單開各件，一律禁止出
口，以保國粹，至紉公宜。【註1】

其三是偷盜。紫禁城表面平靜，內裡卻秩序混亂，盜竊活動愈演
愈烈。溥儀剛行過婚禮，「皇后」鳳冠上的全部珍寶都被換成了贗
品。他回憶說：「那簡直是一場浩劫。參加打劫行徑的，可以說是從
上而下，人人在內。換言之，是一切有機會偷的人，是無人不偷，而
且盡可放膽地偷。偷盜的方式是各有不同的，有撥門撬鎖秘密地偷，
也有根據合法手續，明目張膽地偷。太監大都採用前者方式，大臣
和官員們則是用辦理抵押或標賣，借出鑒賞，以及請求賞賜等等，
即後者合法的方式。至於我和溥傑採用的一賞一受，更是最高級的方
式。」【註2】

溥儀與溥傑的「一賞一受」，就是監守自盜。溥儀在宮中隨著年
齡的增長，復辟大清帝國的願望和改善禁錮生活環境的要求日益強
烈。改變現狀需要大量的金錢。為了籌備經費，他就打起了宮裡最值
錢的字畫和古董的主意。當時正值內務府大臣和師傅們清點字畫，溥
儀就從他們選出的最上品中挑最好的拿，以賞賜溥傑為名，運出宮
外，存到天津英租界的房子裡。溥傑每天下學回家，必帶走一個大包
袱，這樣的盜運活動，始於宣統十四年（1922年）七月十三日，止於

註1 中國第二歷史檔案館編：《中華民國史檔案資料彙編第一輯‧文化》，江蘇古籍出版社，1994年，第222～223頁。
註2 溥儀：《我的前半生（全本）》，第106～107頁。

當年十二月十二日，歷時整整五個月。運出去的字畫古董，有王羲之王獻之父子的《曹娥碑》、《二謝帖》等，有鍾繇、僧懷素、歐陽詢、宋高宗趙構、米芾、董其昌、趙孟頫等人的真跡，司馬光的《資治通鑑》原稿，有唐王維的人物畫、宋馬遠和夏珪以及馬麟等畫的〈長江萬里圖〉、張擇端的〈清明上河圖〉，還有閻立本、宋徽宗等人的作品。古版書籍，是把乾清宮西昭仁殿的全部宋版明版書的珍本運走了，運出的總數大約有1,000多件字畫，200餘種宋元明版書。

　　1925年7月31日，清室善後委員會在點查養心殿時，發現了一束〈賞溥傑單〉和一束溥傑手書的〈收到單〉。故宮博物院後來將此密件及此前發現的《諸位大人借去書籍字畫玩物等糊帳》編輯成書，取名《故宮已佚書籍書畫目錄四種》，向社會公開發行。弁言中稱，被溥儀兄弟盜運出的書籍字畫，「皆屬琳琅秘籍，縹緗精品，《天祿》書目所載，《寶笈》三編所收，擇其精華，大都移運宮外。國寶散失，至堪痛惜！茲將三種目錄印行，用告海內關心國粹文化者。」[註1]

　　當時宮中偷盜已成為一種公開的秘密。在地安門大街上，新開了一家又一家的古玩店，他們都是太監或者內務府的官員們開的。店內賣的古玩，許多都是貨真價實的內府珍品。

　　建福宮是乾隆時期建造的一處自成體系的大型宮殿花園式的院落。宮室內收藏著十分豐富的文物珍寶，有皇帝行樂圖、帝王御容寫真、名人字畫、佛經、書籍、金佛、金塔、金銀法器以及珍貴銅器、稀有瓷器等，收藏較為全面和系統。溥儀大婚時用的物品和全部禮

註1　《故宮已佚書籍書畫目錄四種》，清室善後委員會，1926年6月。

品，也都存放在這裡。1923年溥儀決定整頓內務府，清點庫房。建福宮的清點剛開始，6月27日深夜，一場大火將建福宮花園及其附近的宮殿建築化為焦土，大量文物珍寶付之一炬。據內務府所説，燒毀金佛2,665尊，字畫1,157件，古玩435件，古書幾萬冊。究竟燒了多少東西，至今還是一個謎。燒成的灰燼裡有燒熔的金、銀、銅、錫，內務府把北京金店的人找來投標，結果一個金店以50萬元的價格中了標。據説當時只是熔化的金塊、金片就撿出了17,000多兩。內務府把餘下的灰燼裝了許多麻袋，分給內務府的人們，有人用從麻袋裡灰燼提製的金子，做了兩個直徑和高度均為1尺上下的黃金壇城，施捨給北京兩座寺廟。【註1】其損失之巨，於此可見一斑。

註1　溥儀：《我的前半生（全本）》，第108頁。

第二章 故宮博物院的成立、文物南遷及部分文物運台

一 故宮博物院的成立

正當溥儀小朝廷鬧得昏天黑地時，溥儀沒有想到，他在紫禁城的末日到了。

1924年9月16日，第二次直奉戰爭爆發，賄選總統曹錕下令討伐奉系，任吳佩孚為「討逆軍總司令」，率部進攻據守山海關的張作霖奉軍，直系將領馮玉祥也奉命率部離京開赴直奉戰爭前線。10月22日夜，馮玉祥的部隊突然倒戈，從灤平前線秘密班師回北京，發動震驚中外的「北京政變」。24日，直系軍閥政府被推翻，曹錕被囚，吳佩孚的勢力被逐出北京。北京政變成功後，馮玉祥將軍被推為國民軍總司令，並成立了中華民國臨時執政府，由國民軍支持的黃郛擔任臨時執政府代總理，攝行總統職務。11月4日，臨時執政府攝政內閣會議議決，修正《清室優待條件》，決定「清室應該按照原先優待條件第三條規定，即日移出宮禁」；同時決定，由京師衛戍司令鹿鍾麟、京

師員警總監張璧負責執行，並以教育文化界名流李煜瀛為國民代表會同辦理。

　　1924年11月5日，溥儀及其眷屬被驅逐出紫禁城。11月7日，臨時執政府發佈命令：「著國務院組織善後委員會會同清室近支人員協同清理公產私產，昭示大公。所有接收各公產，暫責成該委員會妥慎保管。俟全部結束，即將宮禁一律開放，備充國立圖書館、博物館等項之用，藉彰文化，而垂永遠。」【註1】11月14日，《政府公報》上公佈了《清室善後委員會組織條例》，條例共八條，包括委員會的任務、組織職務、期限、辦公地址、辦公費及其他事項，同時聘請李煜瀛為清室善後委員會委員長。11月20日，清室善後委員會籌備就緒，宣告成立，李煜瀛就任委員長職。委員會由政府和清室雙方人士組成。

　　清室善後委員會最重要的任務是點查清宮物品，分清公產、私產，但遭到段祺瑞政府的阻撓與清室的破壞。善後委員會對此給予堅決的抵制，並在當年12月20日召開了委員會第一次會議。在清室方面的委員拒絕到會的情況下，按法定程式，通過了《點查清宮物件規則》。清室方面委員拒不參加點查並唆使政府下令停止點查工作，善後委員會於12月22日又召開點查預備會議，堅持對清宮物品的點查，後在有關方面的斡旋下，段祺瑞政府也只好同意點查。善後委員會在召開點查預備會議時，同時決定，立即按《清室善後委員會組織條例》的規定，成立圖書、博物館籌備會，聘請易培基為籌備會主任，

註1　中國第二歷史檔案館編：《中華民國史檔案資料彙編第一輯・文化》，江蘇古籍出版社，1994年，第292～293頁。

開始籌組圖書館、博物館的工作。

　　點查清宮物品，以宮殿為單位，而順序則由入口左側起，逐件編號，依序錄登。因清宮殿堂眾多，善後委員會遂將各宮殿按「千字文」編號，如乾清宮為「天」、坤寧宮為「地」、南書房為「元」、上書房為「黃」等。物品的編號有總號、分號之別：櫥櫃箱架各為一總號，以中文書寫；置放其內之物則屬總號之下的分號，以阿拉伯數字記之。點查作業以組為單位，派赴各宮殿點查，謂之「出組」。每次清點，除工作人員外，還有軍警參加，最多的參與者近20人。每組各有一張擔任職務簽名單，稱為「組單」，上列六大工作專案：查報物品名目、登錄物品、寫票（據點查登錄簿所記編號寫成票簽）、貼票（將票簽黏貼或懸掛於物品上）、事務登記、照像（重要物品需照像）。

　　故宮博物院成立於1925年10月10日。成立的基礎是經過將近一年的時間，清宮中大多地方的物品得到初步的點查，並由善後委員會編輯出版《清室善後委員會點查報告》一份，以易培基為主任的圖書、博物館籌備會，做了大量的籌備工作；同時，也是當時政治鬥爭的需要，善後委員會認為，鑒於當時的緊迫形勢，應迅速成立博物院，使清宮善後之事成為公開局面，才能杜絕清室方面的復辟妄想。故宮博物院成立時，養心殿、毓慶宮、壽安宮、慈寧宮、寧壽宮、永壽宮等尚在點查之中，博物院成立之後繼續完成。景福宮、閱是樓、景祺閣、符望閣、倦勤齋、文淵閣以及景山壽皇殿等都是1926年開始點查並完成的，直至1930年3月，又次第完成皇極殿、頤和軒、南三所、西所、盆庫、大高殿，以及實錄庫、皇史宬、鑾輿衛、簾子庫等處點查工作，遷延5年多的清宮物品點查告一結束，

並出版了《清宮物品點查報告》6編28冊，載錄每一物事之編號、品名、件數，以及參與點查人員、軍警監視人員姓名，為故宮清點清宮物品的完整記錄。

根據《清室善後委員會物品點查報告》，清宮遺留下來的物品，計有117萬件之多。這些文物就成為1925年成立的故宮博物院的藏品。當然，清宮舊藏及遺存的數量遠不止這些，當時有些殿堂尚未清點，清點過的一些物品，因計算方法的原因，與實際數量亦有不少出入。例如故宮的一些檔案，原來是按包扎，以一包為一件的，實際上一包之中所含的物件等，多者竟達一二百件。運台的檔案文獻，按原來統計辦法是26,920件，後重新按件整理，則變成了393,167件，是原來的15倍。正因為如此，文物的清理也就成為故宮博物院一項多次進行的重要工作。據估計，加上北京故宮博物院以前收藏的檔案典籍等，當年故宮博物院成立時，清宮舊藏及遺存最少在700萬件以上。

故宮博物院創立後，由於北洋軍閥政府的內戰，政局的不穩與變化以及經費的困難，使創立初期的博物院遭遇了艱辛與挫折。1928年6月國民革命軍第二次北伐成功後，南京國民政府接收故宮博物院。1928年10月，國民政府先後公佈了「故宮博物院組織法」和「故宮博物院理事會組織條例」。1929年3月，國民政府任命李煜瀛為故宮博物院理事會理事長，任命易培基為故宮博物院院長。故宮博物院各項業務工作全面開展，進入了難得的蓬勃發展的好時期。

二　文物南遷

1931年，日本帝國主義發動了「九一八事變」，占領我東北，平津震動，華北告急。一旦日軍入侵華北和平津，故宮博物院的文物就有在戰火中被劫被毀的危險。鑒於日軍侵略氣焰方熾、時局不斷惡化，故宮博物院理事會認為，萬全之計，就是把文物轉移到安全的地方。於是經理事會討論決定，並報國民政府同意，選擇院藏文物中的精品，遷往上海儲藏。

文物南遷的準備工作，一是選擇文物精品，二是做好裝箱工作。古物館、圖書館、文獻館三館各負責本館文物精品的裝箱準備，秘書處則負責辦理散貯各宮殿的文物。這次裝箱，可以說裝了故宮文物大部分精華，凡是可以裝運的，幾乎都裝了箱。各類文物裝箱的情況是：古物方面集中裝箱的以書畫、銅器、瓷器、玉器為主，數量也最多，其他同時裝箱的象牙、雕刻、琺瑯、漆器、文具、陳設等工藝類文物，也占相當數量；圖書方面，宮中所存、值得運走的大致裝了箱，其中主要有文淵閣《四庫全書》，摛藻堂《四庫薈要》，文淵閣、皇極殿、乾清宮所存《古今圖書集成》等；文獻方面，主要有檔案、冊寶、輿圖、圖像、樂器、服飾等，凡是重要的都裝了箱。

故宮文物南遷及南遷文物運台已為人們所熟知。不少人以為，當年故宮博物院的文物都南遷了，而其中的精品又都運到了台灣。這自然是個誤解。南遷古物，當時決定儘量挑選精品，事實上未能完全做到。各庫藏品數以萬計，大量珍品貯藏其間，大部分仍保存未動，有

的庫甚至整庫文物未動。同時各個陳列室須要維持正常開放參觀，就
要保留一定數量的展品。也有的裝箱人員因對文物缺乏研究，留下真
品，選走偽品。也有的雖係精品而因故未及裝箱的。也有的當時視為
偽作，有意未裝箱的。還有雖係珍貴文物，過去不為人知，或藏置於
次要處所，當時未找出裝箱運出。還應看到，南遷文物的挑選，因受
包裝及運輸條件的限制，凡是大件的物品（玉器、陶瓷、書畫等俱
有）都未運走；而且囿於當時的認識水平，還多從傳統的古董商人的
角度看待文物，重視文物的市場價值，缺乏文化史、藝術史的眼光，
因此挑選南遷文物時，難免有偏頗之處。

各館處裝箱南遷文物箱數及件數如下：

1. 古物館

瓷器	1,746箱	27,870件
玉器	178箱	8,369件
銅器	50箱	572件
銅鏡	5箱	517件
銅印	2箱	1,646件
書畫	128箱	8,852件
文具	19箱	862件
如意	6箱	88件
鼻煙壺	3箱	559件
朝珠	2箱	75件
剔紅	70箱	744件
琺瑯	70箱	639件

象牙	22箱	66件
陳設	45箱	47件
刀劍	4箱	67件
雕刻	20箱	188件
法器	14箱	228件
雜項	247箱	12,346件
共計	2,631箱	63,735件

2. 圖書館

文淵閣四庫全書全部	36,537冊	536箱
摛藻堂四庫全書薈要	11,179冊	145箱
宛委別藏		784冊
文淵閣、皇極殿、乾清宮		
古今圖書集成		15,050冊
清刻高宗御譯大藏經	108函	54箱
藏文寫本龍藏經	108函	108箱
藏文寫本甘珠爾經	108函	
宜都楊氏觀海堂藏書全部		62箱
善本書		72箱
方志		46箱

其他如武英殿聚珍版、鈔本、滿蒙文刻本等，一共裝運了1,415箱。

3. 文獻館

內閣大庫檔	1,516箱
刑部檔	86箱

宮中檔	461箱
內府檔	32箱
清史館檔	77箱
軍機檔	365箱
實錄聖訓	507箱
起居注	66箱
玉牒	94箱
劇本	5箱
戲衣	200箱
樂器	160箱
地圖銅版	26箱
輿圖	17箱
圖像	62箱
儀仗	16箱
冊寶	35箱
武器	5箱
盔甲	32箱
陳列品	9箱
印璽空盒	2箱

共計3,773箱。

4．秘書處

　　將鐘錶、清瓷、盆景等各宮殿尚未集中的文物，以及處分物品尚未售出的皮衣等，共裝5,608箱又64包。

　　文物南遷是從1933年1月開始的。當時日軍進入山海關，並進攻

熱河省和長城各口，華北地區面臨更加險惡的局勢，故宮博物院理事會決定，立即將已裝好箱的文物，分批南遷上海，並派人去上海租賃庫房準備存儲遷滬文物。2月6日，第一批南遷文物起運，以後，又經過約四個月的時間，到5月15日止，共運出文物五批。

五批運送的起止日期表如下【註1】：

批數	起運日期	到達日期
第一批	1933年2月6日	1933年3月5日
第二批	1933年3月14日	1933年3月21日
第三批	1933年3月28日	1933年4月5日
第四批	1933年4月19日	1933年4月27日
第五批	1933年5月15日	1933年5月23日

五批運出的故宮一處三館文物列表如下【註2】：

註1　《由北平起運赴滬到達日期表》（1949年2月20日收。凡檔案原件無日期，均標收檔日期，下同），北京故宮博物院檔案。

註2　《由北平起運赴滬分批箱數表》（1949年2月20日收），北京故宮博物院檔案。

批數	秘書處	古物館	圖書館	文獻館	總數
第一批		452箱	602箱	1,064箱	2,118箱
第二批	426箱	384箱	44箱	436箱	1,290箱
第三批	1,013箱62包	242箱	477箱	1,240箱	2,972箱62包
第四批	2,635箱2包	829箱	138箱	1,033箱	4,635箱2包
第五批	1,534箱	724箱	154箱		2,412箱
總計	5,608箱64包	2,631箱	1,415箱	3,773箱	13,427箱64包

　　附隨故宮文物南遷的，還有古物陳列所、中央研究院、頤和園等單位的文物，亦列表如下【註1】：

	古物陳列所	中央研究院	頤和園	內政部	國子監	先農壇
第二批	200箱	37箱				
第三批	814箱		74箱	檔案4箱		
第四批	1,400箱		224箱		石鼓10件碑1件	
第五批	3,000箱		343箱又8件			88箱

　　1934年初，故宮文物南遷後半年多，行政院下令故宮博物院清點留平文物及點收運滬文物，馬衡就任院長後具體主持此項工作。北平留存文物的點收，從1935年7月至1936年10月，歷時年餘。初由行政院駐平政務整理委員會遴派專員到院監視。政整會撤銷後，9月奉行

註1　《各處附運箱數》（1949年2月20日收），北京故宮博物院檔案。

政院令，派北京大學校長蔣夢麟、北平大學校長徐誦明、清華大學校長梅貽琦、北平師範大學校長李蒸為文物監盤委員，輪流到院監視工作。點查手續仍按以往成規辦理，但沒有詳細登記，一是考慮留院文物數量大，不及細查；二是考慮需要日後進一步對全部文物分類整理編目，因此只著重於首先點清留院文物品名、數量，其他工作留待以後再做。

運滬文物的點查，始於1934年11月20日，1937年6月結束。行政院派去的監盤委員是教育部的舒光寶，點驗過的文物，全都鈐蓋上「教育部點驗之章」，工作做得較細，事後編印油印本「存滬文物點查清冊」，以後就成為南遷文物的原始清冊。原來自平裝箱運出時，清冊只記了品名與件數，並沒有編造詳細清冊。這次點收則是按箱詳細登記的，銅器、玉器、牙器，都要記明重量。瓷器，還要標明顏色、尺寸（包括口徑、底徑、腹圍、深度等）、款式，以及有無損傷。倘原來文物最初由清室善後委員會點查所黏貼的字號籤遺失又無法查出原字號，或原來就漏編字號，則此次補編新字號。馬衡院長以「全材宏偉」、「滬上寓公」八字，重造三館一處南遷文物的編號與箱號：文物編號為全（秘書處）、材（古物館）、宏（圖書館）、偉（文獻館）；箱件編號為滬（古物館）、上（圖書館）、寓（文獻館）、公（秘書處）。上海開箱點查南遷文物箱數表如下【註1】：

註1　《在滬經開箱點查後運南京箱數及日期表‧分批箱件數目表》（1949年2月20日收），北京故宮博物院檔案。

	單位	字號	第一批	第二批	第三批	第四批	第五批	總計	備註
故宮博物院	古物館	滬	2,466箱	164箱	1箱			2,631箱	①
	圖書館	上	420箱	995箱				1,415箱	②
	文獻館	寓			129箱	1,535箱	2,102箱	3,766箱	③
	秘書處已點收箱數	公		3,658箱	105箱			3,763箱	
	前秘書處未點收箱件	禾			1,845箱		64包	1,845箱64包	④
	倫敦展覽箱件	藝	76箱		4箱			80箱	
	藝展會退回未選送出國箱件	提				7箱		7箱	
	法院封存箱件	法				10箱	1箱	11箱	⑤
	駐滬辦事處文件箱	處				2箱	39箱7件又13扎	41箱7件又13扎	
	刊物	刊	189箱					189箱	⑥
其他單位	古物陳列所	所			1,760箱	3,657箱		5,417箱	⑦
	頤和園	頤			566箱8件8包	74箱		640箱又8件8包	
	國子監	國					11箱	11箱	
總計			3,151箱	4,817箱	4,410箱8件8包	5,285箱	2,153箱64包7件13扎	19,816箱72包15件13扎	

備註：

①與南遷時數目相符。

②與南遷時數目相符。

③南遷時為3,773箱。1935年5月提老滿文檔8箱運平。1936年2月由平運還老滿文檔1箱，故得此數。

④以上兩項共為8,608箱64包，與遷時數目相符。

⑤以上三項共為98箱，係從三館及前秘書處南遷各箱內提出另存，將來需歸原箱。

⑥以上二項共230箱又7件13扎，係附帶運京箱件，卒另提存。

⑦南遷箱件原為5,414，因藝展退回連囊匣一併歸箱，不敷應用，新添一箱又加空囊匣二箱，故合為5,417。

原檔案說明如下：

一、由滬運京之字號：滬、上、寓、公、禾五項，即由平運滬之原箱。惟寓字內提運北平滿文老檔7箱後，總數為13,420箱。

二、二十四年（1935年）在英國倫敦中國藝術國際展覽會，由各箱內提選精品參加展覽。於出國前，增製精美囊匣。回國後，滬處仍用運英原箱，裝為八十箱，編為藝字第一號至八十號。

三、由各箱內提出參加展覽之物品，未入選者，滬處臨時裝為七箱，編為提字，由第一號至第七號。

四、江寧地方法院在滬檢查本院文物，由各箱內提出之物品，分裝十一箱，編為法字第一號至十一號。

五、處字及刊字編號之二百三十箱，係滬辦事處之文件帳冊及照像室所之器材，及本院印行之刊物等件與文物無關。

六、本院代運前古物陳列所之箱數，在滬點查後，較由平運滬之箱數多三箱。又頤和園之箱數，較由平運滬之箱數少一箱。應是在滬開箱點查後，裝箱技術不同之差別，卷內並未載明。

查以上號字，滬字者，包括銅器、瓷器、書畫、織繡、玉器、景泰藍、剔紅、摺扇、木器及象牙雕刻等雜項；上字者，為書籍；寓字者，為文獻檔案；公字、禾字，為綢緞、皮件。（廿一日函王毅荐將此節改為：公字、禾字箱，包括瓷器、綢緞、皮件，尤以瓷器為大多數）。

南遷文物運儲上海後，同時在南京搶建庫房。1936年8月，南京朝天宮文物庫房建成，當年12月投入使用，存於上海的文物分批轉運到南京新庫房儲存。但僅僅半年時間，日本侵略者在北平發動「七七事變」，接著在上海發動「八一三事變」，中日戰爭爆發，南京情勢日趨緊急。剛剛轉遷到南京庫房的南遷文物，又根據行政院命令，再次避敵西遷，向後方疏散。文物西遷轉移以後，隨同西遷文物到後方的工作人員，分散在貴州安順，四川重慶、樂山、峨嵋等四處。在重慶設立總辦事處，由院長馬衡率領一部分人駐守；文物的日常保管與維護工作，則由安順、樂山、峨嵋三個辦事處的工作人員分別負責。1944年12月，安順辦事處所管文物運到四川巴縣境內儲存，同時設立故宮博物院巴縣辦事處，撤銷安順辦事處。

1945年9月抗日戰爭勝利後，戰時狀態結束，故宮博物院奉命復原。散儲在樂山、峨嵋、巴縣三處庫房的文物箱件，從1946年1月下旬開始起運，直到1947年3月6日，全部集中到重慶，暫存約兩個月，便開始向南京轉運，到12月初結束，歷時將近半年。從1937年11月開

始西遷文物轉移儲存，到1947年6月全部東歸南京，這批文物在後方整整過了10年，在這10年間的分散保管時期，經歷了難以想像的困難和艱辛，文物沒有較大的損傷，創造了第二次世界大戰時期人類保存文化遺產的奇蹟。

1937年，存放於南京分院的故宮文物避敵西遷時，有近3,000箱堆放在江岸碼頭上的文物未來得及裝運，又運回庫房封存。日軍占領南京後，將南京分院及文物庫房強行占用，並連同朝天宮一起改作傷兵醫院。封存在庫房中的近3,000箱文物被日軍分別移存於北極閣中央研究院、紫金山天文台和地質調查所等處。抗日戰爭勝利後，這批留存文物全部追查收回，但原分院庫房使用的空調機等機器和原印刷所的印刷設備則大部分下落不明，無從追索。

三　接收古物陳列所及對流散文物的收集

古物陳列所是北洋政府內務部於1913年12月29日下令籌辦，1914年2月4日正式宣告成立，是一個主要保藏陳列瀋陽故宮及熱河行宮文物的機構。1913年12月24日制定的《古物陳列所章程十七條》申明：「本部有鑒於茲，默察國民崇古之心理，搜集累世尊秘之寶藏於都市之中，闢古物陳列所一區，以為博物院之先導，綜我國之古物與出品二者而次第集之，用備觀覽，或亦網羅散失參稽物類之旨所不廢歟。」古物陳列所有熱河行宮及各園林的陳設物品1,949箱、117,700餘件，瀋陽故宮古物1,201箱、114,600餘件，共計約232,300件。除在武英殿、文華殿開闢展室外，還用美國退還庚款20萬元在武英殿以西的咸安宮舊基，建築寶蘊樓庫房，用來保存文物。熱河都統治格兼

任古物陳列所所長。1926年設鑒定委員會，分書畫、金石、陶瓷、雜品四組，由各委員分任鑒定。為了吸引觀眾，規定各殿陳列物品每週都進行更換，稀世珍品隨時更易，不作長時間展覽，以便慎重保護。普通展品「或旬月一換，或逢令節紀念等日減價期間，分別選擇更易」。另外還在東、西華門外置一大公告木牌，書寫陳列物品門類，以期觀眾預為知曉。古物陳列所代表了我國20世紀20年代博物館的水平，受到觀眾歡迎。據統計，從1928年7月中旬到1934年，6年間該所共接待觀眾422,000人次，最多一月（1932年10月）觀眾達12,457人次。【註1】

　　古物陳列所從熱河、瀋陽接管的古物中，有兩部《四庫全書》，後都移交出去了。1929年9月13日，古物陳列所改為直屬於南京國民政府內政部。1933年2月7日，古物陳列所所存古物也奉命裝箱，隨故宮博物院第二批南遷文物同時啟運，先後運出四批，計111,549件，留平的還有88,202件。南遷文物包括銅器、瓷器、書畫、琺瑯器、玉器、雕漆、古籍、帝王像、琴硯、珠寶、鐘錶、掛屏、藏經等。這批文物運滬後與故宮南遷的文物存在一起。1936年故宮博物院南京分院朝天宮庫房建成後，古物陳列所的這批文物也從上海移到南京。淞滬抗日戰爭爆發後，這批文物隨故宮博物院文物分三路同時遷出南京，輾轉運到四川，直到抗戰勝利。抗戰勝利後，國民政府行政院在1946年12月3日開會議決了三件事：一、故宮博物院歸劃行政院直轄；二、古物陳列所房屋及其留北平之文物，撥交故宮博物院；三、古物

註1　參閱王宏鈞主編《中國博物館學基礎（修訂本）》，上海古籍出版社，2001年，第81頁。

陳列所文物之已經移至南京者，仍照中央政治會議成案，撥交中央博物院。

　　1948年3月1日，古物陳列所正式併入故宮博物院，留平的文物歸了故宮，更重要的是實現了整個紫禁城的統一管理。1930年10月，故宮博物院院長易培基曾向國民政府行政院提出「完整故宮保管計畫」的議案，並以理事蔣中正領銜呈送國民政府，當即得到行政院的批准，同意將設在紫禁城外朝的古物陳列所與故宮博物院合併，將中華門以北各宮殿，直至景山、太廟、皇史宬、堂子、大高殿一併歸入故宮博物院。但因多種原因，合併工作一直未能完成，18年後才得以實現。1948年10月，國民政府重行修正公佈《國立北平故宮博物院暫行組織條例》，第一條規定：「國立北平故宮博物院……掌理舊紫禁城全部，並所屬天安門以內及大高殿、清太廟、景山、皇史宬、清堂子等處之建築物。」事實上，除紫禁城全部及太廟外，其他建築物直到這時仍為其他單位占用，沒有收回來。故宮博物院正式接收古物陳列所留存北平文物及房屋館舍後，重行佈置太和、中和、保和、武英、文華等殿，闢為南路參觀路線。

　　抗戰勝利後，故宮博物院北平本院接管和收購了一批散失在外的故宮舊有文物和物品，還接受了很多私人收藏家捐獻的文物，其中不少是具有很高藝術價值和歷史價值的稀世珍品。

1.在天津接收兩批文物

　　收回被日軍劫走的銅燈亭、銅炮。日軍1944年6月22日從故宮劫走銅燈亭91座，銅炮1尊，作為其推廣「獻銅運動」的成果。這批物品運到天津，還未來得及運往日本，日軍就投降了。故宮博物院於1946年從天津運回銅燈亭、銅炮，有的已殘破、毀壞，共重4,460

公斤，較劫走當時短少971公斤。被日軍劫走的54個銅缸則遍尋不見。

接收溥儀天津舊宅留存的文物和溥修宅中留存的溥儀物品。溥儀宅中文物計1,085件，分藏於19個小鐵匣和2個皮匣中，多為玉器及小件什物，書畫5件，其中有見於《故宮已佚書畫目》中的作品。小件什物上大多有黃色號籤，與故宮博物院所存同類物品的號籤完全相同。在溥修宅中發現的溥儀物品共222件。這兩批文物發現後由河北省平津區敵偽產業處理局查封，經國民政府行政院批准由故宮博物院於1946年7月接收，運回北平。溥儀這些文物，其中珍品古玉達數百件之多，如商代鷹攫人頭玉佩即為無上精品；宋元人手卷4件，宋馬和之〈赤壁賦圖卷〉、元鄧文原〈章草卷〉、元趙孟頫設色〈秋郊飲馬圖卷〉及〈老子像道德經書卷〉；此外有古月軒琺瑯煙壺、痕都斯坦嵌寶石玉碗、嵌珠寶琺瑯懷錶等，至於黃楊綠翡翠扳指等，更是價值連城【註1】。

2.在北平接管四批文物

接收清宗人府餘存玉牒等。北平孔德學校於1947年3月6日，將清宗人府原存滿漢文玉牒74冊、清代八旗戶口冊690冊、檔簿70冊，共834冊，交給故宮博物院。

接收法蘭克福中國學院友誼會古物圖書741件。這批文物原存北京德孚洋行中，河北省平津區敵偽產業處理局查封後，經行政院教育部核議後，交故宮博物院接收。

註1 參閱王世襄《錦灰不成堆》，生活‧讀書‧新知三聯書店，2007年，第71頁。

　　接收陳仲恕漢印。這批漢印原存偽善後救濟總署，共501件。北平淪陷後，北平名流陳仲恕舉家南遷時，向北平某商業銀行借貸5,000元，以這批漢印為抵押品。後來這批漢印為偽華北政務委員長王克敏買去，預備還給陳仲恕，陳不肯收，因此存在善後救濟總署。日本投降後，王克敏被捕，偽中國聯合準備銀行總裁汪時璟用陳仲恕名義，於1945年10月8日把這批漢印交給故宮博物院。

　　接收朱啟鈐「存素堂」舊藏宋、元、明、清歷代絲繡及玉器、銅器、牙雕、書畫等文物3,319件。朱啟鈐先生曾先後擔任民國內閣交通總長與內務總長，亦受聘為故宮審查委員。他對收藏的歷代緙絲刺繡逐一考證，撰《存素堂絲繡錄》。1929年，先生為募款籌設中國營造學社及影刻宋版《營造法式》，將其存素堂絲繡及各類文物，一併售於張學良，押存於東北邊業銀行。「九一八」後，為偽滿洲國中央銀行占有，偽滿視之為「國寶」，並將部分文物運至日本展出，編輯出版《纂組英華》圖錄。抗戰勝利後，存素堂舊藏由長春空運北平，貯存於中央銀行，嗣由故宮博物院接管。其中絲繡尤為精美，不乏稀世珍品，如緙絲有北宋〈紫鸞鵲譜圖〉軸、〈瑤台獻壽圖〉軸、南宋朱克柔〈山茶〉、〈牡丹〉方幅，元代〈牡丹〉團扇等，繡品有宋繡〈瑤台跨鶴圖〉方幅、《金剛經》冊等，明繡有顧繡名家韓希孟《花鳥人物》冊、顧繡〈彌勒佛〉立幅及罕見的髮畫人物立軸等，另有五代梁貞明二年（916年）織成的《金剛經》卷等。

3.接收私人捐獻方面，著名的是「楊銅」、「郭瓷」

　　「楊銅」是指楊寧史的收藏。楊氏為德國僑商禪臣洋行的經理。北平淪陷期間，他從市肆收買了大量從河南等地出土的古銅器，其中古銅器127件，古兵器120件。1946年1月22日，楊把這批文物捐給故

宮博物院，後楊又捐周蟠虺簠一件。「楊銅」中極為重要的器物，有
經唐蘭先生定名為「宴樂漁獵攻戰紋」的戰國銅壺，商饕餮紋大鉞以
及鼎、卣、爵杯、玉柄鉞等。故宮博物院專為「楊銅」闢專室陳列，
並挑選參加國民政府教育部於1946年11月在南京舉辦的勝利後第一屆
文物展覽。

「郭瓷」是指郭葆昌的收藏。郭葆昌先生雅嗜文物，銳意收
藏，為著名的瓷器專家，以精鑒別、富收藏聞名中外，編有藏瓷圖
譜《觶齋瓷乘》，曾任故宮瓷器及書畫兩組的審查委員，於抗戰期
間去世。抗戰勝利後，他的兒子郭昭俊遵照先生遺囑在1946年2月25
日把郭葆昌藏瓷送到故宮博物院，計共427件。後來他家又補獻殘木
座106件、烏木床1架、紫檀雕靈芝桌1件、錦床墊1件。編有《郭葆
昌藏瓷目錄》。

4.收購

1946年底到1947年前半年，故宮博物院還收購到《故宮已佚
書籍書畫目錄四種》中曾著錄的一些書籍和書畫，用掉收購專款
26,770萬元。重要的有宋版《資治通鑒》1部（共100冊，另目錄16
冊）、米芾《尺牘》1卷、唐國詮寫《善見律》1卷，宋高宗書《毛
詩閔予小子之什》（馬和之繪圖）1卷、《明初人書畫合璧》1卷、
宋版《四明志》1冊、元人《老子授經圖書畫合璧》、龍麟裝王仁
煦書《刊謬補缺切韻》1卷及雍正、乾隆等《朱批奏摺》41本等。

這批書籍、書畫都是清宮的藏品，抗戰勝利後從東北流入北平，
合浦珠還，回歸故宮。

上述故宮博物院接收的古物陳列所文物以及接管、收購和接受捐

獻的文物，都成了北京故宮的收藏；有些文物，例如朱啟鈐先生的存素堂珍藏，後來又交回東北。

四　部分南遷文物運台

　　1948年9月以後，國內政治軍事形勢變化很快。中國人民解放軍發動的遼沈戰役行將解放東北全境，平津戰役與淮海戰役正在準備進行之中。平津被圍，徐蚌緊急，南京岌岌可危，南京國民政府準備往台灣。11月10日，兼任故宮博物院理事長的翁文灝（為國民政府行政院長）邀集常務理事朱家驊、王世杰、傅斯年、李濟、徐森玉等，以談話會的方式密議，商定選擇故宮精品，以600箱為範圍先運台灣，而以參加倫敦藝展的80箱為主。在會上，朱家驊以教育部長身份提出國立中央圖書館的善本書、傅斯年以中央研究院歷史語言研究所所長身份提出該所收藏的考古文物亦應隨同遷台。遷運的籌畫工作由理事會秘書杭立武（時任教育部政務次長、中央博物院籌備處主任）負責。後中央博物院籌備處亦決定選擇精品120箱，會同故宮文物運台。接著，故宮博物院與中央博物院籌備處理事會合議，決定，第一批文物運台之後，應盡交通工具之可能，將兩院其餘藏品，一併運往台灣。但因形勢的急轉直下，只運走了一部分。

　　運台文物共三批。

　　第一批文物由海軍部調派中鼎輪載運。載運故宮博物院文物320箱、中央博物院籌備處212箱、中央研究院歷史語言研究所120箱、中央圖書館60箱，以及外交部重要檔案60箱，共計772箱。

1948年12月22日中鼎輪啟航，26日抵達台灣基隆港。

第二批運送文物的船隻，為招商局的海滬輪，因無其他乘客與貨物，裝載文物數量大，共計3,502箱，其中故宮博物院1,680箱，中央博物院籌備處486箱，中央研究院歷史語言研究所856箱，中央圖書館462箱，北平圖書館寄存在金陵大學的明清內府輿地圖18箱也由教育部委託中博附帶了出來。該輪於1949年1月6日開行，3天後到達基隆。

第三批運台文物，原計畫共2,000箱，其中故宮博物院1,700箱，中央博物院籌備處及中央圖書館各150箱。但因無法覓得商船，便由海軍部派的崑崙號運輸艦載運，由於艙位有限以及軍艦停留時間短等原因，實際上只運走1244箱。其中故宮博物院運走972箱、中央博物院籌備處150箱、中央圖書館122箱。故宮博物院728箱、中央圖書館28箱沒有運走。崑崙艦於1949年1月29日啟航，因軍艦負有任務，不時停靠，故行駛緩慢，2月22日始抵基隆。

故宮部分南遷文物三次運台情況如下表：【註1】

註1 《運台文物分類統計表》（1949年9月1日），北京故宮博物院檔案。

運台文物分類統計表

箱別	第一批 1948年12月21日 中鼎			第二批 1949年1月6日 海滬					第三批 1949年1月29日 崑崙						總計
	滬	院	小計	滬	上	上持	展	小計	滬	上	寓	公	畚	小計	
瓷器	111箱	38箱	149箱	397箱				397箱	347箱			14箱		361箱	907箱
玉器		2箱	2箱	10箱				10箱	80箱			6箱		86箱	98箱
銅器	55箱	4箱	59箱	1箱				1箱				1箱		1箱	61箱
雕漆									35箱			1箱		36箱	36箱
琺瑯				21箱				21箱	32箱			13箱		45箱	66箱
書畫	74箱	10箱	84箱	2箱			1箱	3箱	1箱			1箱	2箱	4箱	91箱
圖書		18箱	18箱		1,182箱	2箱		1,184箱		132箱				132箱	1,334箱
服飾												20箱		20箱	20箱
檔案		7箱	7箱								197箱			197箱	204箱
雜項		1箱	1箱	63箱			1箱	64箱	76箱			14箱		90箱	155箱
總計	240箱	80箱	320箱	494箱	1,182箱	2箱	2箱	1,680箱	571箱	132箱	197箱	70箱	2箱	927箱	2,972箱

南京國民政府決定部分文物遷台後，行政院又函電馬衡院長啟程赴京，並囑選擇北平故宮博物院的文物菁華裝箱分批空運南京，與南京分院的文物一同遷往台灣。在國民政府的高級官員中，馬衡先生始終是無黨無派的。在這重要關頭，他做出了拒絕赴台的決定。當南京政府忙於準備並挑選南遷文物擬運台時，在北平的馬衡院長卻鎮定自若，繼續推進各項業務工作。1948年11月9日，他主持召開了故宮復原後的第五次院務會，討論決定了一系列重大事項，如清除院內歷年積存穢土，修正出組與開放規則，把長春宮等處保存原狀闢為陳列室，增闢瓷器、玉器陳列室及敕諭專室，修復文淵閣，繼續交涉收回大高殿、皇史宬等【註1】。馬衡院長以實際行動表達了自己的立場與決心。

南京分院遷往台灣的文物，分三批自南京起運，北平本院的文物遷運工作，卻一拖再拖。馬衡院長在職工警聯誼會和高層職工的支持與配合下，先是佈置古物館、圖書館、文獻館的工作人員，編寫可以裝運的文物珍品目錄，報南京行政院審定；然後又讓準備包裝材料，並告誡有關人員「不要慌，不要求快」，絕不能因裝箱而損傷文物；至於裝箱工作進展如何，他卻從未催問【註2】。他還於1948年底下令將故宮對外出入通道全部關閉，嚴禁通行，致選裝文物精品箱件無法運出。南京分院雖函電催促，馬院長則以「機場不安全，暫不能運

註1　《國立北平故宮博物院第五次院務會議記錄》（1948年11月9日），北京故宮博物院檔案。

註2　參閱朱家溍：《馬衡院長保護故宮文物的故事》，《紫禁城》1986年第2期。

出」為由拖延。其時解放軍已進關，形勢日新，北平幾乎是一座孤城。又過幾天，東西長安街拆卸牌樓，計畫用長安街的路面作跑道，以使飛機在城內起飛降落。但這個城內機場尚未使用，北平已和平解放了，故宮文物一箱也未運出。

1949年1月，北平對外交通斷絕，南京政府派專機接運文教界名流，馬衡院長1月14日致函杭立武，以病後健康未復婉拒赴南京。信中說：

弟於十一月間患心臟動脈緊縮症，臥床兩週。得尊電促弟南飛，實難從命。因電復當遵照理事會決議辦理，許邀鑒諒。嗣賤恙漸瘥而北平戰起。承中央派機來接，而醫生戒勿乘機，只得謹遵醫囑，暫不離平【註1】。

又望停止遷運文物赴台，並以第三批作為結束：

運台文物已有三批菁華大致移運。聞第一批書畫受雨淋濕者已達二十一箱。不急晾曬即將毀滅。現在正由基隆運新竹，又由新竹運台中。既未獲定所，晾曬當然未即舉行；時間已逾二星期，幾能不有損失。若再有移運箱件則晾曬更將延期。竊恐愛護文物之初心轉增損失之程度。前得分院來電謂三批即末批，聞之稍慰。今聞又將有四批不知是否確定。弟所希望者三批即末批，

註1　轉引自《故宮跨世紀大事錄要》，台北故宮博物院，2000年，第200頁。

以後不再續運。【註1】

　　自第三批文物運出後，南京政府代總統李宗仁下令阻止故宮文物運出，第三批乃成最後之一批。過了不到3個月，南京就解放了。

註1　轉引自《故宮跨世紀大事錄要》，台北故宮博物院，2000年，第200頁。

第三章　北京故宮博物院文物藏品的
　　　　清理、充實與外撥

　　故宮博物院南遷文物中近1/4送往台灣，數量雖然不多，但卻多是精品。中華人民共和國成立後，在各方支持下，北京故宮認真進行文物清理，努力充實文物藏品，經過數十年積累，古老的皇宮不僅重現昔日收藏頗豐的盛況，而且補充了更多的過去皇宮所沒有的精美藝術品，使北京故宮成為世界上收藏中國古代文化藝術品最為宏富的寶庫。同時，北京故宮的業務及機構也做了一定調整，所存藏的800多萬件明清檔案及一大批其他文物藏品劃撥或調撥了出去。

一　1949年以來機構變化及其他事項

1.北平和平解放與軍事管制

　　1949年1月16日，毛澤東主席在為中共中央革命軍事委員會起草的關於積極準備攻城（北平）部署給平津前線總前委聶榮臻等負責人的電報中，強調指出：「此次攻城，必須作出精密計畫，力求避免破

壞故宮、大學及其他著名而有重大價值的文化古蹟。」「要使每一部隊的首長完全明瞭，那些地方可以攻擊，那些地方不能攻擊。繪圖立說，人手一份，當作一項紀律去執行。」同一天，在傅作義將軍召開的北平市各界學者名流座談會上，畫家徐悲鴻慷慨陳詞：「北平是一座聞名於世的文化古城。這裡有很多宏偉的古建築，如故宮、天壇、頤和園等，在世界建築寶庫中也是罕見的。為了保護我國優秀古代文化免遭破壞，也為了保護北平人民生命財產完全免受損失，我希望傅作義將軍顧全大局，服從民意，使北平免於炮火摧毀。」康有為的年逾花甲的女兒康同璧說：「北平是座世界共仰的文化名城，有著人類最珍貴的文物古蹟。這是無價之寶，決不能毀於兵燹。」

1949年1月31日，北平和平解放。次日，中國人民解放軍北平市軍事管制委員會和北平市政府進駐辦公。軍管會的文化接管委員會設有文物部，由尹達任部長，王冶秋任副部長，李楓、于堅、羅歌為聯絡員，負責接管市內的文物、博物館、圖書館等單位事宜。工作機關設在北池子66號。

1949年2月7日，國立北平故宮博物院重新開放。2月11日，北平市軍事管制委員會派文物部羅歌、于堅、劉耀山進駐故宮擔任聯絡工作；19日又派錢俊瑞、陳微明、尹達、王冶秋為代表，到故宮進一步商議辦理接管事宜。3月1日，國立北平故宮博物院總務處成立測繪室，對故宮內古建築進行普查，並對乾隆花園進行測繪。3月6日在北京故宮太和殿召開接管大會，尹達宣佈正式接管故宮，馬衡留任院長，全體工作人員均留原工作崗位工作，職薪不變。4月27日北平市軍事管制委員會文化接管委員會通知：「茲決定故宮售票款作為修復費用，不必繳費，並請制定修繕計畫。」經調查研究，故宮博物院開

列修繕工程21項，其中用票款修繕工程12項，其餘由文化接管委員會撥專款修繕。首先修繕的有乾隆花園、暢音閣、造辦處大庫、西六宮屋頂保養等工程。4月，北平市軍事管制委員會文化接管委員會文物部確定國立北平故宮博物院新的業務方針是：要利用文物為教育人民之工具，以啟發其反帝反封建的革命思想，並協助國家建設事業為工作目標。因此，全部陳列室要重新佈置，不事炫奇尚異，而以教育為主旨。

　　1949年4月26日，中共中央宣傳部電告中共中央華東局、第三野戰軍政治部，命歐陽道達保護國立北平故宮博物院南京分院的文物。電稱：南京水西門朝天宮有故宮博物院倉庫，內存故宮精選古物一萬餘箱，望特別關照保護，其負責人為歐陽道達科長，即住朝天宮內，請與聯絡，命其繼續負責看管，不得損失。5月7日，國立北平故宮博物院南京分院由南京市軍事管制委員會高等教育處接管。該分院成立於1937年1月。1953年3月，文化部社會文化事業管理局決定故宮博物院南京分院收歸故宮博物院領導。1954年7月，南京分院改為南京辦事處。1959年5月改為南京庫房，10月，經文化部批准，南京庫房移交江蘇省文化局管理。故宮博物院原存南京辦事處的2,176箱南遷文物仍寄存南京庫房，日後運回。

　　1949年6月，北平結束軍管。北平市軍事管制委員會文化接管委員會的文物部并入華北人民政府高等教育委員會，改稱圖書文物處，國立北平故宮博物院劃歸該委員會領導。

2.中華人民共和國成立至「文革」前夕

　　1949年10月1日，中華人民共和國成立，設立中央人民政府文化部。文化部下設一廳六局，文物局即其中之一。前由華北人民政府高

等教育委員會所屬的故宮博物院劃歸文化部領導。

　　1950年2月，北平市改為北京市，國立北平故宮博物院更名為國立北京故宮博物院。6月13日文化部頒發《國立北京故宮博物院暫行組織條例》，規定故宮「承中央人民政府文化部文物局之領導」，負責「所有之古物、圖書、文獻之整理保管、研究、展覽等事宜」。1951年6月國立北京故宮博物院改稱故宮博物院。

　　1950年4月10日，國立北京故宮博物院管理的太廟，移交北京市總工會使用，改稱北京市勞動人民文化宮。其中的文物運回故宮博物院保存，故宮圖書館太廟分館關閉。太廟位於天安門東側，是明清兩代帝王祭祀祖先的地方，總面積14萬平方公尺。始建於明永樂十八年（1420年），明清兩代多次重修、擴建，大部分保持著明代原貌。太廟內古柏參天，樹齡高達數百年。1924年曾闢為和平公園，1928年由故宮管理。1988年國務院公佈太廟為全國重點文物保護單位。

　　1950年11月，國立北京故宮博物院所屬景山整個建築交撥解放軍衛戍部隊使用。1955年3月由北京市園林局接管，5月1日對外開放。

　　1954年4月14日，北京故宮試行《故宮博物院整頓改革方案》，確定故宮為「藝術性博物館」，要在普及與提高相結合以普及為主的方針下，首先進行中國藝術品陳列；既要組織好古代文物藝術品的陳列，也要做好宮廷史蹟的陳列，在陳列展覽工作中要不斷提高思想性、藝術性和科學性。

　　截止1957年，在古代藝術陳列專館方面，除建成歷代藝術綜合館、陶瓷館、繪畫館、青銅器館外，還開闢了國際友誼禮品館，籌設

雕塑館。在宮廷原狀陳列方面，除展示前三殿、後三宮、養心殿、西六宮等宮廷史蹟原狀外，又開闢了重華宮和養心殿後部的體順堂、燕喜堂等宮廷史蹟陳列。

1958年7月27日，文化部宣佈北京故宮博物院下放給北京市，歸北京市文化局領導。1962年4月24日，文化部文物局通知，北京故宮博物院由中央管理，由文化部直接領導。

1959年6月22日，在中共中央宣傳部部長會議上，陸定一部長批駁了所謂故宮「封建落後，地廣人稀」必須改革的錯誤指導思想，指出：要維護紫禁城的完整和統一，要保留宮廷史蹟的陳列以古為今用，要保護好故宮的建築和文物。故宮的陳列方針首先是要保持宮廷史蹟，第二才是文化藝術的陳列。

到1965年，除調整充實珍寶館（1958年建立）、歷代藝術綜合館外，先後新建了雕塑館、織繡館、明清工藝館、鐘錶陳列室等專館，並將歷代藝術綜合館正式定名為歷代藝術館。二大殿及西六宮清帝宮廷原狀陳列基本固定並開放。臨時性展覽經常舉辦。至此，北京故宮博物院的宮廷原狀、歷代藝術、專題展覽三大系列的陳列基本完成，形成以明清兩代皇宮為院址，以宮廷歷史、宮殿建築和歷代藝術品為主要內容的中國古代文化藝術綜合性博物館。

北京故宮博物院內部機構也進行了重大調整。1951年3月，文化部文物局制定北京故宮改革方案，認為院組織機構保持以前形式不適應業務發展的需要，應予調整。決定撤銷古物館，文獻館改稱檔案館。5月18日，文化部文物局批准故宮博物院改組，新確定的組織機構是三部兩館一處，即：保管部、陳列部、群眾工作部、檔案館、圖書館、辦公處。具體分工：保管部負責保管全院文物；陳列部管理陳

列展覽；群眾工作部負責開展宣傳服務工作；檔案館保管文獻檔案；圖書館、辦公處的名稱與職責未變。1952年，成立「故宮博物院臨時辦事處」（於1953年撤銷），處理「三反」運動中的有關問題和安置復員轉業軍人。1952年7月起，到1966年4月，14年間，經過13次大小範圍的調整變動，最後確定：院成立政治部、行政處，撤銷警保處；院辦公室改為院長辦公室；陳列部、保管部合併，成立業務工作部；金石、書畫、陶瓷、工藝、織繡、宮廷歷史組由業務部領導。保衛科由政治部領導。保管科由群眾工作部領導；圖書館、防護隊由院直接領導。此時部處機構為：院長辦公室、政治部、業務工作部、群眾工作部、古建管理部、行政處。

3.「文革」期間

　　1966年5月以後，「文化大革命」在全國展開。6月，解放軍工作隊進駐北京故宮，不久撤離。此間，不斷有院外造反派湧入故宮，執意要破「四舊」，要砸爛故宮、火燒故宮。此事上報國務院，國務院總理辦公室通知：「故宮除泥塑收租院展覽外停止開放，封鎖庫房。」翌年4月，北京衛戍區對北京故宮實行軍事保護，至1968年12月工人解放軍宣傳隊進駐，故宮建立革命委員會，院務工作由宣傳隊、革委會領導。1969年9月22日，北京故宮大部分職工開始下放到湖北咸寧文化部五七幹校勞動，少部分留任繼續工作。1971年7月15日，故宮博物院恢復開放，工人解放軍宣傳隊撤離，同時啟用郭沫若先生題寫的匾額。在此之前，周總理還指示由郭沫若先生組織專業人員編寫《故宮簡介》，並經總理審閱定稿後出版發行。

　　1973年12月7日，北京故宮遵照李先念副總理關於故宮應進行修

繕的指示，制定了五年修繕規劃，計畫從1974至1978年基本解決故宮危險破漏建築，使故宮參觀地區的建築及交通線的地面重現整潔的原貌。為此，國務院同意將故宮的工程隊擴大為400人，專門擔負故宮的古建維護。17日，李先念副總理又指示：「故宮防火要重視。」為徹底消除火患，故宮決定增設熱力管道。

4.改革開放以來的調整與恢復

20世紀70年代末，北京故宮各項工作進入調整恢復階段，80年代進入發展階段。1987年，故宮列入世界文化遺產名錄，對故宮的保護也進入一個新的階段。【註1】

1979年，《故宮博物院院刊》復刊。1980年6月，《紫禁城》雜誌創刊，2006年起改為月刊。1983年3月，經文化部批准，故宮博物院成立紫禁城出版社。

從70年代末以來，北京故宮的下屬機構也進行多次調整。截止2000年，北京故宮下屬行政及業務機構有：院辦公室、人事處、計財處、國際交流處、資料資訊中心、保衛處、開放管理處、工程管理處、古建部、行政服務中心、研究室、宮廷部、古器物部、古書畫部、展覽宣教部、文保科技部、圖書館、紫禁城出版社、黨委辦公室、工會、團委、紀檢監察處、審計處、離退休人員服務處、經營管理處等25個部處。

上世紀80至90年代，北京故宮為了使院藏文物有一個安全、科學的保護環境，在院內修建了地下文物庫房，這在故宮博物院發展史上

註1　以上紀事均引自《中華人民共和國文物博物館事業紀事（上）》，文物出版社，2002年9月。

具有里程碑的意義。80年來，在紫禁城內，20世紀初古物陳列所曾建寶蘊樓庫房、30年代初故宮博物院曾建延禧宮庫房，這次則是第三個庫房，也是目前國內最大最先進的現代化地下文物庫房。地下文物庫分為兩期建設，一期工程於1986年開工，到1990年竣工，建築面積為5,000多平方公尺。二期工程從1994年開始，到1997年完工，建築面積達17,000平方公尺，兩期合計面積達22,000平方公尺。地下文物庫設計為地下三層全埋式鋼筋混凝土結構，底板和四周採取雙層圍護，確保地面水和潮氣不侵入庫內。地庫主體按照三級人防標準設防，有戰爭防護能力，具備抗震能力。故宮地下庫房採用了先進的技術設備，其中包括消防系統、防盜系統、空調系統、文物運送系統和計算機自控系統。其中，消防系統採用了火災自動報警和氣體滅火裝置，按照防火區域配備了足夠的滅火劑。一旦發生火災，系統可在30秒內完成自動滅火噴灑，在不損傷文物的前提下，迅速準確地撲滅火災。而防盜系統從地上到地下已完全達到了「立體化設防」的標準，可確保文物庫房的絕對安全。空調系統則採用恒溫恒濕機組，由計算機實施全自動控制，保證庫內溫濕度的控制。庫房內現已存貯文物約80萬件。

5.21世紀的新發展

進入新的世紀，北京故宮也進入一個新的發展時期，文物保護、陳列展覽、學術研究、對外交流也邁上了一個新的台階。

2002年8月，北京故宮博物院由國家文物局所屬劃歸文化部領導，成為文化部的直屬事業單位。

北京故宮博物院根據事業發展需要，逐漸增加了一些內設機構並進行了適當調整，現有機構31個：

　　院辦公室、人事處、計畫財務處、外事處、審計處、法律顧問處、經營管理處；

　　黨委辦公室、紀檢監察辦公室、工會、團委、離退休人員管理處；

　　文物管理處、科研處（研究室）、古書畫部、古器物部、宮廷部、文物保護科技部、展覽部、資料資訊中心、圖書館、古建部、宣傳教育部；

　　保衛處、開放管理處、工程管理處、基建處、行政服務中心；

　　文化服務中心、紫禁城出版社、古建修繕中心。

　　北京故宮新世紀的一項重要任務，是對古建築的維修保護。2001年國務院確定對故宮進行大規模維修。故宮保護工程從2003～2008年為近期，2009～2014年為中期，2015～2020年為遠期；到2020年紫禁城建成600周年的時候，全面完成故宮維修任務。五年來，北京故宮在正常開放的同時，保證了古建築保護修繕的有序開展，實現了工程預期。作為試點的武英殿工程已於2004年圓滿竣工，午門城樓及中軸線東西兩廡目前已經基本恢復原有格局。2008年，故宮中軸線核心建築太和殿及太和門維修竣工。

二　南遷文物的北返

　　南遷文物中的2,972箱運台後，故宮博物院南京分院尚存11,178箱，分類統計如下【註1】：

註1　《北京故宮博物院南京分院庫存文物箱件分類統計表》（1953年1月3日），北京故宮博物院檔案。

單位：箱

		基本箱件						附屬箱件						合計
		滬	上	寓	公	頤	國	院	展	上特	法	京	畬	
瓷器	原存	1,702			2,631	351		38				118		4,840
	現存	847			2,617	351						118		3,933
玉器	原存	184			286	25		2				7		504
	現存	94			280	25						7		406
銅器	原存	56			30	111		4				6		207
	現存				29	111						6		146
雕漆	原存	67			216	1						17		301
	現存	32			215	1						17		265
琺瑯	原存	95			88	5						8		196
	現存	42			75	5						8		130
書畫	原存	77		60	31	2		10	1			28	2	211
	現存			60	30	2						28		120
圖書	原存		1,400	18	44	22		18		2		23		1,527
	現存		86	18	44	22						23		193
冊寶	原存			32								1		33
	現存			32								1		33
陳設	原存				468	38						291		797
	現存				468	38						291		797
服飾	原存			205	393							56		654
	現存			205	373							56		634
檔案	原存			1,671	68			7				1,915		3,661
	現存			1,475	68							1,915		3,457
樂器	原存			31								86		117
	現存			31								86		117
武器	原存			1								67		68
	現存			1								67		68
石鼓	原存						11							11
	現存						11							11
雜項	原存	238		13	593	12		1	2		12	152		1,023
	現存	99		13	579	12			1		12	152		868
總計	原存	2,419	1,400	2,031	4,848	567	11	80	3	2	12	2,775	2	14,150
	現存	1,114	86	1,834	4,778	567	11		1		12	2,775		11,178

　　這批文物的絕大部分於1950年、1953年、1958年三次返回北京故宮博物院：

　　第一次，1950年。

　　1949年冬，文化部派鄭振鐸、趙萬里、于堅、梁澤楚等人赴南京，參加政務院指導接收工作委員會華東工作團文教組，鄭振鐸任組長。此行決定，將暫存故宮博物院南京分院的南遷文物全部運回北平本院，並立即開始籌運第一批文物。

　　這次北運，由華東工作團主持，運輸委員會統籌北運。1949年底即開始籌畫，做了周密規劃和精心準備，於1950年1月23日在南京裝車啟運，26日下午1時抵京。運回1,500箱，其中文物1,283箱，器材217箱。北京故宮為了接運這批文物，成立了點裝（27人）、押運（64人）、收庫（35人）、警衛（67人）、事務（7人）五個組，由張景華任總指揮。

　　2月17日，北京故宮博物院揀選返京文物180件，舉辦「文物特展」。

　　運回的這批文物，包括國子監的10面石鼓，存放在故宮。頤和園南遷文物共650箱，因抗戰西遷搶運不及，陷留南京，被敵偽拆散者不少。抗戰勝利後，經過點收，實裝567箱。這次北運的1,500箱中，有頤和園文物271箱。對於這批文物，成立了「頤和園北返文物分配委員會」，決定由頤和園和北京故宮派人共同清點、鑒定，並確定了分配原則：有關清代藝術品，如慈禧生活有關之器物，儘量分配頤和園；有關歷史考古器物，可分配故宮方面，補充

有系統的陳列品【註1】。1951年1月4日會議決定：

　1.書畫，原則凡見《石渠寶笈》著錄者，由故宮博物院存藏；

　2.鐘錶、插屏、陳設，37箱全部歸頤和園；

　3.玉器，25箱全部歸頤和園；

　4.瓷器，95箱歸故宮博物院，有重複者歸頤和園，但成對者不得謂為重複；

　5.銅器，112箱明清時期的歸頤和園，其餘歸故宮。【註2】

　　北京故宮對這批北返文物進行了認真查核。其中屬於圖書館的86箱，包括藏文寫本《甘珠爾經》48箱、96函，滿文《大藏經》38箱、76函，以及內府輿圖。1950年5月23日下午，總務處第一科奉命清理，開箱至「上」字第585號（故博字1023號）時，發現箱內有一包割斷之物，是捆經書用的五彩絲帶，打開包袱後，發現上下護經板內佛像周圍的鍍金佛光及鑲嵌七寶皆缺少，並有「585」三字，白紙條一小張，又「原貯第四箱」字樣一小條，以及乾樹葉一片。此事立即上報院長，馬衡院長批示：「抄寄分院，查明當時組單並記錄具報。」【註3】南京分院即組織人員進行檢查、核對，仔細查閱有關記

註1　《北返頤和園文物清點鑒定分配臨時委員會第一次會議記錄》（1950年5月16日），北京故宮博物院檔案。

註2　《頤和園北返文物分配委員會第一次會議記錄》（1951年1月4日），北京故宮博物院檔案。

註3　《還京之甘珠爾經本院圖書館開箱整理情況》（1950年5月24日），北京故宮博物院檔案。

錄，弄清了情況，遂於6月5日向馬院長寫了報告，針對箱件出現的諸多問題，一一做了解釋【註1】；7月11日，北京故宮圖書館也將查閱的結果，會同有關檔案、清冊，正式報送馬衡院長，全文如下：

查上次北運文物，屬於我館者計八十六箱，業於五月中開始清點、整理，至六月中完成。其中，藏文寫本《甘珠爾經》四十八箱，九十六函（原裝五十四箱，一〇八函，尚缺六箱，十二函），三萬零七百一十七頁。係兩面漆地金書，因存在南方年久，受潮生霉，頗為嚴重（在民國二十四年存滬文物點收清冊上，注有「霉傷」字樣，可見已潮霉多年）。故此次清點時，發動員工八人，分為四組，將此項經卷逐頁小心擦去水濕霉痕，防止霉爛。

《滿文大藏經》三十八箱，計七十六函（原裝五十四箱，一〇八函，尚缺十六箱，三十二函），三三七一六頁，亦有同樣情形。均經逐頁揭開透風，順序整理，工作相當繁重困難。

又查，《甘珠爾經》裝潢富麗，每函上下梵夾內，均有銅鍍金佛光、嵌七珍。此次清查，計缺佛光、七珍者，十五函，均經分別詳注目內。

其殘缺的原因，亦經查出。清光緒二十七年，慈寧宮花園檔案房的記載：

光緒二十七年，皇太后回鑾後，九月初一日，派遣總管李蓮

註1《遵查關於上字第585號箱各項記錄呈復》（1950年6月5日），北京故宮博物院檔案。

英至臨溪亭拈香畢，並查點各殿陳設，以及慈蔭樓，樓上經包，經庚子兵亂，已經脫落在地等情，業經奏明。奉太后懿旨：著本處首領太監會同該管官員等將該經包照舊包放原處，欽此。本處檔案房特記。

原條二紙，以及民國二十年四月十二日，由慈寧宮花園提來藏文《甘珠爾經》，當時所造目錄冊後，注明：以上共一百八函內18、24、30、34、35、39、40、41、42、45、46、47、48、52、53、54、60、66函，原存慈寧宮花園慈蔭樓內，提時，原包絲條割斷，破壞不堪。今已整理，照原樣包妥，陳列於英華殿西廡等句。

根據這兩項記載可知，被割斷破壞者，除此十五函外，尚有三函，當在未運回的六箱之內。所有開箱清查、整理手續及有無殘缺情形，理合備函據實說明，連同查點藏文《甘珠爾經》清冊、滿文《大藏經》清冊，各二份，送請轉呈院長核閱，分別存轉為荷。此致總務處。附清冊四本。【註1】

《甘珠爾經》所缺的6箱12函、滿文《大藏經》所缺的16箱32函，已被運到了台灣。根據上述資料，當知台北故宮的《甘珠爾經》，也有3函的包裝絲條被割斷破壞。

註1　《國立北平故宮博物院圖書館函》（1950年7月12日），北京故宮博物院檔案。

北京故宮博物院接受北返的南遷文物箱件總表【註1】

單位：箱

		滬	上	寓	公	頤	國	法	京	刊	銅	玻	紙	合計	備註
古物	瓷器	59			27	94			13					193	
	玉器	1			1	25								27	
	銅器					112		1						113	
	琺瑯	6			2									8	
	書畫			60	2	2		9	9					82	
	冊寶			32					1					33	
	陳設				22	34		4	32					92	內鐘錶38箱、木器47箱、雜件7箱
	服飾			8	24				18					50	
	織繡				258									258	
	皮貨				40									40	
	石鼓						11							11	
	成扇	17												17	
	雜項	5		7	1				7					20	
							合計：944箱								

		滬	上	寓	公	頤	國	法	京	刊	銅	玻	紙	合計	備註
圖書	藏經		86											86	
	輿圖			18										18	
	刊物									158				158	
							合計：262箱								

		滬	上	寓	公	頤	國	法	京	刊	銅	玻	紙	合計	備註
檔案	文獻			235										235	
							合計：235箱								

		滬	上	寓	公	頤	國	法	京	刊	銅	玻	紙	合計	備註
器材	銅版										26			26	
	玻璃											32		32	
	紙張												1	1	
							合計：59箱								
總計		88	86	360	377	267	11	13	81	158	26	32	1	1,500	

註1　《接收故宮博物院文物箱件總表（帶京部分）》（1950年1月13日），北京故宮博物院檔案。

第二次，1953年。

1952年11月4日，北京故宮陳列部向院長呈送了一份報告：「查我院陳列計畫，明年度起即將展開，而現在的庫房所存精品仍感缺乏。為了充實陳列，擬請將南京庫房所存玉器、銅器兩項，按照庫存書畫一項全部運回的辦法，一并予以運回北京，以供提選陳列。至於瓷器、雕漆、琺瑯、陳設、服裝、樂器、武器、圖書、雜項各項等，亦擬由專家前往分別加以選擇提取，隨同一併啟運來院。」【註1】這個報告得到批准。1953年，挑選文物分兩次由火車運回，6月8日運出261箱，裝兩車皮，高麗紙作零貨運送；6月18日運出455箱，分裝3車皮。兩次合計716箱。

第三次，1958年。

1958年9月，由南京分院運回北京故宮文物4,037箱件，有玉器、瓷器、銅器、金器、書畫、珊瑚、服裝、陳設、武備、圖書、戲衣、儀仗，以及實錄聖訓。

根據檔案資料，1958年部分文物北返後，南京庫房原存2,422箱，1959年處理花盆246箱，現仍存2,176箱、104,735件，具體藏品如下：

註1　《擬請將我院南京分院庫存文物運回一部充實陳列由》（1952年11月4日），
　　　北京故宮博物院檔案。

故宮博物院南遷文物統計表（留寧部分）【註1】

第一部分：瓷器

盤碗杯碟（共計97,021件）				
款識	青花	各色彩釉	一色釉	黃釉及加彩	合計
康熙	9,663	4,231	5,358	13,045	32,297
雍正	4,143	114	11,985	2,022	18,264
乾隆	7,699	6,509	8,085	11,654	33,947
嘉慶	89	414	7	111	621
道光	136	416	105	1,978	2,635
咸豐	47	24	129	10	210
同治	65	260	450	66	841
光緒	799	2,754	1,403	1,126	6,082
宣統	111	113	351	1,267	1,842
大清年製				27	27
大雅齋		66			66
明代（嘉靖）	2			11*	13
盤碗杯碟（共計97,021件）				
款識	青花	各色彩釉	一色釉	黃釉及加彩	合計
無款	16	22	138		176
瓶盤壺爵盆（共計3,464件）				
乾隆	734	164	561		1,459
嘉慶	7				7
同治		2	5		7
光緒	84	20	332		436
宣統		2	145		147
無款	135	237	448		820
無款（花盆）		588			588
共計	23,730	15,936	29,502	31,317	100,485

* 黃釉：萬曆4，嘉靖4，正德1，弘治2。

註1　《運回院址南京寄存文物事（附件）》（1978年12月13日），北京故宮博物院
　　　檔案。此件檔案係複印件，沒有檔案號和日期。

第二部分：其他文物

文物名稱	件數
銅鶴、盆、爐、熏、五供等	36件
銅墊門簾等	63件
各種小刀	78把
七寶燒	24件
各種插掛屏圍屏及瓷屏心	128件
三鑲如意	1件
摺扇	364柄
玉碗、筷及玩器	55件
玉冊	67片（附紙冊寶8）
琺瑯鏡	14件
漆盒、碗	4件
樂器鼓架號筒	21件
宮扇豹尾幡（均殘）	8件
空印匣	20個
木座、框、花牙等（均殘）	86件
圖書雜誌畫冊（德國克虜伯炮廠畫冊）	61冊
照片（內有延慶樓照片）	274張
藏經（內有甘珠爾經及龍藏經）	228（附經版32塊）
佛像	13軸
銅佛	1,332件（附破龕14）
佛塔	17件
銀琺瑯五供等	80件
牌位	74件
御筆	135件
殘破盆景	40件
毛筆	230支
檀香木手串朝珠	270串
翎管	188件（瓷管176，玉管12）
象牙	81支
殘破家具	41件
玻璃罩	65個
戲劇場面用具	100件（場面用具90、假人頭10）
破爛戲衣	11箱
共計	4,259

三　故宮已佚書籍書畫的散失與收集 [註1]

如前所述，遜帝溥儀在「暫居宮禁」期間，以賞賜溥傑的名義，將大量珍貴的古籍及書畫帶出了故宮，故宮博物院曾以《故宮已佚書籍書畫目錄四種》印行。這批文物尤其是書畫，在抗戰勝利後大量散失，政府亦曾予以收購，第二章最後一節曾經提及，但整個文物的存留狀況比較複雜，一直到中華人民共和國成立後仍在努力搜尋，加之這批文物相當重要，因此有必要專門作一介紹。

1.「故宮已佚書籍書畫」的遭遇

溥儀於1925年2月23日由北京前往天津，在日租界的張園住了5年，後又搬到陸宗輿的私宅靜園住了兩年。園子掛有「清室駐津辦事處」的牌子，園子裡使用的仍是宣統年號。溥儀偷運出宮的這批書籍、字畫，存放在天津英租界戈登路的一棟樓房裡。在天津期間，這批文物被賣了幾十件，賣了什麼，無帳冊可稽。為了「復辟」大業，還拿出一批批古玩字畫去聯絡「台上人物」。溥儀還以唐閻立本〈歷代帝王圖〉、〈步輦圖〉、五代阮郜〈閬苑女仙圖〉三卷及宋拓〈定武蘭亭序拓本〉一卷「賞賜」經手人，即其師傅陳寶琛的外甥劉駿業，以資酬答。〈步輦圖〉、〈閬苑女仙圖〉的主人，把此兩件名畫作為女兒的嫁妝，帶到福建的婆家，後捐獻人民政府，由北京故宮收藏。〈歷代帝王圖〉則輾轉到了美國。

註1　本節參閱溥儀《我的前半生（全本）》第四、五、六章；楊仁愷《國寶沉浮錄》第二章；向斯《故宮國寶宮外流失秘笈》第三章。

　　日本帝國主義侵占我東北後，於1932年3月9日在長春製造了「滿洲國」，扶持溥儀為「執政」，年號「大同」。同年9月，偽「滿洲國」和日本政府簽訂《日滿議定書》，使該地區成為日本的殖民地。1934年3月稱「滿洲帝國」，「執政」改稱「皇帝」，年號「康得」。1945年，這個傀儡政權隨著中國抗日戰爭的勝利而被摧毀。在溥儀到達長春之後，他偷運出宮的大批古物便由日本關東軍司令部中將參謀吉岡安直從天津運至長春偽皇宮內。裝書畫的木箱，存放在偽皇宮東院圖書樓樓下東間，即所謂的「小白樓」。在長春偽皇宮期間，溥儀曾先後以〈晴嵐暖翠圖〉、米元章〈真跡卷〉、趙伯駒〈玉洞群仙圖〉、閻立本〈畫孔子弟子像〉等書畫「賞賜」過「近臣」。

　　1945年8月10日，日本關東軍司令小田乙三宣佈偽滿洲國遷都通化，通知溥儀馬上啟行。溥儀即作準備，要求把重要的文物打箱。古籍因太多未攜帶外，手卷等珍品又經過一次再挑選，把最珍貴的裝成57箱，現打的白木板箱子。溥儀隨身攜帶的珍寶，裝在一個原裝電影放映機的皮匣子裡，除了乾隆皇帝的田黃印石等少數古物外，大部分是黃金、白金的製品和鑽石、寶石、珍珠之類的珍寶。溥儀一行帶著這些珠寶書畫等逃到了與朝鮮僅一江之隔的通化臨江縣的大栗子溝。這裡是一座煤礦，溥儀住在日本礦長的住宅裡。8月17日夜晚，在大栗子溝礦業所的職工食堂，溥儀舉行了簡單的退位儀式，念誦了「退位詔書」。溥儀擬逃到日本，在大栗子溝又把隨身物品做了整理，只帶了一個內裝珠寶首飾和小件古文物的手提箱及一個皮包，但剛坐飛機到達瀋陽機場，蘇軍的飛機就到了，溥儀一行全部被俘，第二天被押往蘇聯。溥儀逃走後，遺棄在大栗子溝還有男女眷屬百十來人；11月份，還剩下的四五十人住到了臨江縣一個朝鮮式旅館裡。溥儀的隨

侍嚴桐江下令，所有書畫手卷分散交個人保存，每人3至4件不等。過了10天左右，東北民主聯軍派代表來接收，嚴桐江等把木箱中的珍寶及古文物都交出了，絕大部分人也把保存的手卷交了出來，但也有個別人沒有全交【註1】。收繳的這些文物交東北人民銀行保管。這批文物，有100餘卷法書名畫，包括晉、唐、五代、宋時的名家佳作，大多數是《石渠寶笈》所著錄的乾隆皇帝鑒賞的名品，其餘珠寶玉翠之類，也都是宮中的上乘珍玩。例如，王羲之書、宋高宗題跋的《曹娥碑》，唐閻立本畫的〈步輦圖〉、《蕭翼賺蘭亭序》，唐歐陽詢的《夢奠帖》、〈行書千字文〉，唐張旭的〈草書四帖詩〉，唐懷素的《論書帖》，五代黃荃的〈寫生珍禽圖〉，南唐董源的〈溪山積雪圖〉、〈瀟湘圖〉、〈重溪煙靄圖〉、〈夏景山口待渡圖〉等，以及赫赫有名的宋張擇端的〈清明上河圖〉等等，都是見於《賞溥傑書畫目》的。1948年，東北銀行將這批文物移交東北行政委員會的東北文物保管委員會【註2】。

　　貯放古籍及書畫的小白樓，在溥儀一行匆匆出逃長春之後，遭到了守護偽皇宮「國兵」的哄搶，大批書畫被偷運，為了爭奪國寶，有的大打出手，有的為了爭奪一卷而撕成幾段。例如米芾的〈苕溪帖〉，包首錦一段不知去向，引首是明代李東陽70歲高齡的絕筆手書篆文「米南宮詩翰」五字，被人撕去，帖心、前隔水、後隔水，被揉成一團，完全變形，書心被撕毀了一大塊，殘缺10字。溥儀盜運出宮

註1　參閱愛新覺羅・毓嶦：《偽滿洲時代的溥儀》，載《溥儀離開紫禁城以後》，文史資料出版社，1985年。

註2　王修：《東北文物保管委員會成立前後》，《中國文物報》2008年4月23日。

的這批國寶，一部分由溥儀攜帶，一部分在大栗子溝流失，絕大多數由執勤「國兵」搶劫，成為有名的「東北貨」。這些書畫流散出來，大部分是流往關內，一部分再經香港等地流往國外。

2.古書畫流存狀況

對於這批流散的國寶秘籍，政府方面和關心國寶命運的有識之士，一直採取積極措施，千方百計進行徵集和收購。劉時范先生是國民政府東北某省的一位民政廳長，喜愛書畫，精於鑒賞。他是國民政府的幾位接收大員之一，一方面為政府和上司多方搜集長春散出的國寶，一方面自己選擇珍貴的國寶收藏。劉氏收穫的國寶，主要有：北宋韓琦《二牘》，南宋馬和之〈詩經‧齊風圖〉，明文徵明〈自書詩〉、沈周〈菖蒲圖〉和宋濂〈自書戴伯曾序文〉等。鄭洞國將軍是國民政府派到東北的又一位接收大員，是東北軍事最高機關的負責人。他用大量黃金收購了長春散出的許多歷代書畫名跡，包括：宋李公麟的〈吳中三賢圖〉，元趙孟頫的〈浴馬圖〉、〈勉學賦〉，元馬達〈久安長治圖〉，元人合璧〈陶九成竹居詩畫卷〉等。新中國成立後，鄭氏以鄭佑民的名義將趙孟頫的〈浴馬圖〉捐獻給北京故宮。王世杰先生是文化界的名流，特別喜愛收藏古代書畫。五代李贊華〈射鹿圖〉，從長春散出之後，輾轉到北京琉璃廠，最後落入王世杰之手，1948年攜去台灣。

曾擔任長春偽皇宮警衛任務的國兵金香蕙，是遼寧蓋縣人，曾當過小學美術教師。他在小白樓搶劫了大量書畫，將30餘卷宋元書畫存放在好友劉國賢家裡，自己攜帶10餘卷認為最珍貴的國寶，回到自己的故鄉。解放前夕，他賣出了兩件：一是馬遠的〈萬籟清泉圖〉，《佚目》中無此卷，後一直下落不明。一是明唐寅的〈事茗圖〉，此

畫60年代由北京故宮收購。金香蕙將手中的明文徵明〈老子像〉和清張若靄〈五君子圖〉送給其叔叔，後一再轉賣，由旅順博物館收藏。解放初期，金氏的妻子出身地主，因為害怕，竟然將丈夫搶劫來的國寶扔進了火坑，化為灰燼！這些國寶包括：晉王羲之《二謝帖》，南宋馬和之《詩經‧鄭風帖》，南宋陳容〈六龍圖〉，岳飛、文天祥〈岳、文合卷〉等。

　　從長春流失的國寶秘籍，人民政府通過多種渠道接收、搜集和收購，大部分撥交北京故宮收藏，一部分則交當地相關部門管理，最後正式接收。曾參與這項工作的楊仁愷先生回憶説：「從溥儀攜逃時所獲的國寶中，撥歸前東北博物館接收典藏，名正言順，本無問題。而東北博物館從全面考慮，將全部珠寶玉翠轉交瀋陽故宮，也是出於全局觀點，值得稱許。1952年，清理及回收長春偽宮散佚歷代法書名畫，從數與質的方面説，不減於溥儀攜逃的分量。後來，全數上繳國家文物局，轉撥故宮博物院。」

　　據楊仁愷先生的多年研究，《故宮已佚書籍書畫目錄四種》中的書畫部分，截止1999年底，其流存狀況大致是：

　　（一）晉、隋、唐代法書名畫：法書79件，包括晉代7件，隋代1件，唐代33件；繪畫為晉代3件，隋代1件，唐代34件。其中《佚目》外法書4件，名畫6件。尚未發現者15件，外流5件，毀3件。除4件為私家收藏外，餘則全歸國內幾家博物館收藏。

　　（二）五代、兩宋法書名畫：法書74件，墨拓7件，其中國外收藏3件，國內私人手中6件，台灣2件，未發現者7件，毀2件，《佚目》失載6件。餘歸國內博物館收藏。繪畫著錄249件，其中國外收藏38件，台灣1件，毀1件，國內私人收藏5件，《佚目》失載32件，未

發現者27件，餘歸國內博物館收藏。

（三）金、元法書名畫：共計195件，金代無法書記載，名畫5件，另1件列入宋代；元代法書63件，流往國外7件，《佚目》外15件，未發現者8件，餘歸國內博物館收藏；名畫為133件，流往國外20件，《佚目》外23件，私家存7件，未發現者19件，餘歸國內博物館收藏。

（四）明代法書名畫：共365件，其中法書98件，包括《佚目》外的9件，未發現的26件，流往國外的10件，國內私家收藏2件，餘歸國內博物館收藏；名畫267件，包括《佚目》外19件，未發現的57件，流往國外的27件，國內私家收藏13件。餘下的為國內博物館入藏。

（五）清代法書名畫：共355件，其中法書89件，內有未發現的53件，《佚目》外的17件，餘歸國內博物館收藏；名畫275件，內有未發現的100件，《佚目》外40件，流往香港、國外的10件，私家收藏2件，餘歸國內博物館收藏。

《佚目》尚有墨拓一項，共9件，均有下落。王羲之《鵝群帖》、《開皇本蘭亭拓本》藏遼寧省博物館；王獻之《保母帖》藏美國弗利爾博物館；游似《開皇蘭亭本》、歐陽詢《皇甫誕碑》、《化度寺邕禪師塔銘》均藏北京故宮；釋弘仁《集聖教序》原在於蓮客處；唐人《佛遺教經》由上海蔣谷蓀攜往台灣；宋拓〈蘭亭並摹蕭翼辯才圖〉經北京玉池山房售出。

綜上，法書名畫載入總數為1331件，較《佚目》1,200件多出100餘件，即《佚目》外之數。外流包括台灣在內達113件之多，作品全毀6件，私家收藏約37件。餘則分藏於國內博物館，到1989年初截

止，尚未發現的歷代法書名畫297件，以明清所占比例較大。

根據楊仁愷先生提供的資料，筆者對《佚目》所存書畫的存藏狀況做了統計，其中庋藏於北京故宮約370件（內有元以前的約200件），遼寧省博物館150件，吉林省博物館42件，瀋陽故宮博物院29件，上海博物館22件，國家博物館22件（多為故宮博物院調撥去的），天津市藝術博物館17件，黑龍江省博物館8件，旅順博物館6件，無錫市博物館5件，首都博物館、中國美術館、廣西省博物館各3件，廣東省博物館、榮寶齋、朝陽市博物館、丹東抗美援朝博物館、天津市歷史博物館各2件，貴州省博物館、重慶市博物館、丹東市博物館、國家圖書館、南京博物院各1件。庋藏遼寧省博物館的有晉人小楷書《曹娥誄辭》，唐歐陽詢《夢奠帖》、張旭狂草《古詩四帖》、唐人〈簪花仕女圖〉，宋徽宗〈瑞鶴圖〉等一批書畫巨品。吉林省博物館有宋蘇軾〈洞庭春色賦‧中山松醪賦〉墨跡、南宋楊婕妤〈百花圖〉、金張瑀〈文姬歸漢圖〉、元何澄〈歸莊圖〉、元張渥〈九歌圖〉、明董其昌〈畫錦堂圖並記〉、清丁觀鵬〈法界源流圖〉等。上海博物館有東晉王羲之勾填本《上虞帖》、唐孫位〈竹林七賢圖〉、五代董源〈夏山圖〉、宋郭熙〈幽谷圖〉、元王蒙〈清卞隱居圖〉及蘇軾、黃庭堅、米芾的墨跡。流失到國外博物館的，美國紐約大都會博物館20件，美國堪薩斯納爾遜博物館14件，美國普林斯頓大學博物館7件，美國波士頓博物館7件，美國克利弗蘭博物館和弗利爾博物館各3件等，其中也有不少珍本名跡。

3.古籍流存狀況

相對於古書畫，貯藏在長春小白樓的古籍則幸運多了。原因是這些書籍體積較大，不好攜帶，「國兵」們也不知道這些宋元珍本的價

值。這些書基本上保存完好，損失不大。國民黨占領長春後，國民政府東北接收大員張嘉璈先生接收了13箱珍本秘籍，多屬《天祿琳琅》叢書，交給了當時擔任瀋陽故宮博物院籌委會主任委員、東北文化接收委員會主任委員的金毓黻先生。金先生請故宮博物院接收這些書籍，故宮也表示同意，最後由東北行營經濟委員會正式移交。故宮博物院接收了這批珍籍，又接收了文管會和北平圖書館送來的《天祿琳琅》舊本《經典釋文》：

查本月十三日，本館在絳雪軒，接收瀋陽博物院歸還北平故宮已佚書籍，按照清冊查對，除點收八十二種，一千二百四十一冊外，其因版本重複，退回該院者七種，共二百一十五冊，均經分別造具接收、退回兩種清冊各四份，隨函送請分別存轉。又於十五日前往文管會，接收《經典釋文》三函，十八冊，及北平圖書館原藏該書五冊，共二十三冊。【註1】

故宮博物院馬衡院長還特地致書北平圖書館：

文管會交下《經典釋文》二十三冊，其中一冊原為貴館所藏，今交還本院，俾天祿琳琅舊藏復還故宮，本院受此鴻惠，至深感謝，除派員前往領收外，特函申謝！【註2】

註1 《故宮博物院公函》（1948年4月15日），北京故宮博物院檔案。
註2 《函謝承贈經典釋文五冊希詧照由》（1948年4月15日），北京故宮博物院檔案。

　　1948年5月至9月，東北文管處先後多次運送文物到北平，由故宮博物院接收，存放在景山禧雨殿，其中，皇宮秘籍包括：清歷朝玉寶、玉冊101包；漢文《清實錄》原本85包；滿文《清實錄》原本65包。

　　1949年3月31日，已改任瀋陽博物院籌備委員會主任委員的金毓黻先生，致函故宮博物院，請求將運到北平已由北平故宮存藏的國寶秘籍包括宋元珍本和玉寶、玉冊、《清實錄》等，運回瀋陽。經中國人民解放軍北平軍事管制委員會文化接管委員會同意，由管委會主任周揚、副主任陳微明簽發公函，調回這批珍貴文物。故宮博物院同意把玉器、緙絲、古錢文物交還，4月14日交點清楚，其中包括原為朱啟鈐先生「存素堂」的一批珍貴絲繡。但是，北平故宮堅決不同意將古籍交給瀋陽，因為這是宮中出去的。北平故宮在給北平軍事管制委員會的函件中說：

　　查三十五年（1946年），前東北行營經濟委員會查獲宋版書籍多種，計九十二種，一千四百四十九冊，由張嘉璈主持移交前教育部清理戰時文物損失委員會東北區代表金毓黻接收保管。當時，本院查知該項書籍，全部均係清遜帝溥儀攜帶出宮之文物，是載在本院所印行之《故宮已佚書籍書畫目錄》，是天祿琳琅所藏之國有瑰寶，與本院之歷史關係極為重要，曾一再申請交還本院統一保管。乃前教育部不察實在情形，狃于偏見，竟視為普通之文物，應俟各地接收就緒，再行統籌分配。迄今四載，該案尚久懸未結。到戰時文物損失委員會結束以後，金毓黻轉任國立瀋陽博物院籌備委員會主任委員，該項書籍亦轉歸該院所有。

在東北解放之前，該書移運來平，刻聞日內即將運歸瀋陽。查該
書既係本院已佚之文物，據情度理，自應歸還本院。且前教育部
亦無明文分配，豈能因人事之轉移而歸該院所有？擬請貴會主持
停止起運，以便合理解決，庶使人民了解散佚及歸還之意義，實
為公便！【註1】

　　這批珍本終於得以保留在北京故宮。溥儀盜竊出宮的這批國寶
秘籍，在政府和有識之士的努力下，大部分回到了故宮博物院，但
也有部分流失，後來經過多方努力，又先後收購回一批。比較集中
的是1946至1947年國民政府撥專款收購的唐寫本王仁煦《刊謬補缺切
韻》、宋版《資治通鑒》等，這在第二章已做了介紹。從1949至1953
年，在國家經濟困難的情況下，文化部、國家文物局仍然堅持收購流
失出去的宮廷珍本，主要有：宋本《易小傳》（人民券11萬元）、宋
本《三蘇文粹》（小米400斤）、宋本《古文苑》（人民券400萬元）
以及宋本《劉後村集》和明本《孫可之集》等。

四　文物藏品的清理

　　從清室善後委員會到故宮博物院，從抗日戰爭期間到中華人民共和
國成立後，故宮博物院對宮廷藏品開展過多次清理且如今尚在進行。
　　1949年以前的清理共三次：

註1　《本院已佚之文物擬請停止起運以便合理解決由》（1949年3月31日），北京
　　故宮博物院檔案。

第一次是清室善後委員會的逐殿逐室點查。

第二次是南遷文物到上海以後，按照國民政府行政院命令，於1934年1月24日起對存滬南遷文物一一開箱驗收；北平院內留存文物，也於同時逐殿逐室清點了一次，寫出「點收清冊」。

第三次是北平淪陷期間，在偽院長祝書元主持下，於1943年9月28日成立文物分類委員會，到當年11月26日止，為156,291件文物分過類，編制出「留院文物點收清冊」，然後按類劃歸各館分別保管；不屬於三館保管範圍內的物品，仍按舊制，歸總務處保管。但這次查點並不徹底，還有不少物品混雜儲存的殿室未及細查，或根本未查到，就停了下來。

1949年以來，北京故宮文物藏品的清理工作幾乎沒有停止過，加上目前正在進行的清理，共有四次：

第一次是1954年至1965年。1954年，北京故宮制定了以清理文物、處理非文物、緊縮庫房、建立專庫為主要內容的《整理歷史積壓庫存物品方案》以及《清理非文物物資暫行辦法》，開始了全面整理工作。分兩個步驟進行。第一步，從1954年至1959年，主要是清理歷史積壓物品和建立文物庫房，成立了處理非文物物資審查小組，政務院批示由中央監察委員會、最高人民檢察院、最高人民法院、文化部社會文化事業管理局及北京故宮組成故宮博物院非文物物資處理委員會，先後共處理各種「非文物物資」70萬件又34萬斤。對全院庫藏的所有文物，參照1925年的《故宮物品點查報告》和1945年的《留院文物點收清冊》，逐宮進行清點、鑒別、分類、挪移並抄製帳卡。第二步，從1960年至1965年，按照《以科學整理工作為中心》的規定，對藏品進一步鑒別劃級，建立全院的文物總登記帳，並核實各文物專庫

的分類文物登記帳。制定了文物分類標準，將文物劃分為三級，編制
了《院藏一級品簡目》。經過幾年的核對，基本做到物、帳相符，並
以故宮舊藏匯總為「故」字號文物登記帳，與核對過的1954年開始登
記的「新」字號文物登記帳，合為北京故宮藏品總登記帳。這是一項
相當艱巨、繁複的工作。當初面對清宮堆積如山的物品以及藏品中玉
石不分、真贗雜處的狀況，有人擔心50年也做不完，但10年時間就基
本完成了，並制定了有關保管工作的規定和辦法，使北京故宮文物管
理工作開始走上正軌。

在這次整理中，從次品及「廢料」中清理出來的文物多達2,876
件，其中一級珍品就有500餘件。例如，繪畫方面，有唐盧楞伽畫
《六尊者像冊》，在整理慶壽堂中院時發現，沒有號，混雜在過去
擬處理的雜亂物品中；有宋徽宗趙佶的〈聽琴圖〉，過去被認為偽
作，經鑒定，實為趙佶真跡。青銅器方面，有春秋末期或戰國初期
的龜魚蟠螭紋方盤，清宮舊藏，未曾著錄。鑄得精緻，裝飾複雜，
風格新穎，在傳世青銅器中極少見。又如商代三羊尊，重約百餘
斤，一直認為是偽品，不被重視，存放在緞庫。1957年整理緞庫時發
現，經唐蘭先生等院內外青銅器專家共同鑒定，認為是一等精品，
造型精美、氣魄非凡。瓷器方面，在弘德殿物品中，發現帳上沒號
的瓷器中不少是宋哥窯、官窯、龍泉窯的珍品，如哥窯葵瓣洗，龍
泉窯青釉弦紋爐等。金銀器方面，保和殿東廡存有一批印匣，原以
為是銅或銅鍍製品，整理這些印匣時，發現其中有金印匣10個，最重
的8斤多，輕的4斤多，共重73斤。工藝品方面，發現了明朱瞻基山水
人物大摺扇，在一捆竹蓆中清理出名貴的象牙蓆。另外，在慈寧宮
大佛堂中發現多件藝術價值極高的雕塑品，如木雕山子，在一般銅

佛中清理出雕塑精緻的金佛。這些珍品過去數次清點，未被發現，有多方面原因：有的是溥儀出宮前，被清室人員藏在天棚、屋角、椅墊或枕頭裡，伺機盜運出去而未能得手；有的是在宮內儲存時，被認為是次品、贋品，擱在次品堆中，一直淹沒無聞；還有些是與非文物混在一起，長期未能區分，等等。

第二次是1978年至80年代末。「文化大革命」期間，北京故宮的文物保管工作停頓。恢復工作後，清理了一級藏品，健全了一級品檔案。1978年，恢復保管部建制，重新制定了《庫藏文物進一步整理七年規劃》和《修繕庫房的五年規劃》。這次整理的主要任務，是把庫房中過去還沒有完成和沒有做好的繼續做好。具體工作是：劃分級別，鑒定年代，給文物貫號，做好文物排架，補齊文物卡片，核對文物數字。此次整理的難點是實物、帳卡、單據上的混亂。混亂的原因，主要是以前的工作指導思想上有「甩包袱」的想法，將批量的認為重複品太多的文物單調了出來，準備做「撥交」出去用，因此打亂了原來按年代、級別、類型分類存放的基礎，加上「文革」中工作中斷，長期無專人管理，使庫房工作的許多頭緒沒能有效地銜接上，出現一時的混亂。這次整理先後用了10年完成。大部分分類庫房在完成整理後都進行了小結，並通過了保管驗收組的驗收。

第三次是1991年至2001年。1990年北京故宮地下庫房第一期工程完工，1997年第二期建成。從1991年起，在10年中，院藏文物的60％從地面庫房搬向地下庫房。地面庫房的大遷移和大的調整，幾乎移動了所有文物。院內先後制定並修訂了《故宮博物院文物出院出庫管理制度》、《故宮博物院藏品管理條例》和《故宮博物院地下藏品庫房管理細則》等。提出並實施了「對移入地下庫房的藏品進行分類驗收

和更換院內在陳文物提單」的工作，核查文物數字，登錄文物信息，解決歷史遺留問題，分清保管與陳列責任，為進一步摸清家底，實現數字化管理打下基礎。

現在進行的是第四次，從2004年開始，到2010年基本結束。這次清理的一個契機是故宮大規模維修工程的促進。清理的目的是徹底弄清藏品「家底」。清理任務包括點核、整理、鑒定、評級等一系列工作。要繼續完成90餘萬件文物帳、卡、物的「三核對」任務，把圖書館應列為文物的善本、書版等歸入文物帳進行管理，結合清理做好文物的鑒別定級等。

審慎地整理「文物資料」是這次清理的一項重要內容。「文物資料」是北京故宮當年評定文物等級時，對於認為不夠三級文物而又有著文物價值、即介於「文物」與「非文物」之間藏品的稱呼。古器物部、古書畫部、宮廷部、古建部都有，約10萬多件，門類繁雜。列為「資料」有多種原因：有的因為有些傷殘，例如3,800多件陶瓷資料，從新石器時代到民國，時間跨度長達4000年之久，品種應有盡有，特別是明清兩代的官窯瓷器，有許多彌補了完整器物的空白，更有一批珍品，代表了各個歷史時期瓷業製作的最高成就，只是由於流傳過程中產生傷殘而列入資料。有的是對文物認識上的侷限，例如2萬多件清代帝后書畫，認為帝后不是藝術家，其作品水準不高而全部列為資料。又如過去只重視皇帝后妃的成衣，而把相當數量不同級別的官服「補子」，其中也有皇帝服飾上的「補子」，都作為服飾的「配件」來對待。再如清代「樣式雷」製作的「燙樣」，是遺留下來的珍貴的皇家建築模型，故宮收藏最多，達83件，但也作為資料由古建部管理。由於過去對宮廷遺物不夠重視，許多反映清代典章制度的

物品被列入資料，例如反映清代官員覲見皇帝制度的近萬件紅綠頭籤，反映皇宮警衛制度的上千件腰牌等；還有一些曾作為文物收藏，後又降為資料，等等。這次清理中，對這10多萬件資料要進行認真整理、鑑別，凡是夠文物定級標準的，都要登入文物帳並進行定級。

　　對未登記、點查的藏品也要徹底清理。北京故宮少數藏品，因未進行過清理，具體的數量尚不完全清楚。例如，文物管理處保管10多箱清代各朝的未流通的貨幣，約10萬多枚；約5,000多件存放在延禧宮庫房三樓、慈寧宮廡房等地的原屬於文物的各種質地（紫檀、雕漆、玻璃）的匣、盒、座、托等實物，以及大量的「附件」；古建部庫房內和未開放殿堂內的屏風、隔扇等；古器物部保存的上世紀50、60年代從全國100多個古窯址採集的3萬多陶瓷標本，以及散存在院內各處的晚清家具、大批匾聯等等。這些都要從頭開始，仔細清理點查，或定為文物，或作為資料，需要弄清楚。

　　這次清理中也發現了一些文物藏品。故宮地面庫房分散，有的長期未徹底清理過，近年來在搬庫、清庫中陸續發現一些文物。有的竟是整箱未登記的文物。如古書畫部發現一批封存於1964年的1,000餘件書法，它是收購秋醒樓的尺牘中的近代部分，未做入庫單，後因諸多原因長久擱置在一個木箱裡，未作移交。宮廷部在一個存放近千件鋪墊的庫房內發現了裝有53只枕頭的一個木箱，而故宮登記存藏的文物枕頭不足10件。有些是散落在文物櫃的底部或背後及夾縫裡，不易察覺，如古書畫部就從中發現了40多件書畫，其中有清末以近代科學手段測繪的巨幅〈台灣全圖〉。有的與破舊的物品堆放在一起。例如宮廷部對御茶膳房地上堆放已久的破舊地毯和帳簾進行保潔清理和薰蒸入庫時，發現一批袁世凱稱帝時製作的大型簾子，填補了故宮織繡

類中「洪憲」款文物缺項。當然這類發現不可能很多，但在宮廷遺物日漸珍稀的情況下，盡可能地注意搜尋，是很有意義的。

結合清理做好文物的鑒別定級。對於文物資料以及新發現的藏品認真鑒定，確定是否為文物並評判其等級。特別是對原有的一級文物要重新認定。北京故宮的一級文物，大部分是上世紀60年代鑒定的，由於受當時認識水平的侷限，一級品中有部分文物存在水平不夠及反覆鑒定為偽品的，需要降級；二級文物中又有一些可以提升為一級文物。另有一些宮廷內文物，因過去對其價值認識不足，定級偏低，需要重新認識，重新定級。

徹底清理文物藏品與全面提升文物管理水平相結合。這次北京故宮文物藏品的清理，不只是要做到家底清楚、帳物相符，而且要與加強文物的科學管理、安全管理等工作結合起來，提高文物管理水平。其中重要的是提高文物管理的信息化水平。北京故宮信息化是以文物管理和古建信息管理這兩個核心資料庫的建設為主，利用建立辦公自動化工作平台的契機，切實發揮這兩個信息系統的作用，全面提升全院業務管理工作水平。其中文物管理系統從1993年起至今已基本將院藏所有文物帳務信息收錄在內，下一步將繼續充實、完善文物收藏位置的數據和文物檔案影像的數據，引進計算機「流程管理」的理念，力爭在若干年內實現院藏文物流通的全面信息化管理。屆時故宮文物流通的全過程，院藏文物的帳務管理、庫房管理、文物修復管理以及展覽信息、文物利用信息，乃至從業人員的工作狀況管理均能通過信息系統直觀、實時地反映出來；同時，擬大力加強在文物影像採集方面投入的力度，力爭在近年內完成所有院藏一級文物的檔案影像數據採集工作，並為後續的文物檔案影像採集工作建立起完整的工作模

式、工作規範和工作標準。

　　北京故宮在認真清理的基礎上，將適時編印《故宮文物藏品總目》並向社會公開發行，以俾世人瞭解故宮藏品的奧妙，更好地為人們的觀賞、研究等不同需要服務，也利於社會對博物院文物保存狀況的監督。已完成的60卷本《故宮博物院藏文物珍品全集》，比較概括地介紹了北京故宮的文物精華，但由於篇幅的限制以及故宮文物整理研究工作進展的影響，一些文物門類未能包括，大量應向社會介紹的精品尚未披露，精美的故宮古建築及其彩飾壁畫以及大量不可移動文物等都未列入。現北京故宮在60卷的基礎上，開始編輯出版《故宮博物院藏品大系》，僅可移動文物即要出到500卷以上，「繪畫編」、「雕塑編」、「玉器編」等已出了若干卷。這是一項卷帙浩繁、需要長時期努力的文化建設工程，是與北京故宮文物的整理、研究結合在一起且互相促進的工作。

五　1949年以來文物藏品的充實

　　中華人民共和國成立後，南遷文物中的絕大多數由故宮博物院南京分院運回北京故宮，博物院各項工作走上正軌。為了充實故宮院藏，中央政府給予高度重視，社會各界也積極支援，主要有以下三個途徑：

1.政府撥交

　　20世紀50、60年代，北京故宮接收政府部門和各地博物館撥交的文物約16萬件（套），其中一級品約700餘件。黨和國家領導人對於故宮博物院的工作給予了大力支持，毛澤東主席曾於1951年12月將友人贈送給他的王夫之〈雙鶴瑞舞賦〉交給國家文物局，並給當時的局

長鄭振鐸寫了一封信：「據云此種手跡甚為稀有，今送至兄處，請為保存為盼！」【註1】1952年12月，毛澤東主席又將朋友送給他的錢東璧臨〈蘭亭十三跋〉交由文化部社管局保管。1958年，毛澤東主席再次將張伯駒先生贈送給他的唐李白《上陽台帖》交中央辦公廳保存。此三件國寶在其後均轉交北京故宮收藏。

中華人民共和國建立初期，周恩來總理日理萬機，當接到報告得知故宮「三希堂」中的二希——王獻之《中秋帖》和王珣《伯遠帖》流入香港，並欲出售時，即批示國家文物局重金購回交由北京故宮收藏。周總理批了50萬港幣，實際用了488,376港元。這一年，中國的外匯儲備僅1.57億美元。但為了讓國寶重返故土，財政異常困難的中央政府還是慷慨地拿出了這筆經費。據莊嚴先生回憶，1949年，收藏此二帖的郭葆昌先生的兒子郭昭俊，曾攜二帖到台灣，「希望，『政府』在『賞』他一點報酬的條件下，他再將二帖『捐贈』出來。」但由於台灣當時「財源短絀，實在無力顧及於此，希望以後再從長計議，以致二帖回歸故宮之事不克實現。」後來，莊嚴先生看到香港某書局印製的《伯遠帖》複本，消遣玩賞之餘，不禁感慨萬千：「不知何年何月，三希堂才能重新聚首？」【註2】同期從香港收回的還有：唐代韓滉〈五牛圖〉、五代南唐顧閎中〈韓熙載夜宴圖〉、五代南唐董源〈瀟湘圖〉、宋徽宗趙佶〈祥龍石圖〉、南宋李唐〈采薇圖〉、南宋馬遠〈踏歌圖〉、元王蒙〈西部草堂圖〉及倪瓚〈竹枝圖〉等一批名珍巨品。

註1　《毛澤東書信選集‧致鄭振鐸（一九五一年十二月三日）》，人民出版社，1983年，第422頁。

註2　莊嚴：《山堂清話‧我與三希帖的一段緣》，台北故宮博物院，1980年8月，第263頁。

　　由國家有關部門撥交給北京故宮的文物中，有許多是原清宮舊藏後來流失出去的，如當年溥儀抵押給鹽業銀行的玉器、瓷器、琺瑯器、金印、金編鐘等，就是由國家文物局於1953年撥交給北京故宮，並由故宮博物院工作人員到儲藏地點收運回故宮的。此外，文化部於1952年向全國發出收回故宮文物的通知，通知要求：「為了保存這些古代最優秀的文化遺產，經報請政務院文教委員會批准，凡在各地『三反』、『五反』運動中發現的故宮古物，其已判決沒收和已由當地政府收回的，均應及時送繳中央，撥還故宮博物院集中保管。」[註1] 在國家文物局和全國各地博物館的支持下，眾多的國家級珍貴文物調撥到北京故宮，使得故宮藏品更加豐富、系統。

　　1965年，北京故宮從溥儀等人交出的1,194件物品中，挑選接收了245件溥儀的物品，包括古文物、稀有珍寶、宮廷用品及價值很高的藝術品等，絕大部分是溥儀留居紫禁城內廷時期，在1924年以前以賞賜名義攜出宮外，並由溥儀在服刑期間隨身所帶，後向政府主動交代的。其中貴重的有：康熙皇帝用過的金鑲貓兒眼寶石墜；乾隆皇帝搜集的六朝小玉璧、周朝清玉璧子、黃玉璧子、漢玉飾、清朝白玉龍紋佩等；特別是乾隆皇帝用的三聯黃瑪瑙閒章（溥儀在《我的前半生》中誤寫為「三顆田黃石刻印」），雕工精美，用三條黃瑪瑙鏈條連結在一起，原為乾隆皇帝私章，後來被人從宮中盜出，溥儀在偽滿過生日時，由偽職人員贈送給他。乾隆皇帝用過的金首飾錶盒，原是外國通商使臣贈送給乾隆帝的禮物，後來由慈禧太后使用，又傳於隆

註1　轉引自《中華人民共和國文物博物館事業紀事》（上），文物出版社，2002年9月，第44～45頁。

裕太后,隆裕太后死後,歸榮惠太妃,溥儀出宮時帶出。慈禧太后的貴重裝飾品有白金鑲鑽石戒指、白金鑲藍寶石戒指、祖母綠寶石白金嵌鑽石戒指,碧璽十八子手串、珊瑚十八子手串、金鑲翠袖扣,金鑲祖母綠寶石領針等。還有隆裕太后用過的宮廷用品6件。另接收了偽滿洲國張景惠等9名戰犯的14件文物珍寶。

抗日戰爭勝利後,中國海關曾將德國德孚洋行、德華銀行非法所集的中國文物31箱計1,136件予以扣留,又將原美國華語學校非法所集的文物19箱計21,749件予以沒收。這些文物原寄存在故宮,1974年正式撥交為北京故宮收藏。

撥交北京故宮文物較多的部門、單位主要有:

政府部門:對外文化聯絡局,撥交4次,計10,826件;文化部,撥交6次,計4,606件;公安部,撥交3次,計3,748件;國務院辦公廳,撥交5次,計828件;北京市宣武區財政局,撥交1次,計891件;中央專案組,撥交2次,計436件;外交部,撥交7次,計423件。

文化部門:文物局,撥交137次,計97,743件;北京市文化局,撥交10次,計15,042件;文化部社管局,撥交12次,計6,766件。

各地博物館、文管所:廣東省博物館,撥交7次,計231件;山西省博物館、晉祠文管所、雲崗古蹟保管所,計13件;河北邯鄲南北響堂寺文物保管所,撥交2次,計126件;廣州市博物館,撥交1次,計11件;河南省博物館,撥交3次,計13件;黑龍江省博物館,撥交2次,計36件;甘肅省博物館,撥交1次,計20件;湖南省博物館,撥交1次,計22件;文物局文物總店,撥交1次,計16件;南京博物院,撥交5次,計79件;上海文物管理倉庫,撥交1次,計46件;四川省博物館,撥交1次,計43件;景德鎮陶瓷館,撥交1次,計18件;陝西省

博物館，撥交4次，計25件；湖北省博物館，撥交1次，計38件；中國歷史博物館，撥交3次，計46件；北京圖書館，撥交1次，計50件；新疆博物館，撥交1次，計24件。

其他單位：北京市寺廟組、中國佛教協會、天津佛教協會，撥交227件；北京藝術學院，撥交1次，計52件；北京定陵展覽會，撥交4次，計11件；湖南醴陵陶瓷公司，撥交1次，計10件；江蘇宜興陶瓷公司，撥交1次，計77件。

另有武漢軍區政治部，撥交1次，計276件。

國外：瑞士日內瓦人類學博物館，計58件；紐西蘭坎特伯雷博物館，計1件。

2.文物收購

從上世紀50年代以來，北京故宮確定了以清宮流失出去的珍貴文物為主、兼及中國歷代藝術珍品的文物收購方針，國家在資金上給予支持，購回了大量珍貴文物。收購的途徑主要有文物商店、古玩鋪、文物收藏者和拍賣公司等。50年代至60年代初，是北京故宮購藏文物的高峰期。當時專門設立了「文物徵集組」，並引進文物鑒定方面的專門人才，如喬有聲（玉器）、孫瀛洲（陶瓷）、王文昶（銅器）、王以坤（書畫）、馬子云（碑帖）、劉九庵（書畫）、耿寶昌（陶瓷）等專家，都是50年代調進故宮的，加上唐蘭、陳萬里、徐邦達、朱家溍等先生，組成了強大的專家隊伍。每當有文物需購買，即先由專家鑒定論證，再決定是否收購。由於堵塞了文物外流這個大漏洞，當時社會上流散文物較多，琉璃廠一帶的古董店得到一件珍貴文物後，首先是送故宮，這就為北京故宮創造了一個大量購進珍貴文物的極好機會。

截至2005年12月底，共購得53,971件，其中一級文物1,764件。從內地購買的文物，品類眾多，特別是書畫珍品，如隋人書〈出師頌〉、唐周昉〈地宮出遊圖〉卷、唐顏真卿《竹山堂連句》冊、宋王詵〈漁村小雪圖〉卷、宋劉松年〈盧仝煮茶圖〉卷、宋馬和之〈鹿鳴之什圖〉卷、宋夏圭〈雪堂客話〉、宋馬遠〈石壁看雲〉、張先〈十詠圖〉卷、宋歐陽修〈灼艾帖〉卷、蘇軾〈三馬圖贊〉卷、米芾〈蘭亭敘題跋〉卷、〈苕溪詩〉卷、元顧安〈竹石圖〉軸、元錢選〈西湖吟趣圖〉卷、元趙孟頫〈墨筆水村圖〉卷、〈張總管墓誌銘〉卷、元迺賢〈城南詠古〉、明吳偉〈灞橋風雪圖〉軸、明唐寅〈幽人燕坐圖〉、明沈周仿黃公望〈富春山居圖〉、明董其昌〈月賦卷〉、明祝允明〈琴賦卷〉、清原濟〈高呼與可〉、清趙之謙《許氏說文敍冊》、宋拓《淳化閣帖》、《絳帖》、《聖教序碑冊》以及壽山石雕蟠螭鈕「皇太子之寶」、戰國嵌赤銅豆、錯銀菱紋燈、晉青釉雙繫雞頭壺、唐黑釉藍彩腰鼓、宋鈞窯碗、元釉裡紅松竹梅玉壺春瓶、成化鬥彩折枝牡丹罐、康熙五彩雉雞牡丹罐、乾隆琺瑯彩嬰戲雙連瓶、黃釉琺瑯彩開光嬰戲瓶、緙絲趙昌花卉圖卷、紅山文化玉龍、商玉鳥、周雙鳥紋玉器、戰國勾雲紋玉奩、龍鳳雲紋璧等，極大地豐富了北京故宮的藏品。【註1】

3.接受捐贈

截止2007年底，北京故宮共接受捐贈文物、文物資料及圖書約33,900件（套），捐贈人員728人次。捐贈者中，有國家黨政領導人，有專家、學者、藝術家及知名人士，有港澳台同胞，有海外華

註1 參閱梁金生：《藏品的來源和組成》，載《故宮博物院八十年》，紫禁城出版社，2005年，第241～242頁。

僑、華人和國際友人，以及北京故宮的領導及專家等。

幾乎每一位文物捐獻者，都有著感人的故事，略舉數例：

張伯駒先生曾以重金購藏西晉陸機《平復帖》，這是我國傳世最早的一件名人墨跡，他愛同身家性命，抗日戰爭中曾把此帖縫在自己隨身穿的棉襖中一同避難。隋展子虔〈遊春圖〉是我國現存卷軸山水畫中最古老的一幅，張先生唯恐如此重要的文物被商人轉手流到國外，曾變賣房產並搭上夫人的首飾才將其保留下來。20世紀50年代，張先生將珍藏的《平復帖》、〈遊春圖〉以及唐李白《上陽台帖》、唐杜牧之書《張好好詩》卷、宋黃庭堅書《諸上座帖》、宋蔡襄《自書詩》冊、宋范仲淹書〈道服贊卷〉、元趙孟草書〈千字文卷〉等書畫巨品無償捐獻給了國家，成為北京故宮的珍藏。

陳叔通先生曾任全國人大常委會副委員長、全國政協副主席，也是著名的文物收藏家。1953年10月，他捐獻出《百家畫梅》，凡102家、109幅，有唐寅、陳錄、王綦、邵彌、道濟及揚州八怪汪士慎、李鱓、金農、黃慎、高翔、鄭燮、李方膺、羅聘等明清諸家的傑作，是陳叔通先生數十年間搜集到的精品。從宋楊無咎、元王冕畫梅之後，梅花已成為畫家喜愛的題材之一，《百家畫梅》所收作品，俱見功力，十分名貴。陳叔通先生病逝後，家屬又遵照遺囑，捐出陳先生的387件文物，其中拓本碑帖119件，較好的有宋拓隋智永真草《千字文冊》、南宋拓《唐太清樓書譜》冊。書畫中較好的有明劉世行、陳錄及清羅聘的作品。

馬衡先生任故宮博物院院長長達19年。1949年，他將唐代石造像一尊捐故宮；1951年，捐贈四川出土瓷器13件；1952年，在他調離故宮時，將珍藏的包括宋拓唐刻顏真卿《麻姑仙壇記》卷在內的甲骨、

碑帖等400多件文物捐獻給了北京故宮。在他去世後，子女遵其遺願，又把14,000餘件(冊)文物捐給了北京故宮，有青銅器、印章、甲骨、碑帖、書籍，以及法書、繪畫、陶瓷、牙骨器等，種類眾多，數量驚人，精品不少。這是馬衡先生日積月累收購來的，花費了他一輩子心血，現在全部捐給了國家，捐給了與他的生命聯結在一起的故宮博物院。

孫瀛洲先生曾是北京故宮研究員，早年在北京的古玩店當學徒，後獨立開辦了敦華齋古玩店，成為當時著名的古董商和鑒定家。20世紀50年代，他將家藏3,000多件各類文物捐贈給北京故宮，陶瓷有2,000多件，其中有宋代官窯盤、官窯葵瓣口洗、哥窯弦紋瓶、哥窯雙耳三足爐、汝窯洗、定窯白釉劃花葵瓣洗，元代紅釉印花雲龍紋高足碗，明代永樂青花折枝菊紋折沿盤、宣德青花折枝花紋執壺、成化鬥彩三秋杯，清代康熙釉裡紅加彩折枝花紋水丞、康熙鬥彩雉雞牡丹紋碗、雍正仿成化鬥彩洞石花蝶紋蓋罐、乾隆粉彩嬰戲紋碗、乾隆爐鈞釉弦紋瓶等稀世珍品，其中25件被定為國家一級文物。

朱翼庵先生曾任職民國財政部，一生殫心經史，以著述自遣，尤精於鑒別，收藏碑版、書畫多為罕見珍秘之本，曾任故宮博物院專門委員會委員。1934年在倫敦舉辦中國古代藝術展覽，其中故宮參展繪畫作品全部由朱先生選定。他的藏碑有三個特點：一是名碑名帖多，如兩漢碑刻近70種，當時所能見到的幾乎全部收入，唐代碑版數量最多，虞世南、歐陽詢、褚遂良、歐陽通、王知敬、李邕、史惟則、蘇靈芝、李陽冰、張從申、顏真卿、徐浩、柳公權等名家存世碑拓皆囊括其中；二是善本精拓多，宋拓20餘種，元拓4種，明拓40餘種，含英咀華，孫承澤難以比肩；三是有鑒家、學者題識為多，如元拓石

鼓文，孫克弘故物，附周伯溫臨石鼓文墨跡，翁方綱、吳云、張祖翼、楊守敬等題識。【註1】因故宮這方面的藏品是弱項，而朱先生所藏為公認的一份系統完整、拓工最古的拓本，當年馬衡先生任故宮院長時，擬用10萬銀元收購，朱先生則表示將來要捐贈故宮。朱翼庵先生於1937年6月去世，1953年，由其夫人及四個兒子（朱家濟、朱家濂、朱家源、朱家潽）將全部碑帖706種無償捐贈故宮博物院。1976年，朱家又將明代紫檀、黃花梨木器和清代乾隆時期做工紫檀大型木器數十件等無償捐給承德避暑山莊博物館，同時將家藏善本古籍數萬冊全部無償捐獻給中國社會科學院。1994年，朱家又將最後一批文物，包括唐朱澄〈觀瀑圖〉、北宋李成〈歸牧圖〉、南宋夏圭〈秋山蕭寺圖〉等書畫作品，以及南宋王安道硯、明代潞王府製琴、明成國公朱府紫檀螭紋大畫案等無償捐贈給浙江省博物館。

　　葉義先生是香港著名醫生，也是一位有影響力的收藏家、鑒賞家。1985年，由他畢生收藏的81件罕見的犀角雕刻捐給了北京故宮。犀角雕刻材質名貴、稀罕，又因質屬有機，不耐腐蝕，不易保存，早期遺物少，明清遺存稍多，然清宮舊藏犀角雕刻品也不過百餘件。葉義先生捐獻的這批犀角雕刻，是他多年來從各地競拍而得，具有廣泛性和代表性。葉義先生還將129件中國外銷瓷和東南亞瓷器捐給台北故宮博物院，將200件中國竹刻雕品捐給香港藝術博物館。

　　韓槐准先生為著名陶瓷收藏家，僑居新加坡多年。從1956年到1962年，他陸續將所藏瓷器276件捐給北京故宮，其中99件屬外銷瓷

註1　**朱翼庵著《歐齋石墨題跋（上）》，施安昌《前言》，紫禁城出版社，2007年。**

中的精品，包括明嘉靖、萬曆及清康熙、雍正時期的青花、五彩及粉彩器皿。有一件青花大罐曾長期為新加坡賴佛士博物館借用展出。韓先生決定獻給故宮前往索取時，該館曾出3,000磅高價收購，韓先生沒有答應。這類瓷器國內少見，對研究外銷瓷有重大意義。他的捐獻另有包括宋、元、明龍泉窯及明清青花等行銷國內外的瓷器。

　　為了表達對捐獻者的崇敬之情，並彰顯其事蹟、弘揚其精神，北京故宮於2005年80周年院慶之際，特在故宮景仁宮專設景仁榜，將捐獻者的名字按年份鐫刻於牆上，以作永久紀念，出版了記述捐獻者的《捐獻銘記》一書，並在景仁宮有計畫地舉辦捐獻文物展覽。1999年出版《故宮博物院50年入藏文物精品集》，近年來又陸續出版捐獻大家的捐獻圖錄，目前已出版了張伯駒、葉義、鄭振鐸、孫瀛洲、吳景洲、章乃器等人的專集。

六　機構調整與文物外撥

1.明清檔案的劃出

　　1949年以後，北京故宮在機構及業務上的最大變化，是明清檔案部門的劃出。

　　故宮博物院成立之初，文獻館在圖書館領導下稱文獻部，1927年6月改稱掌故部，1928年從圖書館分離出來後正式稱文獻館。文獻館下設大庫檔案組、宮中檔案組、軍機處檔案組、內務府檔案組、宗人府檔案組。中華人民共和國成立後，十分重視明清歷史檔案，宣佈檔案為國家財富，實行集中統一管理的原則，陸續將散失在社會上的明清檔案收集起來。先後從中宣部、外交部、財政部、廣播事業

局、中國銀行、北京大學、中國歷史博物館、瀋陽圖書館、北京圖書館、旅大市圖書館、長蘆鹽運局和南京史料整理處等，以及北京、上海、南京、瀋陽等地的私人手中，接收和徵集了明清檔案近400萬件（冊）。1951年5月，北京故宮將文獻館改稱檔案館，並將文獻館原來收藏的圖像、冠服、樂器、儀仗、錢幣等項歷史文物移交保管部，使檔案館成為專理明清檔案的機構。

　　羅振玉藏的一批檔案有著重要的價值。宣統元年（1909年），清宮內閣大庫庫垣大壞，檔案移存於文華殿兩廡。大學士管學部事務的張之洞奏請以大庫所藏書籍，設學部圖書館藏之，其餘檔案則奏請焚毀。當時學部參事羅振玉被派赴內閣接收書籍，見到奏准被焚之物都是寶貴的史料，於是請張之洞奏罷焚毀之舉，將所有檔案運歸學部，藏於國子監南學和學部大堂後樓兩處。民國初年，這部分檔案由教育部歷史博物館籌備處管理，並移於端門門洞中存放。1921年，歷史博物館因經費困難，除揀出一部分較整齊的外，將其餘檔案裝8,000麻袋計15萬斤，以4,000元價錢賣給同懋增紙店，幸被羅振玉所知，以三倍價錢將此購回。這就是有名的「八千麻袋事件」。羅氏後因無力保管，自己僅留一小部分，其餘轉售於李盛鐸，中央研究院歷史語言研究所成立後，始購為公有。現在這批約31萬件的檔案收藏於台北中央研究院史語所。羅振玉自己留存的那部分檔案，後運到旅順，並成立大庫舊檔整理處進行整理。1934年其子羅福頤（後為北京故宮研究員）利用這些檔案材料編印了《大庫史料目錄》6編、《明季史料拾零》6種、《清史料拾零》26種、《史料叢編》2集、《清太祖實錄稿》3種。1949年，東北圖書館將《大庫史料目錄》中的明史料部分，編印了《明清內閣大庫史料‧明代》第一集，上、下兩冊，凡

525件，包括明代啟禎二朝及有清200餘年內外各官署之題稿、奏本、摺帖等。1952年，東北圖書館將這批檔冊全部移交北京故宮博物院。

1955年8月，北京故宮「鑒於現有附設之檔案館的重要性，以及檔案工作與藝術博物館事業不相適應」，因與國家檔案局協商，「認為將我院檔案館交由國家檔案局領導為適宜」，經國家文化部同意後辦理了移交手續【註1】。

當時北京故宮檔案館所藏各系統檔案種類如下【註2】：

一、內閣大庫部分：紅本、黃冊、制詔誥敕等，啟本奏本等，硃批奏摺、揭帖、試卷、鄉會試錄等，起居注、史書、表箋、會典圖稿等，皇冊、軍令條約、俄國來文及鈔檔、內閣各房檔案、修書各館檔案、滿文老檔、滿文木牌、明選簿、明季題行稿等。

二、軍機處部分：錄副奏摺及附圖等，各項檔簿、來文、清冊、奏表、各國照會、函札、電報、奏稿呈稿等，方略館檔案。

三、內務府部分：匯抄檔簿、活計清檔、各項日行公事檔簿、各園各行宮陳設檔、三旗戶口冊、銷算清冊、俸銀俸米冊、奏摺及月奏、題本、呈稿、來文及附件、事筒、堂諭、織造繳回案卷、廣儲司各庫檔案、御茶膳房檔案、修書處檔案、上駟院檔

案、升平署檔案。

　　四、宮中部分：硃批奏摺、硃諭廷寄上諭等，匯奏諭旨等，國書、貢單履歷單等，匯輯專案檔、各項記事檔簿、膳牌綠頭簽、檔案之附圖。

　　五、宗人府部分：玉牒、星源吉慶（玉牒之又一種）、各項檔簿、啟冊、銀米冊、說堂稿等。

　　六、清史館部分：借調各處的檔案、鈔錄之檔案、本身日行公事檔案、修清史之稿本。

　　七、個人檔案：溥儀檔案（包括1912～1924年在宮內部分及以後在天津部分，有諭旨、奏摺、檔簿、月摺、貢單、函札、呈文等項）、端方檔案（有電報、函札等）、趙爾巽等奏摺。

　　八、民國以後各部等檔案：陸軍部檔案、財政部檔案、交通部檔案、司法部檔案（為舊刑部者）、實業部檔案、舊國會檔案。

　　以上八個部分共計644架、1,167箱、1,694麻袋，約430餘萬件，加上南遷檔案2,608箱、150餘萬件，共約580餘萬件。

　　北京故宮依據自身業務工作的需要，決定選留一批相關的檔案資料等。

　　文化部副部長鄭振鐸提出，以下六項應留在故宮：

　　一、各園各行宮陳設冊；

　　二、御茶膳房檔案及膳牌、綠頭簽；

　　三、升平署檔案；

四、織造繳回案卷；

五、修書處檔案；

六、會典圖稿。【註1】

由單士元、李鴻慶、歐陽道達、張德澤、單士魁、曾遠六人共同研究，提出了區分歷史檔案及初步留院檔案文物的意見【註2】：

一、檔案館所藏歷史檔案包括以下四項：

1.清代內閣、軍機處、宮中、內務府、宗人府、清史館等處所藏檔案文件。

2.清內閣原藏一部分明末檔案文件。

3.故宮博物院陸續收集個人檔案，如溥儀檔案、端方檔案等。

4.故宮博物院陸續收集民國初年各部檔案、舊國會檔案等。

二、檔案所附之圖表等件，隨原檔案收藏。

三、滿文木牌、膳牌、綠頭簽等件，一併附檔案收藏。

四、檔案館原藏圖書文物擬留院各項：

1.實錄、聖訓、本紀、曆書、則例及其他殘書（以上各項有副本，可撥交檔案局一份。關於檔案工作參考書亦可酌撥）。

2.輿圖、圖版及書版。

註1　《故宮博物院選留圖書文物及檔案總冊（附劃分原則）》（1955年），北京故宮博物院檔案。

註2　《關於檔案館所藏檔案文物圖書劃分範圍初步意見》（1955年10月10日），北京故宮博物院檔案。

3.鐵券、金葉表文、腰牌等。

4.劇本、曲本、串頭、排場等。

五、檔案館原有關宮廷藝術的檔案擬留院各項：

1.為復原陳列用的各宮殿陳設檔。

2.有關建築、藝術的各種畫樣。

北京故宮最後決定選留的圖書、文物及檔案如下：

一、現存本院部分

實錄聖訓本紀及稿本	2,487冊（內實錄滿蒙晰義294冊又未整理9捆）
會典事例稿本	6,210冊（又未登記4捆）
曆書	2,674冊又26捆4包
各項書籍	4,678冊又53捆
輿圖	1,306件
書板	16箱
明譜系添匣	4件
明鐵券	2件
金葉表文	19件
腰牌	130個又6箱
掛壁木匾銅印等	84件
劇本曲本串頭排場等（附原目4冊）	2,079號又36捆3包（附殘爛劇詞1筐1箱）
未刻石章	200個
破荷包	1箱

陳設檔　　　　　　　　　　485件

服飾畫樣　　　　　　　　　349件又未整理185件

第一部分附書籍、輿圖、各項文物、劇本、陳設檔、服飾畫樣清冊6冊。

二、存南京部分

實錄聖訓本紀　　　　　　　501箱

地圖銅版　　　　　　　　　26箱（104塊）

劇本　　　　　　　　　　　5箱

三、在台灣部分

實錄　　　　　　　　　　　5箱

本紀　　　　　　　　　　　8箱

二、三兩部分係根據南遷清冊箱數開列，南遷以後，箱件有散破合併等情況，可能與原箱數有出入【註1】。

其中留院各項書籍總目如下：

內閣宮中各項史籍　　　　　9,360冊又13捆

內閣漢文書　　　　　　　　455冊

未登記內閣漢文書　　　　　29冊

北大移交各項書籍　　　　　726冊又1捆

宮中各項書籍　　　　　　　522冊又53捆

宮中滿文書籍　　　　　　　72冊

宮中曆書　　　　　　　　　2,674冊又26捆4包

註1　《故宮博物院選留圖書文物及檔案總冊（附劃分原則）》（1955年），北京故
　　　宮博物院檔案。

　　軍機處書籍　　　　　　　　　1,339冊

　　宗人府書籍　　　　　　　　　873冊

以上九項共計16,049冊93捆4包。【註1】

　　1955年底，北京故宮檔案館除過上述檔案資料選留本院外，其餘檔案文物連同檔案館的25名工作人員正式劃歸國家檔案局。

　　北京故宮檔案館移交國家檔案局後，更名為第一歷史檔案館。1958年6月，改名為明清檔案館。1959年3月，明清檔案館併入中央檔案館，改稱為明清檔案保管部，成為中央檔案館的一個組成部分。

　　1969年，中央檔案館領導小組認為：「明清檔案是明清封建王朝形成的檔案，不宜和中央檔案保存在一起，同時，檔案分存兩地，管理上也有困難」，提出把這批檔案交回故宮。經與北京故宮博物院商量，故宮表示願意接收【註2】。1969年11月22日，北京故宮與中央檔案館正式簽署了移交書。當時這些明清檔案分存兩地：一是故宮，所存檔案包括清朝內務府、宗人府、溥儀檔及吏、戶、禮、兵、刑、工各部等24個機構形成的檔案3,431,192件（冊），其中大量為宗人府、內務府、刑部等機構及溥儀的檔案。二是西郊中央檔案館內，所存明朝檔案3,484件（冊），清代內閣、軍機處、宮中等11個機構的檔案477,7083件（冊），合計8,208,275件（冊）。

　　這些檔案及檔案的目錄713冊全部移交北京故宮。存於西郊中央檔案館的明清檔案亦運回故宮。同時移交的還有原明清檔案保管部保管的全部圖書資料，約10萬冊（函），另有這些圖書資料的目錄18

註1　《故宮博物院選留各項書籍清冊》（1955年），北京故宮博物院檔案。
註2　《中央檔案館領導小組函件》（1969年7月1日），北京故宮博物院檔案。

套，以及原明清檔案保管部形成的全部文書檔案683卷。又從原明清檔案保管部的工作人員中選了16名，隨檔案一同劃歸北京故宮，仍稱明清檔案部，對外稱第一歷史檔案館。1975年，故宮西華門內新的文物庫房大樓建成，明清檔案部於同年11月遷入新址辦公。

1979年6月，國家檔案局要求將第一、第二歷史檔案館劃歸國家檔案局領導。設在南京的第二歷史檔案館原屬國家檔案局領導，1978年3月移交給中國社會科學院近代史研究所領導。國家檔案局的報告說：「這兩個檔案館是目前我國僅有的兩個歷史檔案館。其所管檔案的特點是歷史悠久，數量浩大，內容豐富，系統完整。對當前政治鬥爭、經濟建設、歷史研究、學術研究和對外文化交流都有重要價值，是國家的寶貴財富。」「為了更好地貫徹黨對檔案工作集中統一管理的原則，加強國家檔案局對全國檔案工作的監督、指導和檢查，充分發揮歷史檔案為黨和國家的各項工作服務、為四個現代化服務的作用，並適應檔案工作日益增多的國際交往的新形勢」，建議將這兩個歷史檔案館劃歸國家檔案局領導[註1]。1980年4月，北京故宮明清檔案部全部檔案及職工再一次劃歸國家檔案局，改稱中國第一歷史檔案館。

2.典籍圖書的外撥

故宮博物院圖書館長期以來是個重要的業務部門。1949年以後，北京故宮圖書館在繼續整理、集中宮殿藏書的同時，又陸續接收了不少社會贈書，如國家文物局撥交的4,066冊圖書，馬衡、張允亮、侯

註1　《關於擬將中國第一、第二歷史檔案館劃歸國家檔案局領導的請示報告》，（國家檔案局檔，1979年6月28日），北京故宮博物院檔案。

寶章、韓槐准等個人捐贈的20,000餘冊書籍。

　　1949年至1953年，在國家支持下，北京故宮仍然致力於收購清宮流失出去的珍籍，繼續充實著故宮的典籍收藏。後來，大批的珍本典籍及宮廷藏書外撥到北京圖書館、國家檔案局、一些省市及大學的圖書館。

　　在20世紀50年代初期，北京故宮因為庫存大量的鉛印本重複書籍，以及本院在30年代編印的檔案叢刊、文物圖錄及其他出版物等積存尤多，遂贈送給有關的機關、單位。例如，存有《清代九朝聖訓》41部，每部48函；《清代諸帝列朝詩文集》（康熙至同治）75部，每部76函；《清史稿》也多達23部，等等。經文化部文物局批准，分送有關單位。保存最多的還是故宮自己編印的書籍，例如《史料旬刊》、《文獻叢編》、《故宮月刊》、《掌故叢編》、《教案史料》、《清代文字獄檔》、《中法戰爭交涉史料》、《光緒朝中日戰爭交涉史料》、《清季各國照會目錄》、《咸豐朝及同治朝夷務始末》、《軍機處檔案目錄》等，還有《故宮書畫集》47期及各種書畫集冊、單幅圖卷等，數量巨大，除留夠必要的外，1953至1954年，應許多部門及機構的請求，贈送作為研究參考的資料，如復旦大學、山東大學、中國人民大學、中央美術學院、河北師範學院、人民美術出版社、民族出版社、北京圖書館、上海圖書館、中央革命博物館籌備處、東北博物館、北京歷史博物館、中科院近代史研究所、中國紅十字總會、廣東省人民政府文物保護委員會、中共中央政治研究室等。

　　接收北京故宮外撥書籍最多、質量最好的是北京圖書館，即今天的中國國家圖書館。

　　1955年，北京故宮將存在柏林寺的完整的18世紀《龍藏》經版外

撥北京圖書館，約152,200塊，另有四庫書版78,289塊。

　　1958年，中國歷史進入一個特殊時期。這一年7月，北京故宮下放北京市文化局領導。為適應工作需要、充分發揮圖書資料的作用，經文化部文物局研究決定，將文物局、故宮博物院、歷史博物館、文物出版社等單位的圖書館合併，成立故宮文博圖書館，歸故宮博物院領導。在此之前，北京故宮已將190部、40,000餘冊宮中書籍撥給了中國科學院、北京圖書館、吉林省圖書館、中國人民大學、北京大學及部分省市大學等23個單位。為響應充分發揮圖書作用的號召，1958年9月，北京故宮擬將藏書中的重複本及與業務無關的書籍約23萬餘冊撥給北京圖書館，並由北京圖書館把其中一部分分配給需要這些書籍的機關、單位。北京圖書館則提出要「天祿琳琅」圖書，北京故宮也答應了，同時給了一批雖非「天祿琳琅」但仍為宮廷珍本的書籍。

　　1959年5月，北京故宮與北京圖書館辦了移交手續，這些書籍分類如下【註1】：

註1　《故宮博物院、北京圖書館交接書籍、佛、道經分類統計表》（1959年6月5日），北京故宮博物院檔案。

類別	號數	冊數	附註
天祿琳琅書籍	239	2,868	另有新購的續資治通鑒綱目1冊
明本書籍	1,505	21,261	
殿本書籍	5,817	54,603	
普通本書籍	2,850	37,419	
滿蒙文書籍	1,166	11,470	
石印圖書集成	5	21,713	
清代聖訓	26	11,648	
清代御製詩文集	50	27,100	
清代七省方略	29	5,639	
張氏普通書籍	528	4,719	
各種雜書	8,512	20,123	另有138幅、61張、11軸、1袋、1折、1盒、1卷、1塊、1束、10開未列入冊數內。
各種舊雜誌	1,486	18,969	
各種殘書	3,428	41,405	
佛道經	621	28,906	另有460夾、908卷、26帙、9件、2捆、67包、6種、8匣、11頁未列入冊數內。
總計	26,262	307,844	另有138幅、460夾、909卷、61張、26帙、11軸、9件、67包、6種、8匣、11頁、2捆、1折、1袋、1盒、1塊、1束、10開未列入冊數內。

另有2項未列入統計數內：

類別	號數	冊數	附註
殘破及火燒佛經	3	169箱	計鐵箱151個、木箱18個
殘破霉爛書籍	1	202捆	

　　這批書籍中，最珍貴的是「天祿琳琅」藏書。它是清宮秘藏善本書中的精華。乾隆皇帝於乾隆九年（1749年）下令內廷翰林檢點內府善本，擇其優者移藏於昭仁殿設架庋藏，御筆親題匾曰：「天祿琳琅」。命人編為《天祿琳琅書目》10卷，共收書429部。嘉慶二年（1797年）這些珍本因火災化為灰燼，嘉慶皇帝即命重修昭仁殿，繼續從善本書中擇優入藏其中，又編成《天祿琳琅書目續編》，凡收書664部。清室善後委員會當年查昭仁殿存書時發現，屬於天祿琳琅藏書者僅得288部，不到《天祿琳琅續編》所著錄的一半。原來遜帝溥儀暫居內廷期間，把其中200餘種珍版書偷運出宮外。後來這批書籍散落在東北，1949年以後，逐漸收回，重聚於北京故宮。計有：

宋本	38種	479冊
元本	26種	337冊
金本	2種	16冊
明本	128種	1,442冊
清本	12種	53冊
清抄本	3種	20冊

以上計209種、2,347冊。

　　這些珍品都撥交給了北京圖書館。台北故宮圖書館現藏《天祿琳

琅書目續編》著錄者311種。

　　另撥交北京圖書館的非天祿琳琅卻係宮廷珍本的有：

宋本	5種	69冊
元本	8種	272冊
明本	8種	134冊
清本	3種	20冊
清抄本	5種	14冊

以上計29種、509冊【註1】。

　　上世紀70年代初，北京故宮隨著工作的開展，感到外撥給北京圖書館的書籍之中，有許多是故宮業務所需要的，便要求北圖退還與本院業務有關的圖書。這30萬冊書，北圖已將天祿琳琅善本書及普通線裝書2號、415冊，以及平裝書、雜誌等運到館內登記入藏和先後撥給外單位約5萬冊圖書外，另外的20多萬冊尚放置在北京故宮，遂把這批書退還北京故宮。北京故宮對退還的這20多萬冊書進行清點整理，將與北京故宮業務相關的書籍留了下來，其中滿、蒙文圖書交故宮明清檔案部，其餘書籍，上報文物局，或撥交其他圖書館，剩餘部分處理給中國書店。

　　北京故宮還將典籍圖書較多地撥給了檔案館與國家檔案局。

　　1954年，北京故宮將宮中輿圖由圖書館移交本院檔案館。北京故宮因保存輿圖數量龐大，便把其中158件與歷史有關的圖畫保存下來，分別移存延禧宮和圖像庫，另外5,747件輿圖則移交檔案館。這

註1　《擬將院藏天祿琳琅等書籍撥給北京圖書館報請批示》（1958年10月29日），
　　　北京故宮博物院檔案。

批輿圖，主要包括〈盛京事蹟圖〉、〈廓爾喀戰圖〉、〈河間府圖〉、〈揚州府水陸輿圖〉、〈元旦朝賀圖〉、〈豫魯皖邊境捻匪等老巢圖〉、〈浙江嘉興府輿圖〉、〈董各莊風水圖〉，等等。1955年，隨著檔案館移交國家檔案局，這批輿圖也離開了北京故宮博物院。

直接撥交國家檔案局的有兩次。第一次是1956年10月，北京故宮撥交國家檔案局一批複本書籍，13,103冊。這批書籍，有一部分為康乾時期的內府本。第二次是1977年4月，北京故宮又撥交給國家檔案局宮廷書籍220部、5,790冊，包括稿本、精寫本、內府本、精刻本等。抄本主要有《洪武寶訓》，清初順治年寫本，6冊；《清文會典事例》，清文副本精寫本，1,215冊；《大清會典》，清精寫本，101冊；《玉匣記》，清抄本，4冊；《平定西北方略》，清抄本，27冊；《晴雨錄》，清光緒三十年（1904年）抄本，1冊；《欽定外藩蒙古回部王公表》，清抄本，10冊；《清文星曆考原》，清抄本，12冊，等。

北京故宮還先後將不少宮中書籍撥交給一些省市區圖書館等單位：

1957年，撥給中國科學院新疆分院宮廷藏書14種、3,196冊。

1957年、1977年，先後撥給內蒙古大學蒙文書籍2部、36冊；其他書籍93部、9,451冊。

1977年，撥給河北省博物館宮中書籍747部、24,548冊。

1977年，撥給河南省博物館宮中書籍20部、635冊。

1977年，撥給河南省圖書館宮中書籍54部、2,184冊。

1978年，撥給天津市人民圖書館宮中書籍94部、3,544冊。

3.器物的外撥

從1949年至1980年前，北京故宮藏品的充實得到社會各界支持，同時也先後把大量宮廷藏品及珍貴文物調撥給不少博物館、圖書館及其他機構。例如，北京故宮曾把包括虢季子白盤、〈乾隆南巡圖〉等在內的3,881件珍貴文物撥給了1959年成立的中國歷史博物館。其中虢季子白盤是與現藏於台北故宮的散氏盤、毛公鼎並稱西周三大青銅重器的國寶，器形碩大、造型奇偉，而且銘文具有很高的歷史價值。虢季子白盤清道光年間出土於陝西寶雞，後輾轉流傳至江蘇常州。1864年淮軍將領劉銘傳（曾任台灣建省後的首任巡撫）攻下常州進駐太平天國護王府，在馬廄中發現此盤。其後，劉氏返居故鄉合肥，建「盤亭」而藏之。民國以後，爭奪此盤的風波迭起，北洋軍閥、日本人都欲搶奪。劉氏後人為保此盤歷盡磨難，最後掘地一丈將此盤深藏不露。1950年，劉銘傳四世孫劉肅曾將此盤獻給國家，為北京故宮收藏。北京故宮還把一部分官窯瓷器贈給了一些古窯址博物館；在一些寺院和我駐外使館等，都有調去的故宮文物。也有一些清宮文物贈送國外博物館，例如1957年贈給前蘇聯東方博物館清代瓷器、玉器、漆器、琺瑯、織繡等文物550件。

具體來説，北京故宮從1954至1990年撥給外單位的、有登記記錄的文物共84,000件另87斤1兩，撥給單位包括國內外各博物館、事業單位、企業、人民團體、科研機構、寺院、學校、國家機關、電影廠等。

所撥出的文物以器物類別計，包括陶瓷、銅器、玉石器、漆器、琺瑯器、織繡、繪畫、法書、銘刻、雕塑、雕刻工藝、其他工藝、文具、生活用具、鐘錶儀器、宗教文物、武備儀仗、古籍文獻、外

國文物、其他文物等。具體文物包括漢、晉、唐、宋、元、明、清陶瓷器，戰國銅劍，玉器，水晶，漆器，琺瑯，絲織品（清代織金緞、絲綢錦緞），織繡材料，帝后書畫，明清繪畫，書札，拓本，清代告諭，文獻資料，漢魏六朝造像，曲陽石刻，漢封泥，銅燈，清代鐘錶，冠服，清代寶座陳設，家具，印章錢幣，絛帶，清代鑾輿衛儀仗、服飾用品，八旗盔甲，弓箭，腰刀，阿虎槍，馬鞍，清代御藥房藥櫃及藥材，歷代錢幣，佛像，龕塔，經架、經書，供法器，佛堂原狀，屏聯，掛燈，貼落，皮貨，象牙，清代墨，清代鉛錫銅鐵玉石料及砷碟等石料標本，清代舊存藥材，現代硯，舊軍服、軍帽，動物標本，現代美術工藝品，國際禮品（外國瓷），國內禮品（動植物標本、礦石），皇族與藩屬等爵銜章及18世紀各國國王像，洪憲綢旗印匣，蘇區鈔票、錦旗、五星紀念章等等。在數量上以瓷器、武備、民族文物、宗教文物、新銅、清代家具等陳設品、絲織品、皮貨、清代美術工藝品、國際國內禮品、近代史資料為大宗。

北京故宮撥出文物涉及9個國家及國內27個省、自治區、直轄市和部隊單位。其中，共撥往國外文物1,000件，國內82,999件另87斤1兩。在國內的省區市中，接收北京故宮文物最多的前9個省市是：

1.北京（包括在京的中央國家機關及人民團體、北京市各機關等）/35,680件另87斤1兩

2.河北省/15,874件

3.遼寧省（按：東北魯迅美術學院歸入遼寧省）/9,950件

4.河南省/4,235件

5.廣東省／2,398件

6.吉林省／1,965件

7.黑龍江省／1,812件

8.江西省／1,274件

9.湖南省／1,088件

以上9個省市加上撥給解放軍的1,137件，共計75,413件，占了國內撥出文物總量的約90.9％，而北京和河北兩省市共計51,554件，約占國內總數的62％強。北京故宮撥出文物共涉及全國約131個單位（按：登記冊上統計單位為157個，有些雖名稱不同，但實際為同一單位），其中，撥往文物最多的單位是由中國革命博物館和中國歷史博物館合併的國家博物館，多達7,970件。

文物數量超過2,000件的單位有以下10個：

1.國家博物館／7,970件

2.瀋陽故宮／7,546件

3.承德外八廟／5,968件

4.民族宮／5,519件

5.洛陽市文化局／3,361件

6.東陵管理所（保管所）／2,966件

7.北京電影製片廠／2,510件

8.中國工藝美術學院／2,356件

9.國慶工程各單位（「國慶工程各單位」暫當作一個單位來統計）／2,534件

10.佛教協會／2,015件

超過1,000件的機關單位有：

1.外交部／1,962件

2.黑龍江省博物館／1,812件

3.廣東省博物館／1,647件

4.輕工業部美術工藝管理局／1,614件

5.承德避暑山莊（包括承德離宮、承德離宮辦事處、承德離
宮管理處、管理所）／1,551件

6.景德鎮陶瓷館（包括景德鎮陶瓷研究所）／1,217件

7.文化部／1,213件

8.外貿首飾公司／1,173件

9.解放軍八一電影製片廠／1,130件

10.湖南省博物館／1,088件

11.長春電影製片廠／1,000件

撥給國外的有：

1.保加利亞博物館／35件

2.德意志民主共和國／251件

3.哥斯大黎加／6件

4.捷克斯洛伐克國家博物館／65件

5.毛里求斯／2件

6.日內瓦人類博物館／46件

7.前蘇聯東方博物館／550件

8.前蘇聯特列恰可夫畫館／23件

9.紐西蘭坎特伯雷博物館／21件

10.伊朗／1件

共計：1,000件

北京故宮外撥的文物，有些是在特殊歷史條件下形成的。1973年，故宮大佛堂的2,900餘件佛教文物被遷運河南洛陽，佛像被安置於某寺院，其餘文物如兩座九級木塔等則為其他文物部門分別占用。大佛堂是故宮西路慈寧宮後殿，明嘉靖十五年（1536年）建成，為后妃禮佛之所。該殿面闊七間，進深三間，殿宇宏敞；直至1973年被拆之前，仍完整地保持著明清皇宮內佛堂的歷史原貌。佛堂中有目前國內僅存的整堂元代乾漆夾苎十八羅漢像、三世佛像、天王像、韋陀像等23尊，均屬一級文物。乾漆夾苎像是佛教造像中最珍稀的品類，它靠多層麻布、彩漆成型，重量較輕，造型精美，但因不易保存，存世極少。根據故宮整體維修的規劃，恢復大佛堂是其中的重點項目，社會各界呼籲這批文物儘快歸還北京故宮。

七　文物藏品分類統計

北京故宮的文物藏品，依據不同質地、形式和管理的需要，分為繪畫、法書、碑帖、銘刻、雕塑、銅器、陶瓷、織繡、玉石器、金銀器、珍寶、漆器、琺瑯、雕刻工藝、其他工藝、文具、生活用具、鐘錶儀器、帝后璽冊、宗教文物、武備儀仗、善本文獻、外國文物、其他文物和古建文物，共25大類69小項。現將藏品分類列表統計如下。

北京故宮藏品分類統計表（表一）

序號	文物類別	文物細分類	故	新	數量（件）	故所占比率	新所占比率	故	新	總數量（件）	故所占比率	新所占比率
1	繪畫	紙絹畫	9,346	27,780	37,126	25.17%	74.82%	11,312	31,890	43,202	26.18%	73.81%
		壁畫		113	113	0%	100%					
		其他畫	14	57	71	19.71%	80.28%					
		版畫	1,952	3,940	5,892	33.12%	66.87%					
2	法書	紙絹畫	3,380	51,547	54,927	6.15%	93.84%	3,380	51,547	54,927	6.15%	93.84%
3	碑帖	銘拓	4,989	20,475	25,464	19.59%	80.40%	4,989	20,475	25,464	19.59%	80.40%
4	銘刻	甲骨		4,740	4,740	0%	100%	1,829	30,315	32,144	5.69%	94.30%
		古陶石刻	612	5,354	5,966	10.25%	89.74%					
		印押（封泥）	1,217	20,221	21,438	5.67%	94.32%					
5	陶瓷	陶	4	1,892	1,896	0.21%	99.78%	319,817	29,344	349,161	91.59%	8.40%
		瓷	319,813	27,452	347,265	92.09%	7.90%					
6	銅器	青銅	845	10,005	10,850	7.78%	92.21%	11,072	18,097	29,169	37.95%	62.04%
		銅鏡	934	3,153	4,087	22.85%	77.14%					
		古金屬	11	414	425	2.58%	97.41%					
		仿古古釋	535	358	893	59.91%	40.08%					
		貨幣	8,747	4,167	12,914	67.73%	32.26%					
7	玉石器	玉器	22,917	5,544	28,461	80.52%	19.47%	23,550	6,306	29,856	78.87%	21.12%
		石器	633	762	1,395	45.37%	54.62%					
8	金銀器	金器	2,326	93	2,419	96.15%	3.84%	3,145	172	3317	94.81%	5.18%
		銀器	819	79	898	91.20%	8.79%					

續表

序號	文物類別	文物細分類	故	新	數量（件）	故所占比率	新所占比率	故	新	總數量（件）	故所占比率	新所占比率
9	珍寶	珠寶	841	23	864	97.33%	2.66%	841	280	1,121	75.02%	24.97%
10		金珠寶		257	257	0%	100%					
11	漆器	漆器	16,810	897	17,707	94.93%	5.06%	16,810	897	17,707	94.93%	5.06%
12	琺瑯器	法郎器	5,746	409	6,155	93.35%	6.64%	5,746	409	6,155	93.35%	6.64%
13	雕塑	雕塑	563	9,175	9,738	5.78%	94.21%	563	9,175	9,738	5.78%	94.21%
14	雕刻工藝	竹	1,510	462	1,972	76.57%	23.42%	7,983	2,165	10,148	78.66%	21.33%
		木	3,875	705	4,580	84.60%	15.39%					
		牙角	2,021	985	3,006	67.23%	32.76%					
		匏	577	13	590	97.79%	2.20%					
15	其他工藝	玻璃器	3,445	564	4,009	85.93%	14.06%	10,927	1,421	12,348	88.49%	11.50%
		盆景	1,404	18	1,422	98.73%	1.26%					
		編織品	195	45	240	81.25%	18.75%					
		成扇	5,061	22	5,083	99.56%	0.43%					
		錫器	286	215	501	57.08%	42.91%					
		新銅器	536	557	1,093	49.03%	50.96%					
	織繡	服飾	120,046	4,378	124,424	96.48%	3.51%	135,130	4,462	139,592	96.80%	3.19%
		佩飾	6,002	32	6,034	99.46%	0.53%					
		戲衣	8,323	3	8,326	99.96%	0.03%					
		地毯	759	49	808	93.93%	6.06%					

續表

序號	文物類別	文物細分類	故	新	數量（件）	故所占比率	新所占比率	故	新	總數量（件）	故所占比率	新所占比率
16	文具	筆	4,178	25	4,203	99.40%	0.59%	51,184	13,871	65,055	78.67%	21.32%
		墨	41,497	11,827	53,324	77.82%	22.17%					
		紙	1,392	350	1,742	79.90%	20.09%					
		硯	2,220	1,392	3,612	61.46%	38.53%					
		圖章	606	269	875	69.25%	30.74%					
		文雜	1,291	8	1,299	99.38%	0.61%					
17	生活用具	家具	5,394	444	5,838	92.39%	7.60%	34,895	592	35,487	98.33%	1.66%
		燈籠	1,476	8	1,484	99.46%	0.53%					
		生活用具	23,604	140	23,744	99.41%	0.58%					
		切末道具	4,421		4,421	100%	0%					
18	鐘錶儀器	度量衡	198	119	317	62.46%	37.53%	2,479	150	2,629	94.29%	5.70%
		鐘錶	1,520	30	1,550	98.06%	1.93%					
		儀器	761	1	762	99.86%	0.13%					
19	帝后璽冊	帝后璽冊	4,876	65	4,941	98.68%	1.31%	4,876	65	4,941	98.68%	1.31%
20	宗教文物	祭法器	6,997	129	7,126	98.18%	1.81%	40,977	146	41,123	99.64%	0.35%
		陳設品	25,349	1	25,350	99.99%	0.00%					
		佛像	8,631	16	8,647	99.81%	0.18%					
21	武備儀仗	武備	15,369	46	15,415	99.70%	0.29%	19,428	73	19,501	99.62%	0.37%
		儀仗	1,921	2	1,923	99.89%	0.10%					
		樂器	2,138	25	2,163	98.84%	1.15%					

續表

序號	文物類別	文物細分類	故	新	數量（件）	故所占比率	新所占比率	故	新	總數量（件）	故所占比率	新所占比率
22	古籍善本（見表二）											
23	外國文物	外國文物	1,245	3,658	4,903	25.39%	74.60%	1,245	3,658	4,903	25.39%	74.60%
24	其他藏品	國際禮品		3,132	3,132	0%	100%		3,713	3,713	0%	100%
		國內禮品		581	581	0%	100%					
25	古建文物（見表三）											
共計			712,178	229,223	941,401	75.65%	24.34%	712,178	229,223	940,401	75.65%	24.34%

表一說明：

1.此表統計至2006年6月底。

2.比率值保持小數點後兩位元數字。

3.「故」字號表示1949年以前故宮的藏品統計，包括1949年以前收藏的極少數不為清宮藏品的文物；「新」字號表示1949年以後收藏的藏品，其中包括原為清宮舊藏的文物。

4.「表一」最後「共計」數字不包括故宮圖書館館藏圖書數字及古建部文物數字，此二類數字分別見表二、表三。

5.此表不包括尚在整理的10餘萬件文物資料；繪畫、法書欄，不包括正在整理的約20,000餘件清代帝后的書畫作品；準確的院藏文物數字要待全部文物清理工作結束以後。

6.此表不包括滯留在南京博物院的10萬餘件故宮南遷文物。

北京故宮藏品分類統計表（表二）

文物類別	文物細分類	文物數字	單位	占總數比率
古籍善本	善本特藏	200,000	冊(件)	33.33%
	書版特藏	230,000	塊	38.33%
	普通古籍	170,000	冊(件)	28.33%
總數共計		600,000	冊(件)	

表二說明：

1.目前正進行「普通古籍」中符合善本條件的「入善」工作，待工作完成後，相應兩類數字將隨之改變。

　　2.普通古籍170,000冊中，有160,000冊為在帳文物，另10,000餘冊
尚未完成編目入帳工作。

北京故宮文物藏品分類統計表（表三）

文物類別	文物細分類	文物數字	單位	占總數比率
古建類	裝修	3,019	件(套)	55.21%
	木磚石＼琉璃構件＼銅鐵飾件	2,058	件(套)	37.63%
	燙樣＼畫樣	391	件(套)	7.10%
總數共計		5,468	件(套)	

第四章　台北故宮博物院文物藏品的
　　　　保管與徵集

一　北溝時期文物藏品的保管

1.從台中糖廠到北溝

文物貯存台中糖廠。1948年底至1949年1月文物運台的時候，是由故宮博物院、中央博物院籌備處、中央研究院歷史語言研究所、中央圖書館、外交部等五個參加運輸的機關組織的聯合辦事處辦理的。第一批運台文物抵達基隆後，即卸船裝上火車，運至楊梅車站旁預先洽妥的通運公司倉庫貯存。因通運公司倉庫容量不大，又聯繫了台中糖廠的倉庫。第二、第三批文物到台後，除中央研究院歷史語言研究所已遷到台灣，該所文物單獨存在楊梅外，其餘機關的文物，連同第一批的文物，都一併運到台中糖廠保管。

編造遷台文物清冊。1949年4月，開始編造遷台文物清冊。故宮博物院運台文物總數為231,910件又27張692頁，分裝2,972箱。

成立「聯管處」。1949年7月，為適應戰時環境、節省人力物力，把故宮博物院、中央博物院籌備處、中央圖書館及中華教育電

影製片廠等四機關暫時合併組織「國立中央博物圖書院館聯合管理處」，成立委員會，由杭立武兼任主任委員。每一個單位改成一個「組」。故宮博物院在這個組織裡，為「故宮博物組」。故宮博物院本是隸屬「行政院」，也暫時改隸「教育部」。1954年9月，中央圖書館在台北設館，聯管處少去了一個組。1955年1月，聯管處奉令改組為「中央運台文物聯合管理處」，下分四個組：故博組、中博組、電教組、總務組。同年11月電教組由「教育部」撤回，剩下的只有兩個博物院了，「教育部」又公佈改組為「國立故宮中央博物院聯合管理處」。聯管處主任委員為杭立武，繼任者有孔德成、何聯奎，並升故宮博物組主任莊尚嚴為副主任委員。

組建兩院共同理事會。1950年1月23日，理事杭立武以「教育部長」名義，在台北舉行故宮博物院及中央博物院在台理事談話會。到會理事認為兩院在台理事人數甚少，不便行使職權，建議組建兩院共同理事會，代行兩理事會職權，並董理中央圖書館及北平圖書館存台圖書。6月7日，「行政院」公佈了第一屆理事名單。1951年1月17日，兩院共同理事會成立，李敬齋為理事長，王世杰、朱家驊、傅斯年、羅家倫、丘念台、余井塘、程天放為常務理事。理事的任期是兩年，此後每兩年改聘一次。理事人選雖有增減，大致無大變動。理事長一職，自第二屆起，就由王雲五理事擔任，秘書一職，照例由聯管處主任委員兼任。

修建北溝庫房。1949年10月，在台理事舉行談話會，認為台中糖廠煙囪高大，距火車站又近，為求文物安全，主張遷離市區，選一靠近山麓地點，建築郊外倉庫。經聯管處勘察，認為台中縣霧峰鄉吉峰村北溝，有一所農場，最為適宜。後經批准，於1950年2月動工，4月

初完工,接著搬運文物入庫房。建築的庫房共三座,成「冂」字形,長30公尺,寬12公尺,每座以能容普通箱件1,600箱為准。正中一座,中間隔開,分存中央博物院及中央圖書館文物。兩旁兩座,均存故宮博物院文物。1952年7月,兩院共同理事會又決定在庫房附近山地,開建小規模防空山洞,預備到必要時,把最精華的文物存進去,以備文物的安全。山洞的開鑿工程,是1953年4月9日開工,12月26日驗收完畢。洞為「凵」字形,全長100公尺,寬兩公尺半,約可容600箱。新開山洞,裡面不免潮濕,圖書字畫放進去易受潮,遂商定了兩項辦法:一是裝置通風機,調節洞內空氣;二是書畫圖籍等畏潮的文物,到必要時再行遷入。各單位遵照理事會的決議,選提最精品,另行裝為「洞」字箱。故博組選裝銅器32箱、瓷器105箱、玉器20箱、書畫37箱、圖書77箱、文獻32箱、雜項29箱,共計332箱;中博組選裝162箱,中圖組選裝宋元版圖書60箱。但這個辦法並沒有成功,因為夏天洞裡漏水,乾燥機無法使洞內空氣乾燥;銅瓷玉器本身雖不畏潮,但所有匣、架、木座以及包裝物都怕潮,放得久了會出事。所以這個山洞經常只是備用,不能放東西。

2.庫房管理

故宮博物院從建院以來,對於庫房的管理就很嚴格,有一套完整的出組手續。文物南遷到上海後,不能適用原來的辦法,還是堅持了庫房管理的準則。在台中北溝,組織上雖然是一個大的機構,業務卻各自獨立,故宮仍依據自己的成規辦理。庫房鑰匙由專人保管。庫房的啟閉,須由組主任或代理人會同管理人員舉行,閉門時會同簽封,開庫時由管理員負責記錄,每月彙報聯管處存查。庫房建成時,正值

雨季，為了防潮，在庫房背後挖掘水溝，引水流泄，遏止地下伏流，同時採取了文物在川黔疏散時的辦法，如把箱架支起，使其下面通風，時常開啟門窗通風，箱架下鋪灑石灰，庫房裡堆置木炭，隨時檢查曬晾圖籍書畫等。防治白蟻也採取了很多行之有效的辦法。加上重視警衛和消防，保證了在北溝期間的安全保管。

　　1963年3月22日下午，圖書倉庫檢查箱件時，發現一隻箱上有水跡，經報告後即開箱檢查，箱內《四庫全書薈要》有受水浸黏並情形。繼續開啟附近幾個箱件，出現黏並的尚有「院633箱」【註1】的《左傳注疏》2冊、《春秋權衡》2冊、《春秋左傳事類始末》5冊及「院856箱」的《欒城集》10冊，另有「院1021箱」霉汙的23冊。經查，漏水原因是庫房屋頂的瓦碎了一塊，瓦碎的原因，推測可能是小孩拋了石頭到屋頂打碎的。後來用數月時間，對《四庫全書薈要》補抄了866頁，修補了1,300餘頁，一切恢復舊觀，同時在庫房管理上採取了一些補救措施。

3.文物清查

　　1950年7月17日，兩院共同理事會舉行會議，朱家驊理事提議，清查兩院存台文物，以明責任，經理事會通過。後又決定先行抽查，成立清點委員會，推薦理事或延聘專家3至5人為清點委員，辦理此項工作。1951年6月16日起，至9月8日，共抽查了1,011箱，其中故宮博物院的有560箱。抽查的結果很好，箱內文物與清冊符合，破傷的也極少。抽查之後，理事會決定從1952年起，把所有存台文物，分年賡續點查，不但可以知道文物有沒有錯誤與破壞，並可趁此機會改善

註1　運台文物重新編號，每箱件冠以「院」字，從院字第1號至2972號。

包裝。這樣的工作，又繼續做了3年，每年度點查的時間皆定在7至9月，因延聘的專家多在大學執教，暑假期間方能參加。每年點查的分類件數及箱數如下【註1】：

		1951年	1952年	1953年	1954年	共計
銅器	箱	19	5	37	0	61
	件	1,544	408	430		2,382
瓷器	箱	332	168	395		895
	件	6,701	3,455	7,778		17,934
玉器	箱	36	24	43		103
	件	1,537	976	1,381		3,894
書畫	箱	54	8	32		94
	件	3,961	619	1,180		5,760
漆器	箱	4	10	20		34
	件	62	113	143		318
琺瑯	箱	10	8	52		70
	件	152	83	582		817
雕刻	箱	6		2		8
	件	103		2		105
文具	箱	12	2	10		24
	件	572	79	610		1,261
雜項	箱	37	19	89		145
	件	2,535	690	16,733		19,958
圖書	箱	26	276	95	937	1,334
	件	5,390	32,851	19,746	99,616	157,603
文獻	箱	24		2	178	204
	件	4,089		213	24,618	28,920
總計	箱	560	520	777	1,115	2,972
	件	26,646	39,274	48,798	124,234	238,952

註1 轉引自那志良：《故宮四十年》，第133頁。

4.文物出版

聯管處在清點管理文物的基礎上，重視編輯出版，系統地介紹文物藏品，比較重要的有：

（1）《中華文物集成》　由美國亞洲基金會補助費用，1954年出版，在香港印刷。全書分銅器、瓷器、法書、名畫、版刻5冊，共選圖片500幅，其中法書90幅、名畫110幅，其餘都是100幅。每類文物有總説明，每件有分説明，用銅版紙精印。

（2）《故宮書畫錄》　故宮運台書畫為4,650件，經鑒評，分為「正目」與「簡目」兩部分。「正目」為價值較高或流傳有緒的精品，要有詳細記錄，其中法書237件、名畫1,234件，總計1,471件；其餘則列入「簡日」，只寫品名，不及其他。《故宮書畫錄》1956年出版，上下兩冊，全書八卷，卷一至卷三是法書的卷、軸、冊；卷四至卷六為名畫的卷、軸、冊；卷七是南薰殿圖像；卷八是簡目。全書包括了故宮博物院及中央博物院運台的全部書畫。

（3）《故宮名畫三百種》　《故宮書畫錄》僅為文字記載，沒有圖版，猶未滿足藝術愛好者的需要，兩院共同理事會遂決定刊印專集，以廣流傳。《故宮名畫三百種》收唐畫35件，五代畫25件，宋畫84件，元畫61件，明及清初畫84件，帝王像11件，分訂6冊，計兩函，以珂羅版精印，於1959年出版。

（4）《故宮銅器圖錄》　為故宮博物院與中央博物院運台銅器的總匯。全書分上下冊，上冊是目錄，下冊是圖版，均分上下兩編，上編是故宮博物院藏器，下編是中央博物院藏器，於1958年3月出版。

（5）《故宮瓷器錄》及《故宮藏瓷》　兩院所藏瓷器，也照書畫之例，編印《故宮瓷器錄》，為目錄性質的書，收錄所有瓷器，一一記載其形制、花紋、款識、尺寸等，並附列器上前人刻字、乾隆題詠，以及所附木蓋木座等。全書分為三輯，第一輯為宋元部分，第二輯為明代部分，第三輯為清代部分；每輯又分兩編，上編為故宮博物院瓷器，下編為中央博物院瓷器。1961年開始出版。《故宮瓷器錄》純係目錄，沒有圖版可以對照。兩院理事會遂決定把瓷器精品有系統地用原色刊印，以存其真，依鈞窯、官窯、汝窯、龍泉窯、單色釉、青花、釉裡紅、彩瓷、琺瑯彩之類別，分別出版，名曰《故宮藏瓷》，共29冊。

（6）《故宮法書》　收集院藏前賢名跡，分人、分代、分輯，次第發行。各書悉按原來尺寸，將原件及其題跋，以精版佳紙影印，另附說明，用供愛好中國書法藝術者之鑒賞。

二　外雙溪新館以來的館舍擴建、組織機構及文物清點與出版

1.外雙溪新館及其擴建

1960年9月，蔣介石先生以北溝地處偏僻，交通不便，要「行政院」於台北近郊擇地闢建博物館，既以宣揚華夏文化，亦以發展觀光事業；「行政院」乃設置「國立故宮中央博物院遷建小組」，籌劃辦理。遷建小組選定台北近郊的外雙溪作為院廈新址，以其地群山環抱，戰時可保安全，平時交通亦便。建造經費由「行政院」、台灣省政府、美援三方面分擔。新館建築工程於1964年3月開工，1965年8月

建造完成。

外雙溪新館為一座四層的樓房建築，總面積7,204平方公尺。第一層為辦公室、研究室、儲藏室、演講廳等工作空間；第二、三層採密閉式設計，為展覽陳列空間；第四層大部為屋頂平台，其上高聳樓閣一座，四周為落地長窗，繞以迴廊；中央係斗八藻井，外檐則斗拱出踩，棟宇翬飛，為中國宮殿式建築，背倚山林，環境優美。正館背後挖有山洞。為避免潮濕，山洞建於山腹位置較高之處。洞長180.5公尺，略呈馬蹄形，寬2.6公尺。兩側為堆箱之用，中間是過道。洞門入口有長26公尺的廊橋與正館三樓相連，以備必要時輸送展陳精品入洞。洞的出口則在正館左後側的山坳，有車道與正館可通。正館以及山洞均裝置空調系統，盡可能維持合乎理想的溫濕度。

1965年10月，蔣介石先生到外雙溪新館視察，知道新館將在11月12日即孫中山先生誕辰紀念日開幕，認為把這一座新的博物館定名為中山博物院，是最有意義的。「行政院長」嚴家淦對此甚為贊同，決定把這一座新館定名為「中山博物院」，交由故宮博物院使用，將來「反攻」勝利，故宮博物院與中央博物院的文物，分別運回北京與南京之後，那時再正式成立一個中山博物院。蔣介石先生為之題署「紀念國父百年誕辰──中山博物院」門額。11月12日，為中山博物院落成典禮，同時舉行故宮博物院新址開幕典禮。台北故宮博物院主任委員王雲五先生主持典禮，曾說明籌備經過：

　　故宮博物院為擴大展覽與便利研究起見，承陳故副總統辭修先生之大力支持，數年前即籌備建於外雙溪，又蒙友邦美國之贊助，以援款協助建築新館。現在新館落成，承總統指示，嚴院長

之贊同，即以落成之新館，作為國父永久之紀念，他日光復大陸，故宮博物院連同所藏古物遷回大陸後，此一宏偉建築，將永久保存，發展為台灣省專設之博物館，在國父百年誕辰日，中山博物館正式落成，意義最為深長。

「行政院長」嚴家淦在剪綵時指出：

此一博物院定名為中山，並在國父誕辰之日落成，尤具意義。國父以繼承堯、舜、禹、湯、文、武、周公、孔子相傳的道統為己任；博物院代表一個民族的文化。現在博物院以中山為名，來紀念國父，就是要把國父的思想發揚光大，達到天下為公的地步。天下為公四字，實可作為博物館之南針[註1]。

台北故宮外雙溪新館從建成以來，已進行了五次擴建：

第一次擴建：台北故宮啟用新館後，即感房舍不足，遂決定擴充正館左右兩翼。1966年12月動工，1967年8月落成，凡增加面積2,610平方公尺，其中一樓增加810平方公尺，二、三樓1,800平方公尺，使千餘箱圖書有空間可供貯放，陳列室觀眾的擁擠狀況也有所紓解。

第二次擴建：為了增加陳列面積，決定繼續第一次之擴建左右兩翼再向外延伸，從1969年4月動工，1970年3月完成，計增辦公室面積2,000平方公尺，展覽室3,700平方公尺。

第三次擴建：分兩大部分，一是在院廈左側小山修建一座五層的

註1 轉引自那志良：《故宮四十年》，第163～164頁。

行政大樓，地下三層，地面二層，使各處庫房與辦公室獨立於展覽大樓之外，進而擴充文物展陳面積；其二為更新安全維護設施，使院區各處的防火防盜系統電子化、自動化，並使庫房與陳列室真正達到恒溫恒濕。此項工程1982年9月動工，1984年新建行政大樓竣工，正式啟用，陳列室整修、安全維護系統建置等工程接續展開。

第四次擴建：為新建圖書文獻大樓，1992年5月動工，1995年9月完工啟用。該大樓為一多功能、多用途的建築，樓高6層，呈L形，外觀仍仿宮殿式，面積13,100平方公尺，一樓為展覽陳列室，二至四樓為圖書文獻館；地下一樓為書庫與借展文物庫房，地下二樓為小型車庫與文物箱件處理空間。圖書文獻大樓與行政大樓亦以地道相連接。

第五次擴建：這次擴建包括增建館舍面積40,482平方公尺及調整院區建築群體的相互關係，重新設計人車動線，淨化景觀等，2000年開始規劃，2004年動工，2006年完成。

2.組織機構

在外雙溪新館投入使用前，也確定了新館的組織。1965年8月，「行政院」公佈《國立故宮博物院管理委員會臨時組織規程》，以「整理、保管、展出故宮博物院及中央博物院籌備處所藏之歷代古物及藝術品，並加強對中國古代文化藝術之研究」為其設置宗旨。《臨時組織規程》規定：「國立故宮博物院管理委員會隸屬行政院」；「原隸屬教育部之國立中央博物院籌備處在台人員，暫列入本會編制，俟大陸光復時，應連同所保管該籌備處之古物一併歸還原建制」；管理委員會「置委員二十五人至三十五人，由行政院長聘任之，任期二年」。委員會成立後，由委員互選主任委員1人，常務委

員5至7人。博物院內部的組織，是由院長1人總理政務，副院長1至2人，襄助院長處理院務。設有古物組、書畫組、總務處、出版室、秘書室、安全室、會計室、人事室等8個單位。《規程》還強調：「博物院得聘請專家五至七人為研究員，三至五人為副研究員。並得設研究發展委員會。」

《國立故宮博物院管理委員會臨時組織規程》後又經多次修訂。1965年12月22日，「行政院」應台北故宮要求，修改第九、十一、十二等三條條文，酌增技術人員名額，以應電器、空調的需要。1967年5月4日又核定修訂第九、十二、十三等三條，酌增幹事2名、助理幹事7名、人事助理員2名、雇員20至40名，以補人手之不足。1968年7月17日，「行政院」頒佈審查修訂的《臨時組織規程》，此重訂的組織規程比1965年公佈的增加了一條，其餘各條也有增訂，所增要點如下：

（一）本會的職掌條，增列「關於中國歷代文物之收購事項」與「其他國立研究機構之合作事項」兩款。

（二）第六條增列常務委員會議，至少每兩個月開會一次，討論管理委員會議交議，或主任委員特別交議事項。

（三）第八條將台北故宮博物院的組織，原來的「組」改名為「處」，總務處改室，並增加三個單位，使原來的三個業務單位增成三處三組，即器物處、書畫處、圖書文獻處、展覽組、出版組、登記組。

（四）增列第十一條：「博物院得聘請國內外專家或學者為顧問或通訊員，均無給職。」原來的第十一條以下則順移一條。

（五）第十五條將原來的第十四條博物院得設研究發展委員會，

修訂為：「博物院得設專門研究機構，其組織及工作計畫，由常務委員會另定之，並報請管理委員會備案。」【註1】

　　1987年1月，《國立故宮博物院組織條例》頒佈，台北故宮自此正式隸屬於「行政院」，其設置宗旨：以「整理、保管、展出原國立北平故宮博物院及國立中央博物院籌備處所藏之歷代古文物及藝術品，並加強對古代中國文物藝術品之徵集、研究、闡揚，以擴大社教功能」。新制與以前變化並不大，只是使台北故宮由「臨時機構」的地位常態化。其下分設器物、書畫、圖書文獻三處，展覽、出版、登記三組，秘書、科技、管制、總務、會計、人事，以及政風室、資訊中心等14個單位。

　　1987年2月，台北故宮博物院院長職由「聘任」改為「特任」。

　　1991年，「行政院」組織「國立故宮博物院指導委員會」，取代原有之「管理委員會」，對院務發展重要事項予以諮議指導。

3.文物總清點

　　台北故宮文物自從1954年台中北溝點檢以來，經過北運及移置行政大樓兩度搬遷，原貯木箱文物多已整理編目，或羅列置架，或改換新型金屬箱儲，而捐贈與蒐購的新藏文物也在逐年增加，院方領導人認為有予以再次清點的必要，乃於1988年9月成立「院藏文物清點計畫研究小組」，1989年報經管理委員會同意，「行政院」核准實施。

　　這次文物清點的對象，為院中現所負責典藏且主權屬於台北故宮的所有文物，有國立北平故宮博物院遷台文物2,972箱、南京中央博

物院籌備處遷台文物852箱、日本政府歸還大陸無主文物49箱、司法
行政部移交日偽機關印章一批，以及台北故宮在台接受捐贈與蒐購所
得文物等共五個部分。又延聘外界的學者專家及管理委員會現任委員
45位組成清點委員會來監督主持，文物提件、度量、著錄、驗畢包裝
歸箱等工作，則由台北故宮專業人員擔任。

　　1989年7月1日文物全面總清點工作正式展開。共分瓷器、玉器、
銅器、雜項珍玩、書畫、善本圖書、檔案文獻7個組，每週進行5天，
而每組至少須有委員2人到場，始得開始工作。倘遇文物正在展覽陳
列，即到現場驗看。台北故宮以北溝點查清冊之著錄稍嫌簡略，乃重
新設計清冊表單，詳注原箱字號、原始編號、品名、數量、分類統一
編號、原點查清冊記載、現況記錄等項。清點時，凡器物、書畫均攝
製照片建檔；善本圖書與檔案文獻，則攝照全帙並正文首頁。檢視完
畢，即於清冊表單上加蓋驗訖章；文物上另鈐印（或黏貼、或懸掛）
「中華民國七十九年度點驗之章」。

　　經過23個月的持久工作，到1991年5月24日，台北故宮院藏文物
全面總清點工作完成，所藏歷代文物有了一個準確數字。7個小組分
別統計數字如下：

　　書畫組：舊藏6,003件，新增3,117件，合計9,120件。

　　瓷器組：舊藏23,913件，新增562件，合計24,475件。

　　銅器組：舊藏5,109件，新增6,999件（內含錢幣6,945件），
合計12,108件。

　　玉器組：舊藏4,803件，新增341件，合計5,144件。

　　雜項珍玩組：舊藏23,627件，日本歸還1,275件，司法
行政部門移交日偽司法機關印章73件，新增1,580件，合計

26,555件。

　　善本圖書組：舊藏150,709冊，新增22,498冊，合計173,207冊。

　　檔案文獻組：舊藏395,126冊件，新增49件，合計395,175冊件。

　　以上總計為645,784件冊【註1】。

　　清點結果，除過《老滿文檔》原已失落1頁外，文物數量與原始清冊著錄完全符合。清點委員也提出了若干有意義的建議，「認為收藏中極少數並無文物價值之件，如器物處典藏之回子鹽一包，早已氧化揮發無存；書畫處典藏之空白素手卷、前清備賞賜臣工之空白成扇，因貯存過久，且經蟲蛀或黏連難開，皆宜銷號報廢；稍有霉汙的書畫卷軸、圖書文獻，仍應加強揭裱修補，瓷器改裝囊匣工作，亦宜繼續進行等等」【註2】。

4.文物出版

　　1966年7月，《故宮季刊》開始發行，以整理中國藝術史料、報導台北故宮學術研究成果、刊載國內外中國藝術文化史論著為出版旨趣。1983年7月，改為《故宮學術季刊》正式發行。

　　1969年12月，發行《故宮文獻季刊》，將所藏清宮舊檔原件及歷朝帝王硃批，次第滙集影印，以廣流傳，並發表有關清史之專題論文。出版至1973年9月第四卷四期，因經費不繼而停刊。

　　1970年7月，發行《故宮圖書季刊》，選印院藏卷帙簡少之珍本

註1　參閱《故宮七十星霜》第294頁。
註2　參閱《故宮七十星霜》第295頁。

秘籍，以廣其傳，並刊載有關版本目錄及國學方面的專論。出版至四卷二期，亦因經費不繼而停刊。

1980年，出版《故宮簡訊》月刊，以報導院務最新動態、編輯出版資訊、專題講演摘要等為主，兼及國內外重要藝文活動。1983年4月改版為《故宮文物月刊》。

1970年1月，開始與日本東京學習研究社合作出版《故宮選粹》，陸續編印為名畫、法書、銅器、瓷器、玉器、文具、古硯、如意、珍玩、法器、銅鏡、鼻煙壺、織繡、雕漆器、琺瑯器、冊頁、圖像、人物畫、圖書、文獻凡20類。其名畫、法書、銅、瓷、玉五類並增選了續輯。此書選件之精，印刷之美，具為上乘。其說明用中、英、日三種文字。在此之後，台北故宮又與之合作編印了《刺繡》、《緙絲》各一冊、《宋畫精華》三冊、《元畫精華》二冊、《宋瓷圖錄》四冊、《明瓷圖錄》三冊、《清瓷圖錄》二冊，都是八開的大冊，印製裝訂俱精，於1982年1月全部竣工。

1973年4月起至1988年，與美國學術團體聯合會（ACLS）合作編印宮中檔出版。

1977年開始，與日本東京二玄社合作，陸續複製書畫名跡100件。

1983年，與台灣商務印書館合作，影印出版文淵閣《四庫全書》。1983年發行的《國之重寶》，精選台北故宮所藏16類文物中之重器名跡，每類選出1～2件至10餘件不等，以銅版紙彩色精印16開大本，計圖版161幀，各附說明。經5次再版，1991年重予修訂，是台北故宮出版品中發行量最多者。

1985年，與世界書局合作影印摛藻堂《四庫全書薈要》。

　　1986年，與日本東京產業株式會社合作，選擇《故宮歷代法書全集》精要，匯為《故宮書寶》，凡10函50冊，並附以日文解説，於日本發行。

　　1989年，編印《故宮書畫圖錄》，依舊刊《故宮書畫錄》存目重新校理，循卷、軸、冊之所屬，各按作者時代部次，並逐件登載圖版；凡《故宮書畫錄》未加詳敍者均依例備述。

　　1991年，出版《故宮文物寶藏新編》叢書，分書法、銅器、陶瓷、繪畫、玉器、文具等6篇，大字彩圖，銅版精印，面向中小學生。後又賡續出版《故宮文物寶藏續編》及《故宮寶藏青少年特編》兩種系列叢書，亦各為6篇。前者包括梅蘭竹菊、人物畫、緙繡、科技、清瓷、多寶格，後者則有《清明上河圖》、玉石器、青銅器、雕漆器、佛菩薩及圖書等。

　　1993年，編印《故宮藏畫大系》16冊，以舊刊《故宮藏畫解題》為基礎，擇院藏名畫凡1,000軸，以大幅彩色影印；益以名家名款印記，並增補中、英文解説。

　　1994年，自院藏清宮檔案中蒐集有關台灣之珍貴史料，採編年體例彙整出版，定名為《清代台灣文獻叢編》。

　　1999年，發行《故宮藏瓷大系》，選擇院藏歷代瓷器之尤者，予以分門別類，彙整研析，並有簡要論述。

三　文物藏品的徵集

　　台北故宮博物院的藏品，主要是故宮南遷中的文物。故宮文物的南遷，囿於當時對文物價值認識的水平及運輸的條件限制，在文物選

擇上就不可能把好的東西都南遷；當時的南京政府雖然決定把所有南遷文物運台，並要把北平本院的精美文物運走，事實上都不可能做到；南遷文物只運了1/4，加上清宮舊藏本身的侷限性，這就使得台北故宮收藏有許多闕遺。昌彼得先生在其《故宮七十星霜》一書中對此有過論述：

　　故宮遷台中華文物，其品質精美，誠足獨步世界，但自收藏的體系而言，闕遺仍多。在古器物方面，如新石器時代的黑灰陶器、漢魏六朝之石刻、造像、碑誌、封泥，晉唐五代的越窯、邢窯瓷器、三彩人、馬明器、宋代迄清的民窯、以及銅造佛像、銀鏤器皿，下至泉幣、衣冠、宣德銅爐等等；在書畫碑帖方面，如明末四僧、清乾隆以後的書畫名跡，漢魏六朝碑碣拓本等等，皆付闕如。究其因由，或不為歷代帝王之所重視，或為近世始行出土，或昔在北平有之，而失於遷運，以致故宮並未入藏。因為藏品未臻完備，展示即不能成為民族文物完整之體系，研究因之亦不能深入。【註1】

　　鑒於此，台北故宮對於充實院藏很重視，除過接受各界捐贈、寄存外，還積極蒐購。數十年來，頗有所獲，雖不能於所短缺者悉為備足，然大體略備，以使展出文物日漸具有歷史發展體系。

1.捐贈

台北故宮接收捐贈，始於1967年5月日本梅原末治教授捐贈兩面

註1　參閱《故宮七十星霜》第260頁。

鐵鏡，其後又陸續捐贈了玻璃璧、玻璃球、古越窯罐等5件，開日本藏家捐贈故宮文物的先聲。國人捐贈亦始於1967年，蔣鼎文先生捐贈西周迄漢銅器11件，開風氣之先。台北故宮接受捐贈的文物，以數量來說，整批的居多，如曾任台北故宮管理委員會委員的羅家倫、張群、王世杰、葉公超、黃君璧、張大千等先生，都曾以其所藏的珍品捐贈。

台北故宮接受捐贈需先經院內專家組成的小組進行審查，看其有無展出或典藏價值，是否能彌補舊藏的不足，而後報經管理委員會核定。

台北故宮於1984年9月設置「捐贈文物紀念名錄」，並於行政大樓廳堂與長廊兩側佈置鏡框，展陳重要受贈文物菁華彩色照片，並介紹捐贈者簡歷，以申感念之忱，亦以示見賢思齊之來者。

截止2007年底，台北故宮接受的捐贈主要有：

1967年，蔣鼎文先生捐贈西周立戈鼎、蟬紋鼎、乳丁簋、春秋戰國蟠虺鼎、戰國蟠虺鼎、漢五乳鏡等，計11件。

1971年，劉慕俠女士（馬鴻逵夫人）捐贈唐玄宗禪地祇玉冊及宋真宗禪地祇玉冊。據說這些文物為馬鴻逵先生1928年在山東泰安嵩里山駐軍時於一廢塔之下發現。馬逝世後，其夫人依囑將之呈獻蔣介石先生，嗣由蔣轉贈台北故宮永久典藏。徐庭瑤先生捐贈家藏的元明兩代珍貴版本古籍227種、2,406冊。

1972年，曾寶蓀女士及曾約農先生捐贈清曾文正公（曾國藩）手寫日記、曾惠敏公手寫日記、清湘鄉曾氏文獻等24冊，以及曾國藩文獻36包。

1978年，張群先生將其寄存於台北故宮的古書畫捐贈該館，

包括明傅山大字詩軸、清八大山人〈東坡朝雲圖〉軸、行書軸、草書軸、草書對聯、石溪〈山高水長圖〉軸、石濤書《道德經》冊、〈寫經通景〉12屏、〈霜山煙樹圖〉軸等，計8種，20件。

王世杰先生亦把寄存的10種古書畫捐獻台北故宮，包括明黃道周獄中書《孝經》冊、倪元璐墨竹卷、倪元璐草書詩軸、史可法書《贈雲州子歌》冊、方以智書〈和陶詩〉卷、清八大山人〈長江萬里圖〉卷、八大山人寫生冊、八大山人草書詩軸、石濤蘭竹卷、石濤〈懷個山僧圖〉軸等。

1981年，沈仲濤先生捐贈其「研易樓」所珍藏的善本舊籍，凡90種、1,169冊。

1982年，譚伯羽、譚季甫兩先生的家屬依其遺囑，將家藏清代名家法書及歷代碑帖、拓片、印章等共433種、613件冊捐贈台北故宮。

1983年，旅日華僑林宗毅先生捐贈宋朱熹書《易系辭》名跡。台「國防部」移贈善本圖書及各省縣方志，共18,047冊。張大千先生夫人徐雯波女士以「大風堂」珍藏古書畫及文玩紙筆，都94件，捐贈台北故宮，其中率多隋唐以降歷代名家巨跡，如隋成陀羅作絹畫觀音、釋迦像，唐人畫〈明皇調馬圖〉、五代董源〈江隄晚景圖〉、宋徽宗〈雌雄白雞圖〉、元黃公望〈天池石壁圖〉、明殷宏花鳥、清馬豫山水等。

1995年，羅家倫先生夫人張維楨女士捐贈舊藏歷代名家書畫37品，有唐周昉〈調嬰圖〉、宋馬遠〈松溪清眺圖〉、宋夏圭〈溪山高逸圖〉、宋馬麟〈初日芙蓉圖〉、元趙孟頫〈蘭亭修禊圖〉、元吳鎮

〈嘉禾八景圖〉、元倪瓚〈溪亭山色圖〉、明仇英〈春遊晚歸圖〉、清惲壽平〈落花游魚圖〉等名跡。

2004年，家住德國的日裔籍飯塚一教授捐贈33幅歐洲人繪製的古地圖及康熙畫像與南京觀象台2張古書插圖。其中〈中華帝國〉是第一幅歐洲人繪製的「中國地圖」，出現在奧特利烏斯1584年版的《世界概觀》一書中。奧氏是根據葡萄牙籍耶穌會士巴布達《中國新圖》手稿中所繪的地圖繪製出版。本圖首次將中國長城呈現在歐洲人面前。旅日僑胞彭楷棟（日名新田棟一）先生捐贈358組件文物，以佛教造型藝術的金銅佛為主，並包括部分青銅禮樂器。

台北故宮對於私人捐贈文物，其數量足以成冊，經整理編目後，編成捐贈目錄，或舉辦特展，如出版了林忠毅、馬壽華、王新衡、李石曾、蔡辰男、黃君璧、黃杰、曹容等人士的捐贈文物目錄，以及沈氏研易樓、何應欽、張大千、吉星福仉儷、譚伯羽與譚季甫、臺靜農、飯塚一、彭楷棟等人士的捐贈文物特展目錄，出版了《故宮受贈文物選粹》（1995年）。

2.寄存

台北故宮於1969年制定藏品徵集辦法。其後經過兩次修正，辦法中除了搜購、捐贈者外，第四章為寄存，明訂得接受私人庋藏的文物寄存。寄存文物，須經台北故宮評定，如認為無價值者，則部分或全部謝絕。凡寄存的，其所有權仍屬於寄存者，但台北故宮可用於展陳，並在説明中註明寄存者的姓名與堂號。寄存時間不得少於5年，期滿後，經雙方統一可延長，或由寄存者取回。凡寄存的文物，台北故宮在典管維護上視同自藏。

台北故宮接受寄存始於1967年，羅家倫先生將其所藏明末四僧畫軸5幅寄存。一些寄存後來改成了捐贈。如羅家倫先生的這些畫，在其卒後，由其夫人依其遺願改為捐贈。

截止2007年底，台北故宮接收的寄存主要有：

1969年，林季丞先生寄存「蘭千山館」珍藏歷代法書90件、名畫132件、古硯109件，計331件。

1984年，繼續典藏管理原國立北平圖書館寄存的善本圖書102箱、20,785冊及輿圖18箱、510件。1933年，故宮博物院文物南遷，國立北平圖書館所藏善本圖書亦同時南運上海。抗日戰爭爆發後，北平圖書館乃選提20,785冊，分裝102箱，分批船運美國，寄存美國國會圖書館。1965年，這批書籍全部運至台灣。「教育部」委託「中央圖書館」代管。當年運台的文物中，有北平圖書館交由中央博物院籌備處遷運的輿圖18箱，計261種、510件，1954年後亦由「中央圖書館」代管。「中央圖書館」以館舍狹隘、列架貯存空間不足，遂與台北故宮訂立「國立北平圖書館善本圖書及輿圖集中管理辦法」，乃由台北故宮代管。後台北故宮用6年時間把這批善本圖書攝製成微縮膠片，移贈「中央圖書館」。

1988年，張群先生寄存張大千〈長江萬里圖〉、〈四天下〉，計2種、5件。王世杰先生夫人蕭德華女士寄存歷代書畫名跡計77種、79件，聲明將來回到大陸後，擬捐贈武漢大學。

1992年，接受「溥心畬先生遺物託管小組」委託，董理「寒玉堂」珍藏書畫、文珍器物，計543件。

台北故宮出版的寄存目錄、圖錄有《蘭千山館名硯目錄》、《蘭千山館法書目錄》、《蘭千山館名畫目錄》、《溥心畬書畫文物圖

錄》等。

3.收購

　　台北故宮早期並無固定的文物徵集預算，凡必須搜購的珍稀文物，悉以專案方式報請撥款。自1984年開始，文物收購經費始成年度預算之一門，以便適時徵購，補充闕遺，但收藏物件必須為院藏中所缺少者、屬「國寶級」者，或清宮舊藏流失於外者。

　　台北故宮20多年來，收購了近萬件文物，其中不乏重要與國寶級、或具有歷史價值的文物，例如蘇東坡的《寒食帖》、子犯編鐘等，該院所缺乏的舊石器時代以降的陶銅玉器，以及近世的名家書畫等，也多有所獲。

　　台北故宮收購珍貴文物，始於1983年，截止2007年底，收購的文物主要有：

　　1983年，購藏前清恭親王府紫檀家具一套，包括王榻、王座、古董櫃、龍首象座燈、桌、几、插屏燈，計33件，為前清內務府造辦處製作，雕鏤細緻。此套家具係大陸流出，為香港胡惠春先生所獲，捐贈台灣東吳大學以代建校基金，由端木愷校長議請台北故宮收購。

　　1986年，購藏明清以至民初名家書畫一批，計136件。購藏戰國時期編鐘1套9鐘，配以石磬10件，上有銘文8字。

　　1987年，購藏宋蘇軾《寒食帖》及黃庭堅跋語真跡。《寒食帖》原為清宮舊藏，於咸豐年間英法聯軍攻入北京之際，流落民間。民國初年為日人購藏，戰後為中國人購回。

　　1988年，購藏新石器時代玉璜、玉璧及良渚文化玉環、玉笄等各

類飾物一批，計16種、28件。購藏新石器時代玉璧、玉琮、玉斧、玉
銼、玉刀、玉鏟，以及東周、漢、唐各代文物一批，計37種、98件。

　　1991年，購藏新石器時代玉斧、玉璧、東周玉璜、玉佩、雲紋
璜、榖紋璜、直紋帶鉤等各類文物，計20種、53件。

　　1992年，購藏西周各類玉飾、戰國銅器以及明清舊籍一批，計57
種、211件冊。購藏新石器時代紅山文化各式玉飾及春秋戰國銅器一
批，計15種、17件。

　　1993年，購藏當代工藝家吳卿先生金銀雕塑傑作〈瓜瓞綿綿〉。

　　1994年，購入春秋晉國子犯編鐘1組12件，各有銘文12至22字不
等。

　　1995年，購入旅日華僑彭楷棟先生「新田集藏」屬於中土部分的
金銅佛造像一批，計32組件，其造像年代上起北魏、下迄明清。

　　1996年，購入西周、春秋、戰國、漢代各類玉佩、玉飾以及商周
銅爵、銅壺等文物，計50種、54件。

　　2004年，購藏〈山海經圖〉、〈崇禎年間題行稿〉、明末十竹齋
畫譜之翎毛譜（為翻刻本，其中存有不少接近原刻的作品）、宋刊本
婺本《點校重言重意互注尚書》十三卷、《佛地經論》第四卷（為北
宋所刻的《崇寧萬壽大藏經》中所遺留下來的殘本，全書共七卷）、
光緒歲貢單等172件。

　　2005年，購藏「東南亞織品」一批共41件、「鄂圖曼土耳其及印
度蘇丹比哈體古蘭經」2件、「古印度犍陀羅菩薩立像及喀什米爾佛
坐像」2件。

　　2007年，購藏越南青花瓷器一批共91件。

四　文物藏品分類統計

　　當年運台的故宮博物院文物，分類如下：

古物部分	銅器	61箱	2,382件
	瓷器	895箱	1,7934件
	玉器	103箱	3,894件
	書畫	94箱	5,760件
	漆器	34箱	318件
	琺瑯	70箱	817件
	雕刻	8箱	105件
	文具	24箱	1,261件
	雜項	145箱	19,958件
	合計	1,434箱	52,429件
圖書部分	善本書	83箱	14,348冊
	善本佛經	13箱	713冊
	殿本書	206箱	36,968冊
	滿蒙藏文書	23箱	2,610冊
	觀海堂藏書	58箱	15,500冊
	方志	46箱	14,256冊
	實錄庫藏書	6箱	10,216冊又693頁
	四庫全書	536箱	36,609冊
	四庫全書薈要	145箱	11,169冊
	圖書集成三部	86箱	15,059冊
	藏經	132箱	154冊
	合計	1,334箱	157,602冊又692頁

續表

	宮中檔	31箱
	軍機處檔	47箱
	實錄	2箱
	清史館檔	62箱
文獻部分	起居注	50箱
	國書	1箱
	詔書	1箱
	雜檔	2箱
	本紀	8箱
	合計	204箱

以上文獻部分件數，開始統計為28,920件。因為沒有標準，或以1捆為1件，或以1箱為1件，起居注、實錄等則以1冊為1件。後來經重新整理計算，為38萬多件【註1】。

現在台北故宮所存運台文物，由北平故宮博物院南遷文物與中央博物院籌備處運台文物組成。北平故宮運台文物597,423件。中央博物院籌備處運台文物，有器物11,047件，書畫477件，圖書文獻38件，共計11,562件。兩處合計608,985件，中央博物院籌備處文物僅占總數1.9％【註2】。其實中央博物院籌備處的文物，為當年古物陳列所的南遷文物，而古物陳列所文物，則來自清瀋陽故宮及熱河避暑山莊，因此也是宮廷文物。

截止2007年8月2日，台北故宮典藏文物數量統計如下：

註1　以上運台文物，據那志良《故宮四十年》第121～123頁統計列表。
註2　以上統計，引自《國立故宮博物院巡禮》，第16頁。

台北故宮博物院典藏文物數量統計表

來源／類別	故博 件	故博 百分比	中博 件	中博 百分比	兩院合計 件	兩院合計 百分比	中研院民族所移交 件	日本歸還 件	司法行政部移交 件	前三項合計 件	前三項合計 百分比	捐贈 件	收購 件	新增合計 件	新增合計 百分比	總計 件	總計 百分比
銅器	2,631	43.88%	2,715	45.28%	5,346	89.16%	15	15		30	0.50%	393	227	620	10.3%	5,996	100%
瓷器	18,391	72.65%	5,561	21.97%	23,952	94.61%		630		630	2.49%	547	187	734	2.9%	25,316	100%
玉器	9,768	80.71%	644	5.32%	10,412	86.03%	6	1		7	0.06%	825	859	1,684	13.9%	12,103	100%
文具	1,664	69.95%	418	17.57%	2,082	87.52%	168	3		171	7.19%	123	3	126	5.3%	2,379	100%
漆器	561	79.35%	133	18.81%	694	98.16%	1	1		1	0.14%	11	1	12	1.7%	707	100%
琺瑯	1,030	41.04%	1,476	58.80%	2,506	99.84%				0	0.00%	4		4	0.2%	2,510	100%
雕刻	309	47.47%	11	1.69%	320	49.16%		31		31	4.76%	297	3	300	46.1%	651	100%
雜器	10,056	81.80%	89	0.72%	10,145	82.52%	111	576	73	760	6.18%	194	1,195	1,389	11.3%	12,294	100%
錢幣							1	6		7	0.10%	1,489	5,456	6,945	99.9%	6,952	100%
絲繡	232	75.82%	31	10.13%	263	85.95%				0	0.00%	37	6	43	14.1%	306	100%
摺扇	1,599	98.85%		0.00%	1,599	96.85%				0	0.00%	52		52	3.1%	1,651	100%
名畫	3,888	74.33%	332	6.35%	4,220	80.67%		7		7	0.13%	849	155	1,004	19.2%	5,231	100%
法書	1,139	37.50%	74	2.44%	1,213	39.94%		5		5	0.16%	823	996	1,819	59.9%	3,037	100%
碑帖	307	64.77%	40	8.44%	347	73.21%				0	0.00%	125	2	127	26.8%	474	100%

續表

類別＼來源	故博 件	故博 百分比	中博 件	中博 百分比	兩院合計 件	兩院合計 百分比	中研院民族所移交 件	日本歸還 件	司法行政部移交 件	前三項合計 件	前三項合計 百分比	新增 捐贈 件	新增 收購 件	新增 合計 件	新增 合計 百分比	總計 件	總計 百分比
拓片										0	0.00%	444	451	895	100.0%	895	100%
拓印																	
織品										0	0.00%		88	88	100.0%	88	100%
善本書籍	147,909	83.67%	38	0.02%	147,947	83.69%				0	0.00%	25,860	2,969	28,829	16.3%	176,776	100%
清宮檔案文獻 宮中檔奏摺	155,730	100.00%		0.00%	155,730	100.00%				0	0.00%			0		155,730	100%
清宮檔案文獻 軍機處檔摺件	190,837	100.00%		0.00%	190,837	100.00%				0	0.00%			0		190,837	100%
清宮檔案文獻 檔冊	39,873	99.28		0.00%	39,873	99.28%				0	0.00%	243	46	289	0.7%	40,162	100%
滿蒙藏文獻書籍	11499	99.98%		0.00%	11,499	99.98%	2			2	0.02%			0	0.0%	11,501	100%
合計	597,423	91.11%	11,562	1.76%	608,985	92.88%	303	1,275	73	1,651	0.25%	32,316	12,735	45,051	6.9%	655,687	100%

台北故宮博物院新增文物（捐贈）分類編號統計表

典藏單位	類別	分類號件數	單位件數	總計
器物處	贈文	123	3,882	32,316
	贈玉	825		
	贈瓷	547		
	贈琺	4		
	贈漆	11		
	贈銅	392		
	贈錢	1,489		
	贈雕	297		
	贈雜	194		
書畫處	贈畫	849	2,331	
	贈書	823		
	贈帖	125		
	贈扇	52		
	贈拓	444		
	贈絲	37		
	贈鈐	0		
	贈銅	1		
圖書文獻處	贈善	25,860	26,103	
	贈圖	35		
	贈獻	208		

台北故宮博物院新增文物（收購）分類編號統計表

典藏單位	類別	分類號件數	單位件數	總計
器物處	購文	3	8,022	12,735
	購玉	859		
	購瓷	278		
	購銅	227		
	購錢	5,456		
	購雕	3		
	購漆	1		
	購雜	1,195		
書畫處	購畫	155	1,698	
	購書	996		
	購帖	2		
	購拓	451		
	購織	88		
	購絲	6		
圖書文獻處	購善	2,969	3,015	
	購獻	37		
	購圖	9		

台北故宮博物院藏品件數統計表

典藏單位	器物處	書畫處	圖書文獻處		總計	登記組基本資料建檔完成比例
			圖書	文獻		
故博	44,841	6,785	150,671	395,126	597,423	100%
中博（含中研院移交）	11,350	477	38		11,865	100%
日本歸還	1,268	7			1,275	100%
「司法行政部」移交	73				73	100%
捐贈	3,882	2,331	25,860	243	32,316	100%
收藏	8,022	1,698	2,969	46	12,735	100%
典藏單位總數量	69,436	11,298	179,538	395,415	655,687	
			574,953		655,687	100%

第五章 兩個故宮博物院藏品通覽

　　我們下面試對兩岸故宮博物院的文物藏品作一分類介紹。

　　北京故宮把院藏文物分為25大類69小項，台北故宮則分為20類，不同的分法，都是依據自身藏品的數量、質地、形式等具體狀況，甚至出於管理上的需要。由於著重點不同，有的文物可以有不同的分類法。例如宮中的金佛塔，從功用上可以劃為宗教文物，但從質地上又可分到金銀器類。因此一般來說，這種劃分是相對的。筆者最後確定從12個大類進行介紹，略作說明如下：

　　1.法書與繪畫都是兩岸故宮收藏的大宗，理應分別介紹，但中國書畫藝術之間密不可分的聯繫及長期以來兩個博物院書畫展覽、研究的實際，筆者以為放在一起論述可能效果更好。

　　2.北京故宮宮廷類文物相當豐富，專設「宮廷部」管理，多是富有特色的收藏，這裡列出宮廷類文物，並分為16個小項，其中有的藏品是第一次向外公佈。

　　3.台北故宮藏品中有「珍玩」一科，比較龐雜，如漆器、如意、

琺瑯器、鼻煙壺、文房用具、竹木牙角器、雕塑、服裝飾物、法器等等，遂分別在「其他工藝類文物」和「宮廷類文物」的有關小項中予以介紹；惟「多寶格」一類，則歸入「竹木牙角器」中。

4.北京故宮宮廷部有宗教科，管理故宮佛堂原狀陳列，還有部分藏傳佛教造像及漢傳佛教塑像，由古器物部雕塑組、金石組管理。台北故宮宗教文物雖非集中專項管理，但亦為院藏重要部分。筆者遂專列「宗教文物」一類。但宗教典籍，仍在「古籍特藏」類中著重敍述。由於北京故宮雕塑組的多數藏品已在「宗教文物」類介紹了，而其中的陶俑又數量巨大，遂在「其他工藝類文物」中設「陶俑」小項介紹。

5.成扇類文物，台北故宮由書畫部門管理，北京故宮則分別由古書畫部、古器物部、宮廷部管理，現集中介紹；「樣式雷」的圖樣與燙樣，北京故宮分藏於圖書館與古建部，現集中在「古建築文物」中介紹。

6.本文重點介紹兩岸故宮的文物藏品，一般不涉及展覽及學術研究狀況。

一　古書畫

書法藝術是偉大的華夏文化所孕育的一種獨特的藝術種類，最典型地體現了東方藝術之美。中國傳統的繪畫藝術具有悠久的歷史和鮮明的民族特色。在中華民族文化中，中國古代書法與繪畫如同一對孿生兄弟，有著血肉相關不可分割的聯繫。這一民族藝術的形成與中國社會歷史的發展、傳統的美學思想、各種民族藝術間的交融，以及因

之形成的某些帶有共性的藝術風格、特性和中華民族的欣賞習慣等等，都有著密切的關係。中國書畫是中華民族文明史所產生的藝術結晶之一，也是中華民族文明史的一種物化見證，因此它們的全部歷史遺存，就成了中華民族珍貴文物的組成部分。

1.兩岸故宮博物院古書畫收藏概說

北京故宮與台北故宮法書繪畫的收藏，合起來超過15萬件（包括碑帖，其中北京故宮約14萬件多，台北故宮近1萬件），可以說薈萃了中國法書墨跡及繪畫作品的精華，有相當多的名跡巨品，完整地反映了中國書法史、繪畫史的發展歷程，是中國古代書畫史不可分割的一個整體。兩岸故宮的書畫藏品互補性強、對應點多、聯繫面廣，既各有千秋，又不可孤立存在。如台北故宮王羲之《快雪時晴帖》與北京故宮王獻之《中秋帖》、王珣《伯遠帖》合為乾隆皇帝的「三希」，特別是許多互有關聯的書畫分藏兩岸故宮，甚至台北故宮有些文物如唐代懷素《自敘帖》等精美的原包裝盒留在北京故宮，珠櫝相分，令人感慨。

兩岸故宮所藏的繪畫作品以明清宮廷收藏中國古代繪畫為主，創作時間上起西晉，下迄清末，跨越17個世紀。亦有少部分中國現代繪畫和外國繪畫作品入藏。質地以紙絹本水墨、設色畫為大宗，其他尚有壁畫、油畫、版畫、玻璃畫和唐卡等品種。繪畫裝裱的形式主要有手卷、立軸、屏條、橫披、鏡片、貼落、屏風、冊頁、成扇、扇面、扇頁等。較貴重的畫作多以綾絹、織錦、緙絲作為裱工材料，再裝以硬木、陶瓷、象牙、犀角乃至金玉質的軸頭、別子，裹以絲織畫套、包袱，襲以杉木、楠木、花梨、紫檀的冊頁封面或畫盒。古畫的創作題材十分豐富和齊全，計有山水、人物、風俗、花卉、翎毛、走獸、

樓台（界畫）等畫科，較為系統地覆蓋了眾多風格流派。

　　兩岸故宮收藏的法書，其創作時間上起西晉下迄當代。書體則篆、隸、真、行、今草、章草畢具。除一般意義上的書法藝術作品之外，尚有尺牘、寫經、稿本、抄本、奏摺、公文、題跋等手寫文獻。裝裱形式豐富多樣，有立軸、屏條、橫披、斗方、貼落、匾額、楹聯，也有手卷、冊頁、成扇、扇面、扇頁、扇冊等等；質地有紙本、箋本、絹本、綾本之分；墨色有墨筆、朱筆、泥金、泥銀之別。

　　據研究，清宮書畫收藏，經過乾隆皇帝60年的蒐求，總數在10,000件以上，其中唐宋元的書法名畫近2,000件，明代作品亦存2,000件左右，後來散佚甚多。嘉慶時，皇帝喜用宮中所藏法書名畫頒賜親王和人臣。賞賜成親王永瑆的書畫中，就有西晉陸機《平復帖》。道光以後用書畫作為賞賜品則有增無已。1860年，英法聯軍洗劫圓明園，200餘件歷代書畫悉遭厄運。後來內廷太監也趁火打劫，盜竊書畫並售與古玩市場。溥儀在退居內廷的13年中，更以「賞賜」名義，將1,200餘件書畫古籍珍品盜運出宮。清室善後委員會曾編印《故宮已佚書笈書畫目錄四種》，公佈了溥儀這一「賞賜」清單。從中可知宮廷所存歷代書畫至此受到的巨大損失。因為是盜，所以多為手卷，冊子較少，掛軸更少，因此文物南遷時五代兩宋的掛軸就顯得多一些。但元以前書法少有裝軸者。這是台北故宮元以前畫軸較多的主要原因。溥儀帶出去的這批書畫，前已介紹，在1949年以來，約370件（其中元以前的約200件）又回到北京故宮【註1】，這也是北京故宮手卷形式的早期書畫較多的原因。

註1　參閱《國寶沉浮錄》第一、二、三章。

北京故宮早期（元代以前）繪畫約2/3是清宮舊藏和從清宮散佚出去又重新回宮的古畫，其餘一些是藏於民間私家的古畫。第一批早期繪畫的來源是50年代接收的老故宮舊藏文物。上世紀30年代，黃賓虹在所謂易培基「盜寶案」中鑑定書畫時，一些宋畫如宋徽宗〈聽琴圖〉軸、馬遠〈踏歌圖〉軸等被誤定為明代繪畫，留在了故宮；另一些是文物南遷時，因局勢緊張、管理混亂，導致古畫錯置亂放，混在遺留下來的不重要的文物裡面；還有一些是清末民初太監企圖盜賣出宮，臨時藏匿在宮中的古書畫，如《法書大觀》冊，《石渠寶笈》既沒有著錄，每一件法書上的乾隆璽印、題贊又都被挖掉。此冊中有歐陽詢《張翰帖》、《卜商帖》，填補了兩個故宮博物院的歐書空白；此冊中還有蔡襄、黃庭堅等重要名家真跡，總計52件。而大批的早期繪畫是50、60年代由國家文物局徵收、調撥來的古畫，加上一批社會賢達的無私捐贈以及故宮向社會的收購，構成了北京故宮博物院早期繪畫的基本收藏。十多年來，北京故宮又通過拍賣渠道，新收了一些早期書畫，如隋人書〈出師頌〉卷、明代沈周〈臨黃公望富春山居圖〉卷和清石濤〈高呼與可〉卷等等。

在學術上，兩岸故宮的清宮舊藏書畫的共同點是：基本上反映了乾隆皇帝的鑑藏水平。這個歷史上空前的宮廷收藏活動基本上定格到乾隆皇帝離世之際。《石渠寶笈》、《秘殿珠林》儘管內容記載詳盡，具有重要史料價值，但在真偽鑑定方面是不足完全徵信的。北京故宮在鑑定上把握得比較嚴。從20世紀50、60年代，直至80年代，院藏古書畫先後經過徐邦達、張珩、啟功、謝稚柳、劉九庵、楊仁愷、傅熹年等先生的鑑定，對這些書畫的作者、流派、時代、內容等方面給予了客觀的基本定位，是集體性的學術成果。對於其中96幅

晉、唐、五代、宋傳世書畫作品，意見不盡統一，這些不同意見都有
詳細記載，但都認定是宋以前精品。例如晉王獻之的《中秋帖》卷，
啟功、徐邦達、傅熹年先生認為是米芾所臨，謝稚柳則認為是宋人
書【註1】。有些還在進一步研究。如，閻立本的〈步輦圖〉卷舊作真
跡，現經徐邦達先生考訂為北宋摹本。當然，現在還有認為是閻立本
真跡之說。舊作唐代韓滉的〈文苑圖〉卷，與周文矩的〈重屏會棋
圖〉卷（宋摹）的畫法同出一轍。〈文苑圖〉卷幅上有南唐「集賢殿
御書印」，經徐邦達先生考定，此圖係五代周文矩真本。在宋代繪畫
中，尚有北宋、南宋之爭，乃至宋、元之爭。但是，相對嚴格的鑒定
工作，使得北京故宮的早期（元代以前）繪畫中，很少有明以後的書
畫混跡其中。

　　台北故宮在其書畫出版物裡對古代早期書畫的時代、作者和名稱
基本上沿用清宮《石渠寶笈》、《秘殿珠林》等著錄書上的結論和民
國初年的帳目，鑒定上較寬，其間真偽混淆者不少。事實上，近些
年，北京故宮的專家學者與台北故宮的專家學者進行學術交流中，得
知他們這樣做是出於出版物中的文物資訊要與帳目統一等原因。他們
對保管的許多早期的書畫藏品是否為摹本或傳本，可以說基本上是清
楚的，但不太願意將他們的鑒定結論顯現在出版的文物品名上，而是
訴諸在研究論文或文字解說裡。

　　和北京故宮一樣，台北故宮也有一些爭論比較激烈的書畫藏品，
如《自敍帖》是否為唐代懷素的真跡？〈丹楓呦鹿圖〉、〈秋林群鹿

註1　楊仁愷：《中國書畫鑒定學稿》，「附1　元以前傳世書畫作品專家不同意
　　　見」，遼海出版社，2000年10月，第418～421頁。

圖〉到底是遼代還是五代、抑或是元代的佚名之作？〈兔冑圖〉究竟是不是北宋李公麟的真跡？古代藝術精品並不會因為有爭議而損毀它的藝術價值，恰恰相反，正因為在學術界產生爭議，客觀上增加了它的學術內涵和認識深度。兩岸故宮收藏的元明清書畫，有爭議的藏品漸趨減少，在學術上深化探討的問題日趨增多，如兩岸故宮都藏有元代帝后太子的肖像，都藏有王振鵬有關龍舟競渡題材的界畫長卷，都藏有元代高克恭的〈春雲曉靄圖〉軸，同繪於「庚子（1300年）九月廿日」，畫中圖像一模一樣……，孰真孰偽、孰先孰後，有待於進一步定論。值得探討的同類問題還有許多，隨著今後兩岸故宮專家學者更多的交流探討，相信這些藝術史上的謎團會一一揭開。

2.北京故宮的古書畫

北京故宮共有繪畫、壁畫、版畫、書法、尺牘、碑帖約14萬件（準確數字需待庫房清理工作結束）。這個收藏量約占世界公立博物館所藏中國古代書畫的1/4，其中約1/3具有很高的藝術價值和史料價值。

北京故宮繪畫珍品主要有：

東晉：顧愷之的〈洛神賦圖〉（宋摹本）、〈列女圖〉（宋摹本）和傳為隋展子虔的〈遊春圖〉，分別是我國現存最早的名家人物畫和山水畫作品，為畫史探源的珍貴資料。

唐、五代：唐閻立本〈步輦圖〉（宋摹本）、傳為周昉〈揮扇仕女圖〉、韓滉〈五牛圖〉、傳為五代黃鑒〈寫生珍禽圖〉、傳為胡瓌〈卓歇圖〉、阮郜〈閬苑女仙圖〉、顧閎中〈韓熙載夜宴圖〉、衛賢〈高士圖〉、周文矩〈重屏會棋圖〉、董源〈瀟湘圖〉等。

北宋：郭熙〈窠石平遠圖〉、巨然〈秋山問道圖〉、崔白〈寒雀

圖〉、趙昌〈寫生蛺蝶圖〉、李公麟〈臨韋偃牧放圖〉、王詵〈漁村
小雪圖〉，宋徽宗趙佶〈雪江歸棹圖〉和趙佶所署押的〈芙蓉錦雞
圖〉、〈聽琴圖〉等，以及王希孟的青綠巨作〈千里江山圖〉、張擇
端所繪〈清明上河圖〉等。

南宋畫壇的四位山水巨匠——劉松年、李唐、馬遠、夏珪及馬遠
之子馬麟的代表作品，北京故宮皆有收藏。同時藏有趙伯駒〈江山
秋色圖〉、趙伯驌〈萬松金闕圖〉、馬和之〈後赤壁賦圖〉、米友仁
〈瀟湘奇觀圖〉、楊無咎〈四梅圖〉、趙孟堅〈墨蘭圖〉等精品。

元代畫壇以趙孟頫及「元四家」最為著稱。北京故宮藏趙氏畫作
山水、人物、鞍馬、竹石、花鳥俱全。而黃公望〈天池石壁圖〉、
〈九峰雪霽圖〉、〈丹崖玉樹圖〉，吳鎮〈漁父圖〉、〈古木竹石
圖〉、〈蘆花寒雁圖〉，倪瓚〈古木幽篁圖〉，王蒙〈夏日山居
圖〉、〈葛稚川移居圖〉等俱為名作。此外還有錢選〈山居圖〉以及
李衎、高克恭、任仁發、王振鵬、朱德潤、曹知白、盛懋、王淵、柯
九思、趙雍、王冕、方從義等人的畫作。

北京故宮藏明清繪畫數量大、精品多。具有廣泛影響的大畫派，諸
如明代的「院體」與「浙派」、「吳門畫派」、「松江派」、「武林
派」、「嘉興派」，以及「青藤白陽」、「南陳北崔」；清代的「金陵
畫派」、「新安畫派」、「四王吳惲」、「四僧」、「揚州八怪」，以
及「海派」等等，均有大批代表作品入藏。還有不少地方畫派的中、小
名頭、冷名頭，對於全面系統地研究中國畫史也具有十分重要的價值。

北京故宮藏繪畫還有一個頗具優勢的品類為清代宮廷繪畫，作者
包括：帝后「御筆」；清廷詞臣，如蔣廷錫、張宗蒼、董邦達、錢維
城、董誥等；外國傳教士，如郎世寧、王致誠、艾啟蒙、賀清泰、安

德義等；內廷供奉和「如意館」畫師，如冷枚、金廷標、丁觀鵬、姚文瀚、方琮、楊大章等人。

北京故宮收藏大量的法書。擁有一批晉唐宋元大家名作。如西晉陸機《平復帖》是現存最早的名家法書；王羲之《蘭亭序》三種最佳唐摹本皆在北京故宮；王珣《伯遠帖》是王氏家族唯一的傳世真跡，晉賢儀範，賴之以傳。唐代歐陽詢行楷《卜商讀書帖》和《張翰帖》也堪稱至寶。李白《上陽台帖》、杜牧《張好好詩》等真跡並世無儔。至於顏真卿《竹山堂聯句》、《湖州帖》，柳公權《蒙詔帖》、《蘭亭詩》，雖云或出臨摹，然風致猶存。五代楊凝式，北宋李建中、范仲淹、文彥博、歐陽修諸人墨跡世所罕見。蔡襄、蘇軾、黃庭堅、米芾四家真本，有數十種之多。至於南宋、元代諸賢，更無論矣。如此豐富的藏品，使北京故宮成為中國法書收藏研究的中心之一。

明清法書較為系統全面。帖學、碑學、台閣體、文人字、畫家書的各個流派和代表書家皆有收藏。社會影響雖不及晉唐宋元名作，但研究價值不可低估。

從1949年以來，北京故宮收進大量尺牘，其中元以前的尺牘已歸入法書類。另有明代尺牘1萬餘件，清代尺牘3萬餘件，近現代尺牘2,550餘件，合計約42,550餘件。這些尺牘從裝裱形式上看，絕大多數都裝裱成冊，有蝴蝶裝，有經摺裝，還有裱成手卷形式。從文字內容上看，涉及到政治、軍事、經濟、文化，更多的則是社會生活方面的。有許多為名人收藏，如張珩先生收藏的《明代名人墨跡》就有60冊1,180件，童紹曾先生收藏的清代《國朝名人書簡冊》有14冊410件和《前明名人手簡冊》25冊348件，以及陳時利收藏的《秋醒樓集前人尺牘》52冊2,516件等。專題收藏較多也是這批尺牘的特點：有以

名人分類收藏的，如《董其昌尺牘冊》、《吳昌綬尺牘冊》等；有以時代分類收藏的，如《乾嘉名人尺牘》、《明賢墨跡冊》等；有以專業或職業分類收藏的，如《清金石書畫家尺牘冊》、《明書畫名家尺牘冊》等；有以地區學者分類收藏的，如《常州先哲書翰冊》、《明姑蘇名人尺牘冊》、《清代北方學者翰札冊》等；有以品德分類收藏的，如《忠烈手札冊》、《明末二臣尺牘冊》等。此外還有一些國外人的尺牘，如《朝鮮名人尺牘冊》等等。這些尺牘具有文獻及書藝的雙重價值。

　　清代宮廷書法收藏獨占優勢。清代宮廷沿襲明之台閣體，以規範、典雅作為行政、科舉書體的基本要求。康熙、雍正、乾隆三帝喜愛書法，推崇趙孟頫、董其昌書風，上下翕然宗之。乾隆時期，張照、汪由敦、梁詩正、于敏中等大臣的筆墨端莊流麗、腴潤儒雅，受到皇帝激賞，影響及於整個清代。北京故宮所藏大量帝后「御筆」及「臣字款」書法、貼落，是研究這個歷史時期廟堂書風的寶貴資料。清後期，「碑學」大行其道。清亡後，宮廷書法一度評價甚低。近年，隨著人們對中國傳統文化認識的不斷深化，宮廷文化，包括宮廷書畫越來越成為關注及研究的熱點。

　　清代帝后書畫是北京故宮有特色的一項收藏。據統計，清代帝后書畫原有21,371件。20世紀70年代初撥交承德避暑山莊和瀋陽故宮等博物館433件。現存20,938件。這些清代帝后書畫為清宮舊藏，多數是從故宮各個殿堂中收集的，也有從頤和園、承德等行宮牆上揭下來的，分不同時期運抵故宮，一直庋藏在祭神庫的黑漆描金龍的長箱內。從順治皇帝到宣統皇帝，清朝10位皇帝的書法保存非常完整。其中乾隆皇帝的書畫作品即達2,000餘件，另外還有慈禧太后等后妃的

作品。這批書畫有卷、軸、冊、橫額等各種裝裱形式,最多的則是故宮特有的「貼落」。在故宮龐大的建築群中,有很多書法一直張貼在宮殿建築內,並依舊保持著原初狀態下的陳設格局。

北京故宮的古書畫收藏有以下特點:

其一,北京故宮繪畫藏品的種類較全面,除卷軸畫以外,還藏有版畫、年畫、清宮油畫、玻璃畫、屏風畫、貼落等,這些是台北故宮所缺乏和不足的。明清大幅宮廷書畫也是北京故宮特有的庋藏。這些藏品篇幅很大,如明代商喜的〈關羽斬將圖〉大軸和清代西洋傳教士畫家們的一些煌煌巨製,在文物南遷時具有一定的運輸難度。目前,這些文物是海外舉辦清宮文物展的重點挑選對象。此外,北京故宮還有10件唐宋壁畫、7件唐五代敦煌織絹畫、1鋪元代大幅壁畫(興化寺)等。

其二,彌補了清宮收藏的缺項。由於兩岸故宮主要接收的是清宮舊藏歷代書畫,而清代宮廷在乾隆皇帝去世後,收藏日趨衰落,因此,18、19世紀的「揚州八怪」、「京江畫派」、「改、費派」、「海派」等許多畫派的繪畫和書法為清宮所缺。清初屬於非正統畫派的「金陵八家」、「四僧」、「黃山派」等,也是乾隆朝不屑於收藏的藝術品,如今已是藝術珍品了。北京故宮身處大陸,有著廣闊的收藏機遇,在20世紀50、60年代,已經將上述幾個時期的書畫收藏齊備。

其三,在時代方面,北京故宮的早期藏品反映了各個歷史時期的繪畫原貌,特別是東晉顧愷之的兩件北宋摹本〈列女圖〉卷和〈洛神賦圖〉卷,真實地反映了東晉時期的繪畫風格;又如隋代展子虔的〈遊春圖〉卷,儘管稍有爭議,但反映了隋代的山水

畫的面貌。其存世最早的一批法書名跡，價值和意義更為世所公認。

其四，北京故宮的元代書畫，特別是元代法書，在國內外博物館收藏中名列前茅。以大書法家趙孟頫為例，其書碑墨跡包括曾被人糊過窗戶的殘本在內，存世只有11件，現美國1件、日本3件、上海博物館1件、台灣私人收藏家1件及1件下落不明外，北京故宮則有4件。元三大書家其他兩家的鮮于樞的唯一楷書《道德經》、鄧文原唯一書法長卷章草〈急就章〉都在北京故宮。而且，除尺牘外其真偽都經過了權威的鑒定。而尚待整理的大批尺牘中已經發現還有元代名臣程矩夫、李柲的尺牘這樣的舉世孤本。元代繪畫僅紙絹類元畫就有130多件，其眾多的收藏量和完美的藝術品質，也是驚人的，幾乎代表了元代畫壇諸畫科和各流派的藝術成就。

關於北京故宮古書畫藏品的圖冊，主要有人民美術出版社1978年開始出版的《故宮博物院藏畫集》8冊和1985年開始出版的《故宮博物院明清扇面書畫集》5冊，上海人民美術出版社1993年出版的《故宮博物院藏畫》，香港商務印書館出版的《故宮博物院藏文物珍品全集》60卷中的繪畫17卷、法書5卷。此外，文物出版社曾以珂羅版精印《故宮博物院藏歷代法書選集》2函40種。1993年榮寶齋出版《故宮藏明清名人書札墨跡選》（明代）2冊。從2008年開始，北京故宮出版《故宮博物院藏品大系》，其中「繪畫編」擬出100冊左右，已出4冊，25冊的「法書編」及30冊的「尺牘編」也在編輯出版之中。

3.台北故宮的古書畫

台北故宮藏有書畫總計為9,424件。據介紹，品級列入「國寶」

與「重要文物」者，逾2,000件【註1】，另據一份資料，運台的故宮書畫共5,760件，除去墨拓、緙絲及成扇外，總數為4,650件。經審查，精品1,471件，其中法書237件，名畫1,234件【註2】。對於書畫藏品的構成，台北故宮認為，因其書畫源自清廷舊藏，在明末遺民畫家、清中葉後的近代名跡，另早期如漢魏六朝的碑碣拓本等方面，均嫌不足，無法概括藝術發展的各個層面【註3】。

台北故宮藏畫珍品琳琅，其代表性作品有：

唐、五代：無名氏〈宮樂圖〉、韓幹〈牧馬圖〉、關仝〈關山行旅圖〉、荊浩〈匡廬圖〉、趙幹〈江行初雪圖〉、董源〈龍宿郊民圖〉等。

宋代：北宋范寬〈谿山行旅圖〉、李唐〈萬壑松風圖〉、崔白〈雙喜圖〉、郭熙〈早春圖〉、文同〈墨竹〉、宋徽宗〈臘梅山禽〉、黃居寀〈山鷓棘雀圖〉；南宋賈師古〈岩關古寺〉、蕭照〈山腰樓觀〉、夏珪〈溪山清遠圖〉等、李嵩〈市擔嬰戲〉、梁楷〈潑墨仙人〉、馬和之〈清泉鳴鶴圖〉等。

金代：武元直〈赤壁圖〉。

元代：王冕〈南枝早春〉、王振鵬〈龍池競渡圖〉、趙孟頫〈鵲華秋色圖〉、高克恭〈雲橫秀嶺圖〉、柯九思〈晚香高節圖〉、黃公望〈富春山居圖〉、吳鎮〈漁父圖〉、倪瓚〈容膝齋圖〉、朱德潤〈松澗橫琴〉等。

明代：林良〈秋鷹圖〉、呂紀〈秋鷺芙蓉圖〉、吳偉〈寒山積

註1　《導讀故宮》第21頁。
註2　《故宮七十星霜》第184～185頁。
註3　《國立故宮博物院巡禮》第26頁。

雪〉、戴進〈春遊晚歸〉、唐寅〈畫山路松聲〉、文徵明〈古木寒泉〉、仇英〈漢宮春曉〉、陳洪綬〈畫隱居十六觀〉等。

清代：王翬〈畫溪山紅樹〉、龔賢〈溪山疏樹〉、惲壽平、王翬《花卉山水合冊》、石濤〈自寫種松圖小照〉、郎世寧〈百駿圖〉等。

台北故宮的法書珍藏，代表作品有：

晉代：王羲之《快雪時晴帖》。

唐代：褚遂良《倪寬傳贊》、陸柬之《陸機文賦》、孫過庭《書譜序》、唐玄宗《鶺鴒頌》、顏真卿《祭姪稿》、《劉中使帖》、懷素《自敘帖》等。

宋代：宋四家所遺名跡，如蔡襄《尺牘》、蘇軾《歸去來辭》、《前後赤壁賦》、黃庭堅《白書松風閣詩》、《諸上座帖》、米芾《蜀素帖》等，以及薛紹彭《雜書》、宋徽宗《詩帖》、宋高宗《賜岳飛手敕》、張即之《李衎墓誌》、吳琚《七言絕句》、林逋《手札二帖》、朱熹《尺牘》等。

元代：趙孟頫《赤壁二賦》、《閒居賦》、鮮于樞《透光古鏡歌》、張雨《七言律詩》等。

明代：初期有宋克《公讌詩》、沈度《不自棄說》及隸書《歸去來辭》、沈粲《古詩》，中期有祝允明《臨黃庭經》、《飯苓賦》、王寵《韓愈送李愿歸盤谷序》、陳淳《秋興詩》，晚期有邢侗《草書古詩》、張瑞圖《後赤壁賦》及董其昌的眾多作品。

清代：存藏多屬乾嘉以前供奉內廷宰臣所書，如沈荃、張照、王澍、永瑆等人。其中以張照手跡最多，次即王澍之《積雪岩帖》等。

尺牘方面，多收入《元明書翰》及《明人尺牘書翰》冊中。《元明書翰》原為80冊，運台76冊，共593開。《明人尺牘書翰》共15

冊，計294開，合計明人書翰尺牘有887開之多，此中除著名書家之外，盡屬名賢碩儒手跡。

明清之際若干遺民及嘉道以後重要書家手跡，向為台北故宮收藏的弱項，經多年增購、捐贈與各方寄藏，也有所充實，例如傅山《大字詩》，朱耷《行書》、《草書聯》，黃道周《孝經》，王鐸《行書》等。

台北故宮的書畫收藏，早期作品（元以前）比北京故宮的多，尤以兩宋書畫收藏豐富著稱。

清代紫禁城中的南薰殿，原庋藏以宋、元、明三個朝代的帝后像為主的圖像畫，民國初年由古物陳列所保管，後移交中央博物院，現由台北故宮收藏。這些圖像畫共計152幅，尤以兩宋各朝帝后像畫得好，有的畫人情味表現真切，十分傳神。元代三位元皇帝的圖像畫也很出色。這些畫對於歷史研究、特別是服飾史研究，具有重要作用。清代帝后的圖像畫，則完全由北京故宮收藏。

台北故宮的藏畫，在山水畫、人物畫、花鳥畫方面都具有明顯特點：

唐代青綠山水如李思訓的〈江帆樓閣圖〉、李昭道〈春山行旅圖〉等是台北故宮博物院最早的山水畫藏品，最具有完整性的早期繪畫藏品是五代的江南水墨畫派至北宋的北方山水畫派，有許多都是大幅巨製。屬於江南水墨畫派的董源〈龍宿郊民圖〉、巨然〈秋山問道圖〉、〈層岩叢樹圖〉等；五代北方全景式大山大水的精品如五代荊浩的〈匡廬圖〉、關仝的〈關山行旅圖〉等，與江南水墨畫派互為犄角，較為完整地反映了五代因地緣文化和地貌環境的不同，在繪畫上呈現出的不同面貌。北宋范寬的〈谿山行旅圖〉、〈臨流獨坐圖〉、

燕文貴〈溪山樓觀圖〉、許道寧〈喬木圖〉、郭熙的〈早春圖〉、李唐的〈萬壑松風圖〉、〈江山小景圖〉等進一步發展了北方山水畫派的雄偉氣勢和堅實的筆墨。還有一批同屬於北方山水畫派的宋代佚名的高頭大卷如〈寒林樓觀圖〉、〈江帆山市圖〉等，其中還有被後人鑒定為是十分難得的金代繪畫如〈岷山晴雪圖〉、〈溪山暮雪圖〉，特別是被考證為是金代文士武元直的〈赤壁圖〉，尤為學界關注。台北故宮博物院沒有南宋四大家之一李唐晚年在南宋時期的力作，馬遠受李唐晚年水墨蒼勁一派影響的〈雪灘雙鷺圖〉、夏珪〈溪山清遠〉、劉松年的山水冊頁等均與北京故宮的「南宋四大家」的藏品互為補充，皆是美術史教科書的重要圖例。

　　台北故宮的人物畫略次於其山水畫藏品，除了庋藏山水與人物相結合的佳作如唐人〈明皇幸蜀圖〉、南唐趙幹〈江行初雪圖〉等，早期人物畫以歷史題材為特色，如五代趙嵒〈八達遊春圖〉、北宋〈文會圖〉、南宋牟益〈搗衣圖〉、陳居中〈文姬歸漢圖〉以及佚名的〈折檻圖〉、〈卻坐圖〉等，宋元帝后和一些歷史名人的肖像畫，宗教題材如劉松年〈羅漢圖〉、大理國描工張勝溫〈梵像圖〉、〈法界源流圖〉以及一批佚名的宗教人物畫，均體現了古代人物畫最高的寫實水平。

　　再其次是花鳥畫。五代黃居寀〈山鷓棘雀圖〉、崔白〈雙喜圖〉以及宋徽宗的〈池塘晚秋圖〉、〈臘梅山禽圖〉等及其相當數量的當朝代筆之作，閃耀著早期花鳥畫史的幾個最精麗的寫實片斷。台北故宮一大批南宋花鳥畫冊頁幾乎完整地反映了南宋花鳥畫小品的每一個發展瞬間，其中包括李迪、李安忠、梁楷、林椿、李嵩、馬遠等一大批南宋宮廷畫家的用意之作。

台北故宮書法藏品的亮點是從唐人摹晉的書跡開始的，更為閃亮的是一批唐宋文臣的真跡。東晉王羲之的墨跡已無真本傳世，在台北故宮王羲之的《快雪時晴帖》、《平安、何如、奉橘三帖》、《遠宦帖》等都是唐摹本，它們和其他的一些唐代的鉤填本在原跡不存的情況下，無疑是下真跡一等的希世珍品。在台北故宮，初唐四大家之一褚遂良的黃絹本《蘭亭序》雖有爭議，仍是相當重要的傳本，王羲之筆墨中內含的精氣神一一俱生。另一大家歐陽詢具有北碑峭拔、瘦長的《集古錄跋》等體現了書家鮮明的風格，標誌著楷書藝術進一步成熟。孫過庭《書譜》中的草書將他精到的書法理論和圓熟的筆墨實踐融為一體，堪稱絕妙雙馨。顏真卿的草書《祭姪稿》是公認的真跡，書者動情的墨筆和淚而下，令觀者無不為之動容，書家們以藝術真情催熟了唐代的草書發展。

北宋四大家蘇軾《黃州寒食詩》、《前赤壁賦》、黃庭堅《自書松風閣詩》、米芾《蜀素帖》、蔡襄《腳氣帖》和北宋諸多名公的尺牘，北宋中後期草書的個性化，漸漸改變了唐五代深陷「二王」單一格局的藝術面貌，真實地紀錄了中國書法史的一大巨變。南宋則以吳琚《七言絕句》等最為精絕，證實了南宋暢行著蘇、米直抒胸臆一路的書風。

台北故宮的元明書畫流派和一流名家的書畫作品較唐宋要完整的多，如錢選和趙孟頫家族、李衎父子、元四家及其傳派、北宋李、郭山水在元代的傳派、高克恭、方從義等米氏雲山傳派、劉貫道等宮廷畫家的佳作及一批元代佚名的宗教人物畫和大幅山水畫。但由於乾隆皇帝間接地受到明代董其昌和「四王」中王原祁和王翬審美觀念的影響，他十分注重收藏元明名家的書畫，忽視收藏元明兩朝二、三流書畫家和非正統書畫家的作品，這方面的缺失被北京故宮在長達50餘年

的收藏活動中基本彌補了。

　　台北故宮的古書畫藏品，1956年出版《故宮書畫錄》上下冊，為故宮博物院與中央博物院籌備處全部運台法書名畫的總目錄，1965年出版增訂本；1959年以珂羅版精印《故宮名畫三百種》2函6冊；1963年出版《故宮法書》集刊；1968年出版《故宮藏畫集解》；1973年出版《故宮歷代法書全集》30卷；1989年開始出版《故宮書畫圖錄》，已出18冊；1993年出版《故宮藏畫大系》16冊。

二　碑帖

　　碑，指石碑，石上鐫刻文字，作為紀念物或標記，也用以刻文告，秦代稱刻石，漢以後稱碑。「碑」後來也成了古代石刻文字的統稱，包括刻在天然石塊上的「刻石」，刻在山崖石壁上的「摩崖」，形制規整的「碑碣」，埋於墓壙的「墓誌」和說明釋道造像因緣的「造像記」等等。由於簡牘、縑帛、紙張之類書寫載體質欠堅牢，千年以上的手寫文獻傳世極稀，因而古碑刻不僅有著重要的歷史價值，也具有重要的藝術價值。唐代之前的書法風貌，主要賴碑刻以傳。以獨特的「傳拓」工藝將石上的字跡拓於紙上，是為拓片。大約在公元10世紀前後，人們開始把傳世名家法書摹刻於石版，再拓成拓片流傳，是為「法帖」，簡稱「帖」。匯集多件法書者稱「叢帖」，只刻一件作品者稱「單刻帖」。碑與帖均為供人們觀賞和臨摹，被合稱「碑帖」。

　　《石渠寶笈》收錄碑帖僅百件左右。在北京故宮收藏的碑帖當中，清宮舊藏只占小部分，大部分是1949年以後陸續收藏的，其中

馬衡和朱文鈞先生貢獻最大。馬衡先生（1881～1955年）畢生致力於古代石刻研究，成就斐然。他搜集了刻石拓本9,000餘件，其中以清代與民國年間出土和發現的墓誌、碑版、造像、石經為主。1955年先生去世後，家人遵囑全部捐獻北京故宮。朱文鈞先生（1882～1937年）生前兼任故宮專門委員會委員，負責鑒定碑帖書畫。朱先生收藏碑帖的特點前邊已介紹過了。先生逝世後，家人於1953年將所藏漢唐碑帖706種悉數捐獻北京故宮【註1】，其中以碑拓為主，有宋拓《魯峻碑》、《九成宮醴泉銘》、《李思訓碑》、《天發神讖碑》、《皇甫誕碑》、《書譜敍帖》等，明拓《石鼓文》、《史晨碑》、《張遷碑》、《孔廟碑》、《崔敦禮碑》、《衛景武公李靖碑》等赫赫有名的珍本，更有精拓及流傳有緒的名人遞藏本。

北京故宮1955年建立文物專項庫房時也為碑帖建立專庫，並設若干專人負責其保管、陳列與研究。此後，張彥生、胡惠春、吳兆璜、蒯若木、宇野雪村（日本）等藏家相繼為北京故宮捐贈或售予了大量珍貴碑帖。北京故宮也向社會徵集購藏了不少善拓和各個時期有代表性的拓本。碑帖專家馬子云的《石刻見聞錄》對此多有記載【註2】。

截止2007年底，北京故宮藏碑帖類在冊文物計25,474件。原刻石的刊刻時間自秦迄於近代，傳拓時間自北宋迄於當代。碑和帖之外，尚有少量銅器拓本、古陶磚瓦玉器拓本、畫像石拓本、線刻畫拓本等

註1 參閱朱家溍：《我家的藏書》，《故宮退食錄》上冊，北京出版社，1999年，第301頁。

註2 馬子云：《石刻見聞錄》，收錄於馬子云、施安昌著《碑帖鑒定》一書，廣西師範大學出版社，1993年出版。

雜項。碑帖的形式，有整紙未裱的單張，有整幅立軸、剪裱後裝成的
冊頁，還有手卷。

在中國國務院2008年公佈的首批入選《國家珍貴古籍名錄》的碑
帖部分中，全國共76種，其中北京故宮就達30種。

北京故宮的一大批碑拓珍品，都是存世稀少、傳拓時代極早、拓
工精良的原石拓本。例如，《西嶽華山廟碑》建於東漢桓帝延熹八年
（165年）四月二十九日，是我國古代山川祭祀的重要文獻資料，也
是漢代隸書的優秀代表作品，又是現存最早的署有書家姓名的碑刻。
清代隸書大家朱彝尊跋此碑云：「漢隸凡三種：一種方整，一種流
麗，一種奇古。惟《延熹華嶽碑》正變乖合，靡所不有。兼三者之
長，當為漢隸第一品。」《西嶽華山廟碑》早已毀於明嘉靖三十四年
（1555年）的地震（據明末清初人顧炎武說）。原石拓只有四本。北
京故宮藏「華陰本」、「四明本」兩種，其中「華陰本」是四本中拓
墨精良且所附考證題跋最豐富的一本，因明萬曆年間藏於華陰東肇
商、東蔭商兄弟家而得名，清代曾先後歸王弘撰、朱筠、梁章鉅、
端方等名人，民國以後歸吳乃琛，1959年入藏北京故宮。又如《張遷
碑》，碑額書「漢故谷城長蕩陰令張君表頌」12字篆書，碑文隸書，
敘及張遷字公方，陳留己吾（今河南寧陵縣境）人，曾任谷城（今河
南洛陽市西北）長，後遷蕩陰（今河南湯陰縣）令。故吏韋萌等追
思其德，於東漢靈帝中平三年（186年）二月刊石立表以紀之，即所
謂「去思碑」。《張遷碑》出土於明代初年，最早著錄見於都穆《金
薤琳琅》。清初顧炎武《金石文字記》疑此碑為後人摹刻，但多數考
古學家和金石學家則認為，其書風通篇方筆，古樸拙茂，非漢代人不
能為之，碑面剝落的痕跡，也非人為所能做到，因此，當是漢代原碑

無疑。此碑書法筆劃，多是棱角森挺的方筆，斬釘截鐵，爽利痛快，筆法凝練，大小欹正，自然跌宕，結體整嚴，其妙處在於：乍看若稚拙，細觀則極為精巧，章法、行氣亦見靈動之氣。尤其碑陰，字跡較為完好，筆意酣暢，比碑陽更為靈秀可愛。清代書法家何紹基，晚年得力於漢碑，尤嗜《張遷碑》，共臨寫了100多通。此《張遷碑》實為漢碑中方整勁挺、斬截爽利的典型作品。歷來書評家對其有很高評價。傳世墨拓以第八行「東里潤色」四字完好者，為明代拓本，亦稱「東里潤色本」。

北京故宮所藏法帖，著名的有《淳化秘閣法帖》、《大觀帖》、《絳帖》等。《淳化閣帖》全10卷，北宋淳化三年（992年），宋太宗出內府秘閣所藏歷代名人法書，命翰林侍書王著編次、摹勒。每卷末刻篆書款：「淳化三年壬辰歲十一月六日奉聖旨摹勒上石」。閣帖刻後不久即毀，後人重刻者屢見不鮮，但宋刻宋拓本今存世稀少，北京故宮收藏的是內府舊藏的宋拓全本，鈐「乾隆御覽之寶」和「懋勤殿鑒定章」，彌足珍貴。《大觀帖》全10卷，為北宋大觀三年（1109年）宋徽宗因《淳化閣帖》板已斷裂，出內府所藏墨跡，命蔡京等稍加釐訂，重行摹勒上石。款署「大觀三年正月一日奉聖旨摹勒上石」。各帖標題與各卷款識傳蔡京書。此帖筆劃沈著豐腴，起筆、收筆以及筆劃的轉折，鋒穎畢露，如同手書。北京故宮收藏有《大觀帖》原石的宋拓殘本2種：一種是臨川李氏本，存2、4、5卷，白麻紙，淡墨拓，每冊均為紅木面刻翁方綱題簽，有「華夏」、「伯雅」、「孫氏叔嬰」、「翁方綱」、「宗瀚」等藏印110餘方，翁方綱、李宗瀚等跋18段；另一種是聊城楊氏本，存2、4、6、8、10卷，白麻紙，烏墨擦拓，上有「迪志堂印」、「大雅」、「范大澈圖

書印」等藏印100餘方，並有崇恩、王拯、孫毓文等跋。由於《大觀帖》的原石早毀，傳世拓本無全帙。北京故宮藏的拓本雖是殘卷，但已稀如晨星。此外，中國國家博物館還藏有該帖第7卷，南京大學藏有第6卷。

關於北京故宮碑帖收藏和研究的書籍，有馬衡著《漢石經集存》（科學圖書出版社，1957年）、《凡將齋金石叢稿》（中華書局，1977年），朱翼盦著《歐齋石墨題跋》（書目文獻出版社，1990年；紫禁城出版社，2005年），馬子云、施安昌著《碑帖鑒定》（紫禁城出版社，1993年），施安昌編著《唐代石刻篆文》（紫禁城出版社，1987年）、《顏真卿書幹祿字書》（紫禁城出版社，1990年）、《漢華山碑題跋年表》（文物出版社，1997年）、《善本碑帖論集》（紫禁城出版社，2002年），香港商務印書館出版《故宮博物院藏文物珍品全集·懋勤殿本淳化閣帖》（尹一梅主編，2005年）、《故宮博物院藏文物珍品全集·名碑十品》（施安昌主編，2006年）、《故宮博物院藏文物珍品全集·名帖善本》（施安昌主編，2008年）、《故宮博物院藏文物珍品全集·名碑善本》（施安昌主編，2008年）等。

台北故宮現存藏碑帖474件，基本是南遷的清宮藏品。碑有宋拓《雲麾將軍碑》、《嶽麓寺碑》、《聖教序碑》、《周孝侯廟碑》、《多寶塔碑》、《夫子廟堂碑》，以及漢《史晨碑》、《顏氏家廟碑》等數種。法帖較多，如《定武蘭亭》、《越州石氏晉唐小楷》、《澄清堂帖》、《淳化閣帖》、《大觀帖》、《臨江帖》、《絳帖》、《武岡帖》，以及清內府重刻《淳化閣帖》、《三希堂法帖》等，其中若干法帖為宋代拓本。

　　碑中較為精粹者，當推宋拓李邕書《嶽麓寺碑》。明代王世
懋所藏，清歸諸畢氏昆仲，後入內府，當在乾嘉之際。台北故宮
於1968年影印出版【註1】。

　　法帖以《定武蘭亭序》名著。此帖為宋拓本，傳刻石為唐歐
陽詢臨寫，原立於學士院。《蘭亭序》原為晉王羲之所書，今
行世拓本有《神龍本蘭亭序》、《定武蘭亭序》等。《定武蘭亭
序》是太宗李世民在世時，曾選臨摹最好的歐陽詢臨本刻石於宮
中。至五代石晉亂時，耶律德擊敗石晉，持此石刻攜往北方，棄
於殺虎林（真定山中）。宋慶曆年間（1041～1048年），李學
究獲得此石，後歸宋祁（景文）所藏，熙寧年間（1068～1077
年），薛響（師正）為定武太守時，因求拓者與日俱多，遂另刻
一石，又因出定武，故稱《定武蘭亭》。宋大觀年入御府，置於
宣和殿，南渡後即下落不明。《定武蘭亭》字體結構精巧，章法
完美，蓋雄秀之氣，出於天然，因此，古今學習者，多以蘭亭為
師法，此帖重刻拓本甚多，有「五字損本」與未損本之別，所損
者為「湍、流、暎、帶、天」五字，係宋薛紹彭所鑱損【註2】。台
北故宮所藏此卷元時經趙孟頫、柯九思的鑒定，為傳世定武蘭亭
三本之一【註3】。

註1　張光賓：《故宮博物院收藏法書與碑帖》，《故宮季刊》第9卷第3期，第12
　　頁。

註2　梁白泉主編：《國寶大觀》，上海文化出版社，1990年，第685頁。

註3　張光賓：《故宮博物院收藏法書與碑帖》，《故宮季刊》第9卷第3期，第13
　　頁。

三　青銅器

　　中國是世界上較早進入青銅時代的文明古國之一。大件青銅器在夏代晚期（考古學文化的二里頭時期）開始出現。到商代前期（二里崗時期）和商代後期（殷墟文化時期），出現了大量氣勢恢宏、紋飾繁縟的呈組合的青銅器；進入西周、東周時期，出現了一批具有長篇銘記歷史事件的青銅器。這是中國青銅文化的兩個特有現象。多樣的青銅文化、發達的青銅工業和奇異的青銅藝術，在中國文明史和世界文明史上占據了重要的地位。青銅器的製造和發展，歷代綿延不斷，但其對社會生活產生較大影響的是在先秦時代。

　　中國古代青銅器藝術的鮮明民族特色，突出表現在它所具有的意識形態性質上。早期青銅器曾作為王權的象徵物而存於世。傳說夏禹鑄九鼎，歷商至周，以為傳國之寶，鼎移則王朝易主。鼎彝或列於宗廟，或隨葬於墓室，稱為「禮器」，是先秦貴族等級身份的標誌。這種制度至西周，臻於完善稱為「周禮」。它對我國數千年歷史的發展，曾產生過重大影響。自漢代以來，青銅禮樂器時有出土，其上威嚴的紋飾，雄偉的氣度，深得帝王之心，被視為國之祥瑞。於是官民貢獻於上，皇室搜求於下，逐漸成為皇家的重要典藏。宋代曾集宮中所藏編成《宣和博古圖》，收器凡839件。清代乾隆年間，仿《宣和博古圖》，將宮廷收藏的古器先後編纂了《西清古鑒》40卷，《西清續鑒》2卷，《寧壽鑒古》16卷，共收錄器物4,074件。但到清末，宮中銅器大量流失，珍藏的商周銅器及漢

器，已為數不多。故宮博物院成立後，由古物館從各宮殿所集中的，只有700餘件，另外有漢及唐、宋銅鏡500多件，漢及漢以後銅印1,600多件。

台北故宮所藏銅器現有5,615件，包括歷代官私銅印1,600多件、鍍金銅器700餘件，先秦有銘文的約500件，除其中抵台後陸續收購的500餘件外，其餘的4,500多件皆為清宮舊物。

台北故宮的青銅器，由故宮博物院南遷文物中的銅器及中央博物院籌備處運台銅器組成。當年抗戰南遷時，共裝精品銅器50箱，計572件；銅鏡5箱，計517件；銅印2箱，1,646件。抗戰結束後，除部分銅鏡沒有帶去外，餘皆轉運台灣。民國初年政府開辦古物陳列所，運來瀋陽故宮及熱河行宮的文物，分別陳列於故宮內的文華殿和武英殿。當時該所鑒定委員容庚先生從瀋陽故宮788件銅器中，選集92件，於1929年編著為《寶蘊樓彝器圖錄》。後又於1930年，從熱河行宮851件銅器中，選集100件，編著為《武英殿彝器圖錄》。這些入錄的銅器，都在1946年撥歸中央博物院。至於中央博物院所收購的劉體智「善齋」108件銅器，皆為《善齋吉金錄》入目之件；收購的容庚32件銅器，也是其《頌齋吉金錄》入目之件。

因此，台北故宮藏青銅器，入錄清晰有序。除嘉慶以後入宮銅器未有收錄（如散氏盤）以及來自熱河行宮的藏器未入清宮著錄外，皆見於乾隆所敕編的《西清古鑒》、《寧壽鑒古》和《西清續鑒》甲、乙兩編。甚至在熱河行宮舊器中，有一件商代「父癸鼎」，與宋《宣和博古圖》卷一第26頁所載之器形制相符，銘文亦合，可以斷定是其入目之件，為宋元以來的宮廷舊藏。宋《宣和博古圖》所載之器，流傳至今僅此1件，彌足珍貴。

　　台北故宮所藏銅器種類非常豐富，主要有【註1】：

　　食器有鼎、鬲、甗、簋、敦、豆、簠、盨等，此外尚有匕等。食器計426件，其中以鼎為最多，共200件，簋次之，共121件，匕最少，僅1件。

　　酒器有爵、角、斝、觚、觶、尊、盉、方彝、卣、觥、壺、罍、鐎等。酒器計411件，以壺為最多，共90件，尊次之，共61件，觥及勺最少，各僅1件。

　　雜器包括水器、照明器、焚香器、化妝器等日常用具。水器有盤、鑒、匜，照明器有燈，香器有爐，化妝器有奩，車器則為車馬之飾件。雜器計104件，以匜為最多，共25件，洗次之，共20件。

　　量器包括量、權、衡等器，兩院存台之件，僅有秦漢者，為數亦微。惟秦量、嘉量及新權等，均一時的重器。

　　樂器，重要者有鐘、鉦、鈴等器。計40件，以鐘為最多，共31件，鉦次之，共8件。漢銅鼓是邊疆少數民族所用，兩院所藏也有11件。

　　兵器，重要的有斧、矛、戟、弩機等。兩院所藏兵類屬及數目均寡，中央博物院共11件，每類僅1至2件，故宮博物院藏20件均編列入簡目中，以普通器視之。

　　銅鏡，中央博物院所藏戰國鏡6件，多係收購者。其漢以後各朝之件，亦有收購者，大部為《西清續鑒乙編》之物。故宮博物院存台之鏡，則為《西清續鑒甲編》57件，《寧壽鑒古》100件。

　　台北故宮銅器中有一批重器，為世所矚目，如「毛公鼎」是西周

註1　以下引自譚旦冏：《故宮博物院珍藏的商周銅器》，《故宮季刊》第4卷第1期。

晚期宣王時（公元前828～前782年）的一件重器，在西周青銅器中占有重要地位。毛公鼎器形作大口，半球狀深腹，圜底，下附三獸蹄形足，口沿上豎立形制高大的雙耳，整個造型規正洗練，渾厚而凝重，鼎表面裝飾也十分簡潔。鼎腹內鑄有銘文32行，計500字，為現存銘文最長的一件青銅器。銘文為毛公厝所作，記載周王對其冊命以及賞賜的器，前半敍述周王對被冊命的毛公厝的訓語，文辭典雅，前人稱其可抵《尚書》中一篇《周書》文字。毛公鼎不僅以鑄造精良、銘文具有重要史料價值著稱，而且銘文氣勢宏偉，結體莊重，筆法端嚴，線條的質感飽滿豐腴，圓而厚，是一篇金文書法的典範。該鼎自清道光末年在陝西岐山出土後，歷經周折，抗日戰爭勝利後，收藏者陳泳仁將此獻了出來。

「散氏盤」也是以長篇銘文和精美的書法見稱於世。銘文350字，記矢國侵占散國土地，散國求諸鄰近大國主持正義，矢國割地了事。銘文前半記載了履勘土地的實況，文後有參與履勘的人名，並有矢人誓辭。散氏盤銘文的線條雄強蒼勁，結構跌宕多姿，同一字寫法變幻多端而均極精緻，在我國書法藝術史上占有重要地位。

「水陸攻戰紋鑒」是1935年在河南汲縣山彪鎮考古發掘所出土，形似大盆。其器腹部刻畫鑲嵌一圈精美的人物作戰內容的裝飾紋樣，共分上中下三層，有圖像40組，刻劃人物292人，表現出格鬥、射殺、划船、擊鼓、犒賞、送行等種種姿態，情節豐富，人物生動，技藝精湛。

另外，可以印證史實的「宗周鐘」、家族器的「頌鼎」、「頌壺」、「史頌簋」和戰國標準器的「陳侯午簋」、「陳侯午敦」以及「新莽嘉量」等，也十分有名。

近年來台北故宮陸續增加了一些藏品，如從大陸流失過去的具有重要史實價值的「子犯編鐘」等。但總體上看，這一部分在台北故宮青銅器中不占主要地位。

北京故宮的青銅藏品也是以清宮舊藏為主，輔以歷年收購、私人捐獻及考古發掘之器。計藏歷代銅器15,000餘件，其中先秦銅器約10,000件左右，有銘文的1,600餘件，這三個數量均占中外傳世與出土中國青銅器數量總和的1/10以上。另外有歷代貨幣10,000餘枚、印押10,000餘件，還有一些仿古彝和古金屬。是舉世皆知的中國古代青銅器藏品最為豐富的博物館。

北京故宮的青銅藏品，在古物轉運台灣之後，之所以仍能以清宮舊藏為主，在於當時故宮文物清理尚不徹底。且南運裝箱前，限於當時的認知水平，經審查委員會審查而篩掉的器物中，仍不乏精美重要之器，例如商代後期的獸面紋大甗、西周早期的伯盂、西周中期的追簋、戰國時期的龜魚紋方盤等都是清宮舊藏，皆被尊為重器，而今也是世人所知的名器。其中商代後期的獸面紋大甗，通高80.9公分，重40千克，1989年江西新干大洋州商代鹿耳四足大甗（高105公分）出土之前，此器物曾是世界上最大的青銅甗；戰國時期的龜魚紋方盤，宮廷舊藏，通體佈滿了華麗、精細的紋飾，盤外底有四虎足，盤外壁上浮雕怪獸，獸身上有細密的羽毛，盤內壁和內底上浮雕有蛙、龜、魚和水波紋。也是一件獨有的青銅器。

1923年河南新鄭李家樓出土了一對蓮鶴方壺，一件藏在北京故宮，另一件藏在河南博物院。壺整體為方形，通高118公分，重64千克，器身裝飾蟠螭紋，頸兩側各有一鏤空、回首龍耳，腹部四角各伏

一獸，圈足下有二伏虎，虎乍舌，背馱著壺，蓋頂上立有一鶴，做展翅欲飛狀，周圍有雙層蓮瓣。這件壺一改商周時期莊嚴神祕的風格，變為華麗輕巧、自由活潑的形式，為前所未有，充滿寓動於靜的藝術魅力。這對蓮鶴方壺被譽為「青銅時代絕唱」。1949年，計38箱共5,119件原藏河南博物館的文物欲被運往台灣，其中包括鄭公大墓一半的出土文物，這對已打包好的蓮鶴方壺還沒運上飛機即被攔截下來。

在北京故宮的青銅藏品中，私人捐獻、考古發掘及收購也占有一定比例。它們或於銅器本身透露出重要的古代信息，或以造型藝術和工藝角度耀人眼目，另外在時代排列上對舊藏彝器也有補充作用。例如，商代後期的「三羊尊」，1956年收購，通高52公分，寬61公分，重51.3千克，通體佈滿紋飾，尤其是肩部上的三個羊首，形象非常生動，這是目前為止世界上最大的青銅尊。西周中期的「師趛鬲」，是1955年從上海收購的，也是一件典型的傳世品，通體裝飾著夔紋，是目前所知青銅鬲中最大的一件。商代晚期毓祖丁卣，捐自章乃器先生。蓋、器對銘各四行25字，商代青銅器中少見長篇銘文，此件非常難得，是研究商代祭祀和稱謂制度的重要資料，銘文書法也流暢灑脫，有一定的藝術價值。西周晚期頌簋，捐自馮公度先生。鑄造精緻，有銘文150字，對研究當時的策命典禮制度有很重要的價值。西周晚期師酉簋，捐自馮公度先生。器形是西周晚期的流行式樣，蓋、器分別鑄有銘文107字和106字，其內容是研究西周世官世祿的重要資料。近年新出土的青銅器也有收藏，如北京順義出土的「嵌松石蟠螭紋豆」、湖南出土的「百蟲卣」等。

北京故宮青銅藏品的最大特色是時代序列完整和器類齊全。這些

藏品多數為傳世品，但借助於近代考古學對發掘品研究的經驗，故宮先秦青銅器已可分出商代前期、後期，西周早、中、晚期，春秋前期、後期，戰國前期、後期等，秦以後銅器可分出秦、漢、魏晉南北朝、唐宋、元明清等。

北京故宮藏先秦青銅器包括禮器、樂器、兵器、雜器等。其中禮器包括：

（1）食器：鼎、鬲、甗、簋、簠、盨、敦、豆、鋪、鉶、匕、勺等。

（2）酒器：爵、角、斝、盉、尊、卣、壺、罍、兕觥、方彝、鋅、瓶、罏、缶、觚、觶、斗等。

（3）水器：盤、匜、鑒、盂、盆等。

樂器包括：鐘、鎛、鐃、鐸、鈴、句鑃、錞于、磬等。

兵器包括：戈、戟、矛、劍、鈹、匕首、刀、斧、鉞、異型兵器、鐓、鐏、鏃、冑等。

雜器包括：爐、鐎、虎子、樽、節、鏡、陽燧、帶鉤、車馬器、度量衡器等。

北京故宮收藏的秦漢青銅生活用品和唐宋以來的仿先秦青銅禮器，都有一定規模。

數量眾多的有銘青銅器也是北京故宮青銅器藏品的又一特點。國內各博物館現藏先秦有銘文的青銅器，迄今為止共計6,900件左右（包括近十餘年大陸各地出土和各博物館收集的1,000餘件，以及台北所藏500件），其中北京故宮一家，現藏已達1,600件，數量列各館之首。這些青銅器的銘文大多已收入《殷周金文集成》一書，但器形的大部分尚未公佈。銘文較重要的如：

三件邲其卣，是商代銘文最長的幾件器，它記述了帝辛時期的賞賜、祭祀等內容。此外，像小臣𦤞鼎、逦簋、处山卣等也是重要的商代銅器。

成周鈴是西周早期難得一見的帶銘文的樂器，魯侯爵則是記錄周公後裔活動的重要銅器。此期的榮簋、耳尊、作冊魑卣，記載了王與侯對榮、耳、魑的賞賜；西周中期的師旂鼎記錄了一次對違犯軍法人員處置的法律程式，同簋、大師虘簋、豆閉簋記錄了王對貴族的冊命，格伯簋記錄了當時的土地交換；西周晚期的揚簋、諫簋、小克鼎、眉敖簋蓋、師酉簋、頌鼎、大鼎、師克盨、𤔲比盨、㝅盤、虢叔旅鐘、士父鐘等多記錄王對貴族的賞賜冊命儀典，有重要的史料價值。

其中大師虘簋、大鼎、頌鼎、𤔲比盨、㝅盤等5件器的記時詞語中有年、月、月相、干支日四項內容，是全部金文僅有的30幾例四要素俱全器中的五例，這是研究金文曆譜和王年的珍貴資料。

者瀍鐘、余購逨兒鐘、徐王子旃鐘、其次句鑃等，則是這一時期著名的青銅樂器。春秋戰國時期的少虞劍、梁伯戈、秦子戈、大良造鞅鐓等也都是有明確時代特徵的傳世著名兵器。【註1】。

北京故宮收藏的銅鏡也很有特色。4,000餘面銅鏡，上至戰國，下到清代，包括各個歷史時期。大量明清時期銅鏡，多為宮廷內府所造，具有宮廷特色，社會上流傳很少。宮廷內府造鏡，銅質非常精細，鑄造技術水平很高，其中又以清乾隆時期鑄造的銅鏡最多、最好。既有仿古鏡，也有宮廷特色濃郁的銅鏡。仿古鏡主要有「乾隆款

註1　劉雨、丁孟：《〈故宮青銅器〉前言》，紫禁城出版社，1999年，第11～12頁。

博局紋鏡」、「乾隆款舞鳳狻猊紋鏡」和「乾隆款瑞獸葡萄紋鏡」等。此外，宮中造辦處還鑄造了一批採用新工藝的銅鏡，這些銅鏡無論形制、紋飾還是製作工藝都別具一格，如「掐絲琺瑯纏枝紋鏡」、「乾隆款八卦紋鏡」等，都是有宮廷特色的作品。

　　兩岸故宮青銅器因為係出一源，故時代序列完整和器類齊全且多傳世品是其收藏的共同特色，有不少成組的器物分藏於兩岸故宮，如清代晚期山東益都縣蘇埠屯出土的亞醜組器，台北故宮收藏鼎6件、簋2件、尊5件、角1件、觚2件、觶1件、卣2件、方彝1件，北京故宮則收藏鼎3件、簋1件、尊1件、觚1件、斝1件、卣1件、罍1件。成周王鈴是一對僅存的西周早期有銘文的青銅樂器，傳世僅2件，一件陽文的藏於北京故宮，另一件陰文的藏於台北故宮。西周中期的追簋兩岸合藏其三，西周晚期的長銘頌組器，北京故宮藏頌鼎一、頌簋一、史頌簠一，台北故宮藏頌鼎一、頌壺一、史頌簋一。春秋晚期的能原鎛存世兩件，兩岸故宮各藏其一，這是一組用越國文字記事的青銅樂器。越國文字多將越王名等短銘記於兵器上，釋讀十分困難，是目前金文研究中尚未取得徹底解決的課題之一。這兩件鎛銘中台北故宮的一枚存60字，北京故宮的存48字，由於長銘便於從上下文推知文意，故兩銘等於為我們提供了可能解讀全部越國文字的鑰匙。宋徽宗倡新樂，製作大晟編鐘，流傳至今者成為研究音樂史考察宋代雅樂的珍貴標本，該編鐘北京故宮現藏6枚，台北故宮藏2枚。

　　兩岸故宮藏品中都有大量記錄族名的青銅器，其中有幾件族名器被考證為記錄重要古國名的銘文，如北京故宮有記錄孤竹國和無終國國名的銅器等，台北故宮也存有許多族名銅器。族名金文的釋讀和研究，是一個十分困難的課題，迄今尚未得到很好的解決，兩岸故宮這

批資料的充分利用，無疑會促進這一課題的研究。

　　兩岸故宮都有優良的青銅器及其銘文研究的傳統，北京故宮原副院長唐蘭先生是國內外著名的青銅器、金文專家，先生在1935年發表的《古文字學導論》和1949年出版的《中國文字學》兩書，是我國現代意義上的最早、最完整的古文字學理論著作。早在1936年他就寫了《周王𪊨鐘考》，考證宗周鐘的作器者「𪊨」，就是「周厲王胡」。當時的學者多認為宗周鐘是西周早期器，對他的意見並不以為然，可是1978年和1981年陝西扶風縣相繼出土了𪊨簋和五祀𪊨鐘，器物形制是西周晚期的，證實了40多年前先生的意見是非常有預見性的。1962年先生發表了〈西周銅器斷代中的「康宮」問題〉長文，他發現的「康宮斷代原則」不斷被後來經考古發掘出土的銅器所肯定，現已為學術界普遍接受。這是繼郭沫若發現「標準器斷代法」之後，金文斷代法的又一重大發現。先生重視用金文資料系統地研究古史，1986年由他的後人整理發表的《西周青銅器銘文分代史徵》是一部總結他一生金文研究的力作（惜僅存未完稿），共引用西周金文資料350件，計畫以此為基礎重寫西周史，他的這一研究代表了這一學科20世紀後期的最高水平。先生生前還十分重視金文研究的普及工作，寫了多篇金文的「白話翻譯」，讓艱深的青銅器銘文所記載的3,000年前的歷史故事，能為一般來故宮的觀眾看懂。1999年北京故宮重新改陳的青銅器館，以及同時編寫的《故宮青銅器》一書，就是追隨唐先生的學術思想而設計的。其中銅器的斷代，貫徹了先生的康宮原則，銘文的釋文和白話翻譯等，都繼承和發揚了先生的學術成果。

　　兩岸故宮都能注意用考古學研究成果重新檢討原藏的大量傳世

品，得以細化了原有的斷代標識。用X射線顯像技術研究院藏青銅器，開闢了一個新的研究領域，北京故宮三件邲其卣過去曾有著名學者懷疑其中二祀、四祀卣為偽器，經1999年使用X射線檢測，肯定了它們的真實性和史料價值。台北故宮的春秋晚期庚壺早在乾隆年間就已著錄於《西清續鑒甲編》，但因銹蝕嚴重，讀出不到百字，銘文內容始終未得貫通釋讀，經使用X射線顯像技術檢測，可識出172字，其銘文的大意已可以讀通。

　　兩岸故宮青銅器藏品豐富並有著優良的學術研究傳統，其相關的展出，廣為世人矚目，已在兩岸產生了巨大的社會影響。

　　台北故宮於1959年出版《故宮銅器圖錄》、1997年出版《故宮銅鏡特展圖錄》。

　　北京故宮紫禁城出版社曾出版《故宮青銅器》（劉雨、丁孟主編，1999年）、香港商務印書館出版《故宮博物院藏文物珍品全集・青銅禮樂器》（杜迺松主編，2007年）、《故宮博物院藏文物珍品全集・青銅生活器》（杜迺松主編，2007年）。

四　陶瓷器

　　瓷器是中國先民發明並貢獻給人類的文明成果之一，其生產歷史至少已有3000多年。從現有的考古學證據看，從商代開始，原始青瓷就被源源不斷地輸送到帝國的宮室，開始和宮廷發生了關係。唐宋時期，鞏縣窯、邢窯與定窯生產的白瓷器，耀州窯、越窯生產的青瓷器，景德鎮窯生產的青白瓷器等，其中的精品曾被當作貢品輸入宮廷。其中，晚唐時期越窯生產的「秘色瓷器」和邢窯生產的

「盈」字款白瓷是專門為皇宮燒製的。從北宋晚期開始，政府開始設立專門的官府窯場從事生產，北宋汝窯、北宋汴京官窯、南宋修內司官窯和郊壇下官窯就屬於這類窯場。明清兩代，在景德鎮設立御窯，負責生產御用瓷器。這些努力，為歷代皇宮獲取大量的精美瓷器提供了可能。

明朝初年以後，瓷器開始被當作皇宮的收藏品【註1】。宣德三年（1428年）在內府的收藏中已經有宋代的柴、官、汝、哥、鈞等名窯瓷器，並被選為鑄造宣德爐的模型。明朝晚期，永宣時期生產的青花瓷器、成化時期生產的鬥彩瓷器也成為宮廷收藏對象。

到了清朝康熙時期，皇室對於瓷器的收藏，在傳世宋元瓷器名品外，明代晚期嘉靖、萬曆時生產的瓷器也成為新的蒐集重點。據《萬壽盛典初集》記載，康熙皇帝80大壽時，臣下上壽的瓷器幾乎囊括了在當時被視為至寶的宋元明各大名窯瓷器品種。乾隆時期，零星出土的瓷器開始被收集到皇宮，乾隆御製詩文記載【註2】，當年西征新疆的將士帶回了吐魯番出土的一件龍泉窯青瓷盤和在烏魯木齊出土的一件鈞窯碗。據《內務府奏銷檔》載，乾隆時期內府瓷器庫收藏的宋元明三代燒造的舊瓷器各釉色品種俱備，排列數十架【註3】；至於清代康熙、雍正、乾隆時期生產的御窯瓷器更是以萬計，「乾隆四十六年閏五月，清查磁庫黃冊，實存康熙年款圓器十四萬九千二百五十一

註1　據《宣德鼎彝譜》卷六，第42頁。

註2　乾隆御製詩：《詠龍泉盤子》、《題均窯碗》詩序。

註3　《清宮述聞》（初、續編合編本）引《春明夢餘錄》：「內務府六庫，六庫中磁庫庫內古磁如宋元明舊制者，排列數十架，色色俱備。」紫禁城出版社，1990年，第145頁。

件，琢器五千七百四十七件。雍正年款圓器九萬二千一百二十五件，琢器五千三十件。又查清冊，實存乾隆年款圓器十五萬一百八十二件」【註1】。

正因為有上述歷史沉澱和歷代皇帝的愛好與努力，最終才形成了清宮藏瓷的特點：即在清代御窯瓷器外，還擁有宋元明不同時期各大名窯的瓷器，從而使得古代陶瓷器和古代書畫、青銅器一樣，成為清宮廷收藏的三大類別和最重要的支柱之一。而今，清宮收藏的40多萬件瓷器雖然分藏在台北故宮和北京故宮兩地，但作為明清宮廷收藏的自然延續，兩岸故宮無疑都分別繼承了明清宮廷收藏的某些特色，並因新的入藏而各有發展。

台北故宮現收藏瓷器25,310件，其中23,780件為故宮及原屬中央博物院保管的古物陳列所的瓷器，在遷台瓷器中有99％來自清宮舊藏，均屬南遷文物中的精品。概括起來，台北故宮所藏瓷器主要有以下三個特點：

第一，台北故宮在瓷器收藏方面以珍稀聞名，尤以汝、官、哥、定、鈞宋代五大名窯瓷器為主，其品質與數量堪稱世界第一。如宋代汝窯瓷器，台北故宮收藏21件，占已知傳世汝窯瓷器總數的十分之一強。宋定窯孩兒枕，台北故宮就有3件。

第二，明清兩代御窯瓷器精品薈萃。明代官窯瓷器台北故宮收藏有6,788件，著名的成化鬥彩雞缸杯，台北故宮收藏有10件。總的來說，台北故宮在明代官窯瓷器收藏方面，不僅精美而且數量較大。清

註1　《清宮述聞》（初、續編合編本）引《內務府奏銷檔》，紫禁城出版社，1990年，第141頁。

代康熙、雍正、乾隆時期的御窯精品瓷器，也是台北故宮藏品的特色之一。如著名的康熙、雍正、乾隆時期的琺瑯彩瓷器，見於記載清宮舊藏共418件，台北故宮就收藏了300多件。

第三，見於清人圖譜的歷代名品重器，基本上都收藏在台北故宮。而這些精品很多是當年清宮的日常陳設品，曾見於清宮廷書畫中。如台北故宮收藏的汝窯橢圓花盆，就見於清人畫〈胤禛妃行樂圖軸〉，北京故宮只收藏有清代乾隆時期御窯廠的仿燒品。又如，乾隆五十二年（1760年）如意館畫成的瓷器、銅器冊頁共6冊（後改裝成8冊），其中與瓷器相關的《陶瓷譜冊》、《精陶韞古》、《埏埴流光》、《燔功彰色》四本圖譜及圖說的器物今均藏台北故宮。也就是說凡是當年見於清宮所編圖譜的著名器物，基本都收藏於台北故宮，這一點和《西清古鑒》、《續西清古鑒》、《寧壽鑒古》等書所錄的三代青銅器現今主要藏於台北故宮的情況相同。

但1949年遷台的瓷器，和其他各門類、各種質地的文物一樣，主要是以當時學術界的研究和認知水平為依據，挑選北平故宮博物院藏品中有特色及精美者。正如那志良先生所說：台北故宮瓷器「總數有2萬餘件，不為不多；歷代官窯畢備，不為不博。但有瓷而無陶，有官窯而乏民窯，至於清瓷，則嘉道以後，概付闕如」[註1]，此論雖然以陶瓷史為據，但也切中肯綮。

儘管如此，在對北宋汝窯、南宋修內司官窯和郊壇下官窯進行考古發掘以前，台北故宮不僅以收藏的宋代名窯瓷器富甲天下，而且長期在該研究領域具有世界領先地位，20世紀80年代以前該院在中外各

註1 《故宮四十年》第173頁。

博物館先後推出的以宋、明瓷器為主題的展覽，更是讓世人大開眼界，同時為學術同仁廣泛而深入地瞭解宋代各大名窯和明代御窯瓷器創造了條件。而台北故宮先後出版的多卷本《故宮宋瓷錄》（汝窯、官窯、鈞窯卷，定窯、定窯型卷，南宋官窯卷，龍泉窯、哥窯及其他各窯卷）、《故宮藏瓷》、《故宮瓷器錄》、《故宮清瓷圖錄》、《國立故宮博物院藏瓷》、《大觀：北宋汝窯特展》、《定窯白瓷特展圖錄》、《明代宣德官窯菁華特展圖錄》、《清康雍乾名瓷特展》等專題珍品集成圖錄和特展圖錄，尤其是對宋代瓷器的集中出版，均成為該領域的階段性總結之論。隨著考古學的發展，大陸的學者雖然在關於汝窯、南宋修內司官窯、郊壇下官窯、鈞窯和明代御窯廠及御窯瓷器的研究上因出土資料的優勢而近水樓台先得月，但台北故宮的學者也依舊據有相當的話語權。至於對清代琺瑯彩瓷器的研究，正如其出版的《清宮琺瑯彩瓷特展》、《清代畫琺瑯特展目錄》所展示的精品一樣，迄今為止台北故宮的學者對琺瑯彩器物本身的觀察、研究仍然居一流地位。

　　加強對院藏瓷器的繼續深入研究，是台北故宮的學者們長期的努力方向之一，尤其是對清宮舊藏宋元瓷器所產生的文化影響、瓷器和其他質地的藝術品間的關係、瓷器在皇宮收藏中的地位以及乾隆皇帝等人的收藏觀方面都做了有益的探討。同時，近年其研究方向也開始涉及廣泛的陶瓷史課題，基本上和內地陶瓷考古的發展方向保持著同步的勢態。如《蒙元宮廷中瓷器使用初探》【註1】一文就是利用近年

註1　施靜菲：《蒙元宮廷中瓷器使用初探》，《美術史研究集刊》第15期，2003年9月。

出土的元代瓷器並結合文獻對元代宮廷用瓷進行的有益探討。

北京故宮的收藏不僅是明清宮廷收藏的自然沿襲，而且由於建立在清宮廷的基礎上，所以其藏品包括了南遷文物以外的所有明清宮廷舊藏，再加上20世紀50年代以後進行的窯址調查和國家的調撥支持，逐漸形成了既帶有宮廷收藏特色又富有新意的自身特點，主要表現為以下六個方面：

首先，北京故宮收藏陶瓷器的數量共35萬多件（另還有近10萬件南遷的瓷器暫存南京），其收藏量居世界博物館之首。其中明清御窯瓷器超過30萬件，明以前的陶瓷器與明清民窯約5萬件。藏品囊括的文化內涵廣博，從新石器的彩陶、黑陶、紅陶，到商周的白陶、印紋硬陶、原始青瓷，漢魏六朝的青瓷、黑瓷，唐代南方青瓷北方白瓷的代表名品，宋代的各大名窯瓷器，元代的樞府釉、藍釉和青花、釉裡紅器，明清兩代的御窯瓷器，直到民國時期景德鎮燒造的居仁堂款的瓷器和湖南醴陵生產的瓷器，舉凡代表並貫穿中國古代陶瓷發展歷史的各時期、各地區、各窯場的實物，幾乎都有所收藏，時間跨度長達6,000多年，產地涉及全國20多個省市自治區，足以具體、系統地反映中國古陶瓷數千年的發展歷史。基於藏品特點，對院藏瓷器認知、研究、整理，一直是北京故宮的重點研究內容。近20餘年來，北京故宮的研究者陸續出版了大量展示北京故宮院藏瓷器精品的圖錄，如《故宮博物院藏文物珍品全集》（陶瓷部分11冊，其中香港商務印書館9冊，1996年起出版；上海科學技術出版社又增加了《紫砂》與《雜彩》兩冊，2008年）、《故宮博物院藏清盛世瓷選粹》（馮先銘、耿寶昌主編，紫禁城出版社，1994年）、《故宮博物院藏明初青花瓷》（耿寶昌主編，紫禁城出版社，2002年）、《故宮博物院藏

清代御窯瓷器（卷一•上下）》（耿寶昌主編，紫禁城出版社，2005
年）等、《清順治康熙朝青花瓷》（陳潤民主編，紫禁城出版社，
2005年）、《故宮博物院藏古陶瓷資料選粹（1～2卷）》（王健華主
編，紫禁城出版社，2005年）等，已成為研究者認知北京故宮藏瓷必
備的參考書籍。

　　從20世紀60年代孫瀛洲先生在《大公報》連續發表《元代瓷器
鑑定》開始，到20世紀80、90年代耿寶昌先生出版《明清瓷器鑑定》
（上冊〔明代部分〕，中國文物總店，1983年；下冊〔清代部分〕，
中國文物商店總店，1985年；紫禁城出版社，1993年）一書，21世
紀初李輝柄先生出版《中國瓷器鑑定基礎》（紫禁城出版社，2001
年），北京故宮幾代專家的論著一直代表著中國古代瓷器傳統鑑定的
最高水平。

　　第二，晚清御窯瓷器和特殊品類收藏，是北京故宮藏瓷的另一亮
點。明清官窯中的大器，由於搬運困難，南遷的甚少，北京故宮藏有
各類造型的明清大器1,380件，最大的清代粉彩大瓶高達150多公分。
在完全依靠手工拉坯的年代，製作陶瓷大器往往「十不得一」，其珍
貴程度可想而知。北京故宮收藏的乾隆御窯各色大瓷瓶和「大清乾隆
辛巳年製」各色釉漢式密檐佛塔，都是在一件器物上包括了當時御窯
廠能燒造的所有釉彩品種，屬高溫燒成後又多次低溫烘彩而成，對研
究當時御窯廠乃至整個景德鎮的生產工藝具有不可替代的作用。宜興
紫砂器，也是北京故宮收藏的特色之一，僅清宮舊藏就有150多件，
以茶器、文玩清供為主。《故宮博物院藏宜興紫砂》不僅展示了清宮
藏紫砂精品，也通過和現代工藝的有機結合揭示了紫砂器的生產流
程。由於南遷文物中少選嘉慶以後的瓷器，所以清代中晚期的官窯瓷

器大部分都收藏在北京故宮，現存嘉慶至宣統時期的御窯瓷器超過14萬件。這無疑是研究乾隆以後御窯生產歷史時惟一可以依據的第一手資料。尤其是大量宣統款御窯瓷器，其本身就說明此時的御窯廠雖已變為官督商辦的江西瓷業公司，但它仍舊承擔了燒造御用瓷器的任務，和皇室的特殊關係不曾改變。

第三，北京故宮還收藏有數量眾多的宮廷原狀陳設用瓷，除一般陳設用瓷外，還包括宗教造像、祭器、供器等。這些成套的帶有濃厚宗教色彩和宮廷儀規的瓷器，真實地反映了清宮生活的歷史原狀，是體現清代宮廷文化完整性的重要組成部分，對研究宮廷史有重要的作用。如乾隆十四年（1749年）燒造的瓷簠、簋、籩、豆、登、鉶、爵類禮器，器型仿三代青銅器，釉色有紅、黃、月白、青多種，圖像又見於《皇朝禮器圖式》，反映了雍正、乾隆之時宮廷祭禮器由銅器而轉化為瓷器的變化歷史。大量陳設在原狀佛堂內的瓷質七珍、八寶、法輪、五供、佛造像、漢式和藏式佛塔等，除其自身的文物價值外，在揭示清宮佛堂的陳設理念和宗教信仰方面均具有重要的意義。

還有反映晚清宮廷生活原狀的瓷器，如專為同治、光緒二帝大婚燒造的大婚用瓷，為慶祝慈禧皇太后生日慶典的萬壽用瓷及大雅齋款、體和殿款瓷器等，不僅可以從具體實物出發瞭解發生在清宮內的歷史事件，而且可以通過和清宮陳設檔的對比，研究晚清宮廷生活、室內陳設、帝后個人審美等。而這些特殊場所使用的瓷器的造型、花紋，也成了內涵豐富的宮廷文化的重要組成部分。

第四，北京故宮收藏有能夠反映清代御窯生產過程、窯廠變遷與改革歷史的圖像學資料、官樣及瓷器實物。

北京故宮收藏的雍正時期的製瓷圖冊頁，在八開圖畫中詳細描繪

了採料、粉碎瓷石與製泥、製造匣缽、蘸釉、拉坯、修模、繪畫紋樣、挑選瓷器的不同流程。其內容和乾隆八年（1743年）內府畫工繪圖、唐英奉旨配文的〈陶冶圖〉相同。

雍正七年（1729年）仿燒的「大清雍正年製」款仿官窯瓶和宋官窯大瓶原物，造辦處活計檔對這件事的記載是，雍正七年「四月初二日太監劉希文交來大官窯瓶一件。傳旨：做木樣交年希堯，照樣燒造幾件。欽此」。屬檔案、原樣和仿品齊全的特例。而100多張道光以後彩繪瓷器官樣，主要包括慈禧萬壽用瓷、體和殿款瓷器、大雅齋款瓷器和同治大婚用瓷器諸種，其中既有可以和傳世實物一一對應的，也有只存官樣而無實物的。其有樣無物者，既和當時窯廠的生產能力下降有關，也有官樣設計不合理的因素。如同治十三年（1874年）傳旨燒造的粉彩梅花鹿和仙鶴，由於在設計上有缺陷而沒能燒成，同年江西巡撫劉坤一專摺奏明原因並獲准免燒，至光緒二年（1876年）九江關監督沈保靖又具摺把原樣上交。如今沈保靖的奏摺和內府所發的仙鶴、梅花鹿原樣都收藏在北京故宮。這樣，通過檔案、瓷器實物、官樣三者的比較，就可以瞭解御用瓷器生產過程中內府與窯廠間的交流與互動，並全面地表述御窯瓷器的生產全過程。《官樣御瓷——故宮博物院藏清代製瓷官樣與御窯瓷器》（郭興寬、王光堯主編，紫禁城出版社，2007年）一書介紹的正是這一內容。

光緒二十八年（1902年）御窯廠改為官商合辦的江西瓷業公司，這是清代御窯性質的轉變和御窯生產歷史上的大事。文獻記載江西巡撫柯逢時曾於光緒二十九年（1903年）向清宮進呈機器製成的瓷器樣品，北京故宮收藏有「臣林世祺進呈」銘記的機器製白釉墨彩松竹紋杯樣品。這既是研究清代末年景德鎮瓷器生產中引進先

進技術的實物證據，也說明清代御窯廠在由官營實體轉變為官股商營的經濟體後，其生產仍處在皇室的制約下，對研究清代晚期的官營經濟極具參考意義。

第五，擁有大量的民窯瓷器，這不僅是北京故宮收藏的特色之一，而且是研究中國古代陶瓷史所不容忽略的部分。在近5萬件民窯製品中，除景德鎮的產品外，還有大量的瓷器來自德化窯、宜興窯、漳州窯、潮州窯、石灣窯等。有許多明朝晚期的景德鎮民窯瓷器精品，而具有代表性的順治、康熙青花、五彩瓷器就有2,500餘件。這對研究明代御窯停燒後景德鎮地區的製瓷技術尤為重要。

在上述各類瓷器之外，另有殘損瓷器9,000多件，傳世明清官民窯碎片35,000多片。利用此優勢，北京故宮於2005年建立了兩個標本室，供教學觀摩之用，使這些標本和資料充分為社會服務。

第六，集中收藏全國各地窯址的考古調查資料和考古發掘品，是北京故宮在傳世瓷器收藏外的注意點。從1930年代陳萬里先生調查龍泉窯開始，到1949年以後古窯址的科學考古工作在全國許多省市陸續展開，北京故宮不間斷地派出專家到全國各省市區的古窯址進行調查，這一工作現仍在繼續進行。此舉不僅為北京故宮收集了大量瓷器實物資料，而且影響著中國古陶瓷的研究方向。在此基礎上，馮先銘先生於20世紀80年代組織編寫《中國陶瓷史》（文物出版社，1982年），該書至今仍是關於中國古代陶瓷史最權威的工具書。粗略統計，北京故宮現共收藏有200多個古窯址的36,000餘件標本，這在中外博物館都是獨有的。在整理研究的基礎上已出版了《故宮藏傳世瓷器真贗對比歷代古窯址標本圖錄》（紫禁城出版社，1998年）、《故宮博物院藏中國古代窯址標本（卷一・河南卷・上下）》（馮先銘、李輝

柄主編，紫禁城出版社，2005年）、《故宮博物院藏中國古代窯址標本（卷二・河北卷）》（馮先銘、李輝柄主編，紫禁城出版社，2007年），已成為研究者認知古代各地窯址產品特徵的重要參考文獻。

　　同時，面對學術界日新月異的進步，以及古陶瓷研究中以考古學為主導方向的現狀，為了追趕學術的發展潮流並保持北京故宮在古陶瓷研究中的學術地位，北京故宮近幾年還加大了參與瓷窯址考古發掘的力度，先後參與了江西景德鎮麗陽鄉元明瓷窯址和浙江省德清縣火燒山原始青瓷窯址的考古發掘工作。這兩項發掘都是北京故宮在充分調查、論證後決定進行的，並取得了預期的成果：景德鎮麗陽鄉元明瓷窯址的發掘，首先豐富了對景德鎮地區元明民窯址分佈範圍的認識，其次是證實在明宣德時期前後景德鎮地區的民窯已成功地仿燒了哥窯和龍泉窯瓷，最後也是最重要的一點，是通過對出土瓷器的排比研究論證了古代瓷窯從事生產時器物的類別造型並不因釉色的不同而不同，這對陶瓷考古研究中的類型學排序尤其具有指示性意義。對德清縣火燒山原始青瓷窯址的發掘，既改正了以往對德清窯的偏面認識，也為研究燒造瓷質禮器的早期原始青瓷窯場的經濟形態提供了新的證據。以上成果見《江西景德鎮麗陽碓臼山元代窯址發掘簡報》、《江西景德鎮麗陽瓷器山明代窯址發掘簡報》（《文物》2007年第3期）等簡報及《德清火燒山原始青瓷窯址發掘報告》（文物出版社，2008年）。

　　同時，在中央政府的大力支持下，1949年以來，北京故宮先後從全國各地調撥不同時期、不同質地的考古發掘品以彌補博物院收藏的不足。僅就瓷器而言，最有代表性的就有河北景縣封氏墓地出土的北魏青瓷蓮花尊、河南濮陽李云墓出土的北齊武平八年（576年）的白

釉綠彩四繫罐、河北保定出土的元代青花窖藏中的青花釉裡紅開光鏤花大蓋罐、南京汪興祖墓出土的洪武四年（1371年）哥窯盤等，這些資料對研究陶瓷史均極為重要。

總之，台北故宮和北京故宮的藏瓷雖然都繼承了明清宮廷的一些特色，並均因新的入藏而有所發展、各有千秋，但就延續宮廷收藏的特點論又都有其不足。北京故宮收藏古陶瓷雖然有數量多、涵蓋面廣、歷史內涵豐富的明顯優勢，但某些反映宮廷舊陳的瓷器和宮廷的傳世收藏已離開了紫禁城的原存地，物去景非，當是其最大的遺憾；而台北故宮所藏瓷器主要來自清宮舊藏，雖然以品質精美見長，但其品種難免欠缺，尤其是缺少晚清御窯瓷器、民窯瓷器和新的考古發掘品，侷限性也顯而易見。我們期待著通過兩岸故宮更大範圍的交流，從而使得明清宮廷舊藏瓷器作為一個有機的整體，和新的考古發掘品一起再次煥發出青春的活力，向世人全面展示其富含的歷史信息與文物價值。

五 玉器

玉器，指用玉石雕琢成的各種器物，也稱「玉雕」，為中國著名的特種工藝之一。新石器時代晚期即有玉製工具，許多玉器是從玉工具發展而來的，至殷商時代已大量製作禮儀用具和各種佩飾。玉器在中國的用途非常廣泛，在政治、經濟、文化、思想、倫理道德、宗教信仰上都發揮過其他藝術品不能取代的作用。從玉器始創至成熟時期，其造型、紋飾及內涵無不與神靈和禮儀有關，甚至對玉料本身亦賦予許多人格化了的「德」的觀念，要求「君子比德於玉」，規定

「君子無故玉不去身」，這也是其長期發展、經久不衰的重要動力。

中國古代玉器經過漫長歲月的發展，形成了獨立的用玉體系和傳統。明代晚期，隨著商品經濟的發展，玉器業空前發展，玉器的使用與收藏已相當普遍。清代以後，尤其是乾隆時期，經濟文化的發展，皇帝的崇尚，加上乾隆二十四年（1759年）平定了新疆地區的動亂，新疆玉料得以大量進入宮廷，解決了長期阻礙玉器發展的原料問題，宮廷玉器生產出現繁榮局面。乾隆時期宮廷也更重視古玉的收集。這一趨勢，一直持續到嘉慶時期。清後期，民間製玉業發展，玉器生產的重點自宮廷轉到民間。

台北故宮現有玉器11,763件，其中屬於南遷文物中的玉器為3,894件，占到33％，其餘67％是到台灣後徵集的。

多年來，台北故宮重視玉器的徵集，特別是充實了一批新石器時代的作品。總的看來，種類比較豐富，各時代也都有一些精品，如史前時期的鷹紋圭、人面紋圭及勾雲形佩、商代的鳥紋佩、西周的玉龍鳳紋飾件、漢代的玉辟邪、唐玄宗玉冊、宋真宗玉冊、遼代的玉龍紋盤、元代的玉蓮瓣大盤、明代的「三連環」及清代的翠玉白菜、乾隆時期的玉鳩杖首等。

明代有褐黃斑的青玉質「三連環」是一件極富深意的玉器：三環平疊時，形成一件圓璧，內圈雕象徵天空的太陽、雲彩、星斗，外圈雕象徵大地的山嶺與海水，中圈則以龍紋代表人間君主。三個圓環也可像渾天儀般地做立體交叉狀。這是對天、地、人所謂「三才」者為一體的觀念的具象化。

清乾隆年的「玉鳩杖首」，分為三層，底層為一羊首，中層為一中空之C形，類似《西清古鑑》所載之「舞戚」，上層為一鳩鳥，口

中含珠，鳥羽琢碾細膩，纖毫不苟，因此為乾隆皇帝所喜愛。在其
「舞戚」部分及所附木座底，均細刻乾隆三十九年（1774年）為之吟
詠的御製詩。

「翠玉白菜」是19世紀用被稱為「雲南綠玉」的玉料所製，工匠
利用玉料原來的色澤分佈設計成形。菜葉上一隻較大的螽斯與一隻較
小的蝗蟲，都是繁殖力旺盛的昆蟲。整體設計蘊含了「清」「白」、
多子多孫的內涵，正是父母對出嫁女兒的期盼。由於它屬永和宮中陳
設，一般推估當是該宮主人瑾妃的嫁妝。這件作品與「肉形石」，都
是人氣很旺的文物。

北京故宮藏有玉器28,461件（不包括許多因附於其他器物而作為
附件收藏的玉器），是世界上收藏中國古代玉器最精美、最全面的博
物館，包括了中國各主要朝代玉器中的精品。這些玉器來源於清宮遺
存及建院後的徵集，其中清宮遺存數量最大，占到80％。因此，清代
宮廷玉器除台北故宮有一定數量收藏，以及有少量流出宮外，絕大多
數宮廷玉器都收藏於北京故宮，論數量之多，種類之全，製作之精，
品質之優，在國內外博物館當為首位。

中國古代玉器發展大致劃分為史前時期、商周、春秋至南北朝、
唐至明、清等幾個階段，北京故宮收藏有各階段的作品，數量大，品
種多，且精品亦多。

目前發現的史前時期玉器，以東北，華東、華南、江漢地區、西
部地區的玉器最為著名，北京故宮藏有上述各地區玉器的重要作品。
紅山文化玉器有宮廷遺藏的玉獸頭玦、玉鷹，表明紅山文化玉器在清
代已被發現、收藏。良渚文化玉器有大小玉琮數十件，還有玉璜、錐
形器、獸面嵌飾，珠管等，多數都是宮廷收藏，一些作品帶有乾隆題

詩。收藏的鷹攫人首佩、飛女佩、獸面紋圭，與台北故宮收藏的人面圭、鷹紋圭都是學術界研究關注的重要玉器。北京故宮還藏有一批西部地區史前時期，包括齊家文化玉器在內的玉琮、圭、刀、璧、璜，應是收藏這類作品最多的博物館。

1987年安徽省含山縣發現的淩家灘遺址是一處新石器時代遺址。其所反映的文化內涵晚於同一地域的河姆渡文化而早於良渚文化。淩家灘遺址出土了197件陶、玉、石器，北京故宮收藏了104件玉、石器，其中玉龜殼為龜背甲、龜腹甲組合，其間夾有飾紋玉版，玉板為長方形，一面刻有圖案，圖案為圓環，向四面放射箭頭，表示的含義非常重要。還有玉匙、玉整體直立人、環套合璧、多孔玉璧、雙虎首玉璜等，玉匙與現代湯匙相似，加工精緻，均為極其珍貴的文物，引起考古界的高度重視。

北京故宮藏有商代玉器近1,000件，多為20世紀50、60年代入藏，主要是殷墟玉器發現後的流散文物，玉戈，動物形佩，柄形器，斧鉞，種類樣式繁多，包括了這一時期玉器的主要門類。所藏片狀玉人，是已知商代玉器中僅有的數件作品之一。中心帶有通孔的玉牛、玉龍，屬立體造型玉器，這類作品在商代玉器中也是非常少見的。玉刻銘鳥形佩，為傳世刻銘精品之一，極為珍貴。其銘「蔺阫」二字，可能是器物主人的名和官職。商代玉器中，此為首次見有刻文字者，所見字體與甲骨文、金文同。

春秋戰國玉器把玉器的製造使用及人們的追求推向新的高度，以玉料優良、製造精緻著稱。北京故宮收藏的這一時期玉器中，有一級文物近200件，這在單一年代玉器收藏中是非常罕見的，其中尤以安徽長豐楊公鄉戰國墓出土玉器為代表的考古發掘品及清宮舊藏古玉，

是春秋戰國玉器的代表作品。所藏戰國玉燈,用上等白玉製成,燈盤飾雲紋,燈柱有粗細變化,上端為玉蘭花蕾,底足飾柿蒂紋,精緻至極,為存世孤品。寬14.2公分、直徑11.5公分的玉螭鳳雲紋璧,新疆和田白玉製,璧兩面各飾勾雲紋六周,勾雲略凸起,其上再著陰線成形,璧孔內雕一螭龍,螭龍為獸身,獨角,身側似有翼,尾長且飾繩紋。璧兩側各飾一鳳,小頭而長身,頭頂長翎卷出旋孔,長尾下垂,玉璧之間有鏤孔。這件玉璧是目前已知戰國玉璧中最為精緻的作品。

北京故宮收藏漢代玉器的數量很大,且多有精品。漢代玉酒樽為清宮所存,玉色鮮活,通體文飾,毫無傷殘,目前這類作品傳世僅少量幾件,此即其一。漢魏動物型玉雕,在造型藝術上有巨大成就,作品雄壯、威武,是歷代玉器收藏者追逐的對象,但已知存世作品不過30件,北京故宮藏有漢代玉馬、玉羊、玉鳩及4件以上玉辟邪,多為清宮遺物。

唐代玉器的主要品種,北京故宮都有收藏。在已發現的唐代玉器中,玉杯的存世量極少,非常珍貴,收藏的唐代白玉人物紋舟型杯,形像生動。收藏的青玉單柄瓜棱杯,造型、花紋、工藝都具唐代玉器特點。收藏的唐代佩玉,以玉梳、玉飛天最為有名。唐代人重視梳具,玉梳便是其中珍品,其薄如紙,極易損壞,傳世較難,北京故宮所藏的作品為目前僅見。

宋以後,玉器大規模流行,隨葬玉器相對減少,目前考古發掘到宋、遼、金、元玉器數量不大,多數作品流傳於世。北京故宮收藏的這一時期玉器,是明清兩代皇家數百年的搜集,數量巨大,作品有器皿中的各類杯、盞、托、盤,仿古銅玉器,玉禮器,玉掛墜,玉嵌

飾。除玉器庫房外，器皿紐柄、器物裝飾、匣蓋、如意、家具鑲嵌等大量使用，花樣層出不窮。收藏的雙鶴銜草玉飾件，是北宋末年玉雕最為精美的作品。收藏的宋代玉雲紋獸吞耳簋式爐，樣式仿古，花紋時樣，內底有乾隆刻詩，極為珍貴，北京故宮是這一時期玉器的最大寶庫。

北京故宮所藏明代玉器近5,000件，多屬清宮所存明代宮廷遺物，應是現存明代玉器最重要的組成部分。主體作品為禮器、日用品、陳設品、仿古玉器。陸子剛是明晚期的治玉名家，形成字號品牌，明、清、民國甚至當代都製造了很多「子剛」款玉器，但子剛真品極難尋覓。北京故宮藏有較多數量的明代及清代所製的「子剛」款玉器。

北京故宮是清代宮廷玉器的主要收藏地，所收藏的宮廷玉器品類齊全，並包括了各品類中的精品，愛好者、研究者要想瞭解清代宮廷玉器的有關情況，必須瞭解北京故宮藏玉。

北京故宮所藏清宮玉器主要品種如下【註1】：

（1）典章用玉。有璽、冊、編磬、特磬、圭、璧、爵、太平有象、香亭、大型用端、嵌玉寶座和屏風。

（2）宗教祭祀用玉。有佛像、觀音、羅漢、彌勒、佛鉢、鈴、杵、五供、七珍和八寶等。

（3）陳設用玉。有大型玉山、大型玉甕、插屏、山子、大型犧尊、玉瓶、花插、奩盒、瓶盒爐、花薰、辟邪、鼎、爐、如意、懸

註1　張廣文主編：《故宮博物院藏文物珍品全集・玉器（下）》，「導言」，香港商務印書館，1995年，第25～26頁。

鐘、懸磬、人物雕像和動物雕像。

（4）文具。有筆、硯、墨床、筆架、筆山、筆筒、水丞、硯滴、臂擱、鎮尺、印盒、筆洗、書鎮、象棋、圍棋和押手等。

（5）生活用具。有執壺、杯、盤、碗、托杯、角杯、觥、椎胸、癢撓、杵臼、箸、香插和煙燭台。

（6）佩飾。有仿古雞心佩、宜子宗佩、夔龍佩、龍鳳佩、蚩尤環、鹿盧環、成組掛佩、十二辰佩墜、月權杖組佩、夔龍頂方牌子、齋戒牌、扳指、玉鎖、翎管、花囊、香囊、雜佩、髮簪、扁方、手鐲、帶飾、人獸小墜和其他造型獨特的佩件。

（7）仿古玉。有方觚、簋簠、鼎、甗、豆、鈁壺、碧玉大斧、仿新石器時代圭、瑁、仿古玉人、虑傂玉尺、仿宋明玉杯、仿古佩玉和仿古玉獸。

（8）仿痕都斯坦玉器皿、刀靶、鏡靶。

北京故宮所藏清宮玉器還有以下特點：

（1）北京故宮藏有清代歷朝玉器，雍正以後各時期的製造年款玉器。

（2）北京故宮藏有系統的清代玉冊及寶璽。清代帝后璽印除個別流失，整體上仍藏於北京故宮。北京故宮藏有玉冊數百函，是現存清宮玉冊的主體。

（3）清代宮廷的大型用玉，主要藏於北京故宮。有大玉山、玉組磬、大玉甕、大玉瓶、玉屏風等。有些大型玉器是世所罕見的。「大禹治水」玉山，立體圓雕，依玉料之形琢製成氣勢雄偉高大的玉山。據清宮檔案記載，此山玉料原重10,700斤，是於冬季在道路上潑水結冰，用數百匹馬拉、近千人推，經3年時間才從新疆密勒塔山

運到北京。畫匠設計了正面、兩側三張畫樣，先做蠟形，因怕熔火又改做木樣，一併經水路運往揚州琢製。成器後，又經水路運回紫禁城。造辦處玉匠朱永泰等鐫字後，置於樂壽堂，前後共用10年時間。這是迄今世界上最大的玉雕藝術品，它凝聚了數千人的血汗和智慧，是一件不朽的傑作。還有「南山積翠」玉山，也是製成後即安放於外東路樂壽堂內，至今未移動過；另外還有「會昌九老」、「秋山行旅」兩件玉山，重量亦為數千斤。以上4件大玉山，皆為乾隆時期製造。

北京故宮藏有多組宮廷使用的玉特磬、玉編磬。編磬一組16面，是演奏清宮雅樂的重要樂器；特磬一組12面，按月使用，每月用一面。清代宮廷的玉磬較明代以前的作品體積大，音量充沛。這些特磬和編磬，所用玉料較好，而且較大，不能有柳裂，否則會影響磬的音色。宮廷需要玉磬多，清廷便派專員赴新疆採辦。乾隆四十一年（1776年）「太監胡世杰傳旨：問鄒景德……挑得玉磬料有了無有。欽此。隨據鄒景德說銀庫內之玉，足做編磬者有，但顏色玉情不或一，又兼具有柳道石性，俱使不得等語。回奏。奉旨：著傳與額附福，將從前跟德魁去過之人派往葉爾羌辦玉磬料。欽此。」【註1】由此可見製造的不易。清宮檔案多有製造大玉甕的記載，少量散失，北京故宮尚藏有多個玉甕，最大者為樂壽堂所擺放雲龍甕。

（4）清代宮廷器皿是宮廷玉器的精品，不少博物館也有收藏，但北京故宮則不僅精品更多，且種類很廣，樣式齊全。例如白玉桐陰

註1　引自清宮造辦處《各作成做活計清檔》。

仕女圖就是一件難得的珍品，是用一塊玉子，就其天然形體琢成的。底有乾隆御製詩一首並序。序中敘述，這是一塊做玉碗取坯後剩下的廢材，取其玉質溫潤，在造辦處當差的蘇州玉匠利用廢材，精心設計製造的一個玉山子。在中間琢成一個洞門，四扇屏門，中間半掩，門外一人拈花，門內一人捧盒，內外相望。用玉子表面赭色的皮部做桐、蕉、山石，用潔白部分做石桌、石凳，是一件巧作的精品【註1】。

台北故宮出版《故宮古玉圖錄》（1982年）、《新石器時代玉器圖錄》（1992年）、《故宮環形玉器特展圖錄》（1995年）、《群玉別藏》（1995年）。

北京故宮出版了《故宮藏玉》（紫禁城出版社，1996年）、《故宮博物院藏文物珍品全集‧玉器（上中下）》（上、中，周南泉主編；下，張廣文主編，香港商務印書館，1995年）。

六 銘刻類文物

銘刻類文物包括刻石、畫像石與畫像磚、墓誌、甲骨、璽印封泥等五個方面，台北故宮除過璽印有一定收藏外，其餘數種應為北京故宮的特有收藏。

1.刻石

刻石類文物最重要的是石鼓。石鼓是人所共知的國寶。乾隆皇帝欽定的《日下舊聞考》共160卷，其中有關石鼓的考證附錄就占了

註1　參閱朱家溍主編《國寶一百件》，生活‧讀書‧新知三聯書店，2006年，第218頁。

3卷。石鼓為10塊圓柱形巨石，形狀若鼓，故名。每石各刻詩一首，詩的內容記敍貴族遊獵，所以也稱「獵碣」。對其製作年代歷來說法不一，近代馬衡、郭沫若認為是戰國時秦國物。石鼓銘文佈局講究，書體圓融渾勁，整肅端莊，不僅有著史料價值，在書法史上尤占有極為重要地位。它的發現與保存歷經曲折。唐代發現於今陝西鳳翔，其名初不甚著，自韋應物、韓愈作《石鼓歌》以稱頌，爾後大顯於世。經五代戰亂，10面石鼓失散，到宋皇祐四年（1052年）才又收齊，後移到當時京都開封，金人破宋，輦歸燕京（今北京），元代移到文廟戟門內，明清兩朝相繼把石鼓陳列於國子監、文廟大成門內。抗日戰爭中，這些石鼓也隨故宮文物南遷，顛沛流離。現北京故宮專設「石鼓館」對外陳列展出。

除石鼓外，北京故宮所藏其他刻石類文物553件套，包括我國歷史上各時期的碑刻、石經（幢）、塔銘、造像（座）、黃腸石、石棺、井欄、墓鎮等石刻題記。有重要價值的刻石不少，其中有些被列為國家一級文物，例如：

清末陝西西安出土的東漢「朝侯小子碑」隸書體碑文，為存世漢碑中的精品。

1934年出土於山東省東阿縣西南鐵頭山的東漢「薌他君石柱」，立於東漢桓帝永興二年（154年），刻石文字書法自然，體現了東漢隸書的一種風貌。漢代題刻石柱存世較少，如此件刻石文字內容豐富、畫像雕刻精美者，尤為少見。

清道光間被發現的東漢隸書體碑刻「漢池陽令張君碑」，存字宛如新刻，書文刻字極有勁力，是漢碑代表作之一。碑文所載主人為《後漢書·孝桓帝紀》載漢廷誅大將軍梁冀后，以功封七亭侯之一的

張敬。

　　道光二十三年（1843年）出土於陝西西安南門外的三國時期魏國的「曹真碑」（當時已殘斷，只剩下此段中部），碑文內容極為重要，是存世漢碑中的精品，百餘年來有十餘家考證。

　　三國時期魏國的遺刻「三體石經」殘石，古篆、小篆與隸書三種書體刻同文。三體石經史籍中原稱「三字石經」，後稱「魏石經」或「正始三體石經」，是以《尚書》、《春秋》、《左傳》為內容的石刻。北京故宮所藏「三體石經」殘部，銘文為《尚書‧周書‧君奭》內容。三體石經遺存的文字書體，至今仍是研究文字與書法的珍貴實物資料。

　　舊傳河南洛陽出土的西晉時期碑刻「當利里社碑」，則是研究當時里社組織及銘刻的重要碑刻實物。

2.畫像石與畫像磚

　　北京故宮所藏畫像石與畫像磚共335件。

　　畫像石是一種雕刻有圖像的石質建築材料，這種石材通常用來砌築墓室，有畫像的石材多集中在墓門、橫樑等處。畫像石雕刻分陰線刻、浮雕、透雕三種。畫像石依照出土地點與雕刻風格的不同而劃分為山東地區、徐州地區、南陽地區、四川──重慶地區、陝北與晉西南地區五大區域。畫像磚與畫像石一樣，也是墓室建築的一部分，它以陶土為原料，在製好的模型上壓印出圖像與圖案。河南、四川、重慶等地出土數量最多。

　　北京故宮所藏畫像石、畫像磚，涵蓋了上述各主要出土地點，特別是陝北與晉西南出土者不僅數量較多，內涵也相當豐富，郭季妃墓與郭仲理墓等，都有明確的墓主人記載。山東出土的二桃殺三士畫像

石與周公輔成王畫像石，歷史故事引人入勝，並帶有濃郁的地區特色。隋唐時期的人物與動物磚雕，出自湖北武漢等地的科學考古發掘，是當時喪葬習俗的真實反映。宋代的二十四孝磚雕，更重視孝道在意識形態與社會生活中所起的作用。

3.墓誌

墓誌類文物為歷代墓誌銘，包括石刻墓誌與高昌磚誌兩部分。北京故宮所藏此類文物390件套，其中石刻墓誌265件套，高昌磚125件套。

石刻墓誌包括西晉、隋、唐、宋、元、明清之物，是研究當時職官、地理、歷史事件最直接的材料，為文獻研究的重要補充與第一手資料。其中1919年河南洛陽城北馬坡村出土的西晉永嘉二年（308年）「晉尚書征虜將軍幽州刺史城陽簡侯石尠墓誌」與「處士石定墓誌」同刊同出，殊屬難得，為國家一級文物。1919年河南洛陽城北出土的「魏徵東大將軍大宗正卿洛州刺史樂安王元緒墓誌銘」，刊刻內容追敍元緒先人的蹤跡及其本人的德行與宦績，極具史料價值；「魏故衛尉少卿諡鎮遠將軍梁州刺史元演墓誌銘」刊載了北魏道武帝拓跋珪的後裔，文成帝拓跋濬之孫，太保冀州刺史齊郡諡順王拓跋簡長子元演的簡評，書法價值極高，內容亦為史籍之重要補充。還有北魏孝昌二年（526年）「魏武衛將軍征虜將軍懷荒鎮大將恒州大中正于景墓誌銘」等。這些誌石皆為北魏皇族顯貴墓誌中的精品，行文法度及刊刻精良，後世誌石罕有其匹。

高昌磚誌為高昌國至唐、五代時期高昌地區特有磚質墓誌。高昌最初為古城名，公元460年闞伯周始建立高昌國，高昌國歷史中統治時期最長的是麴氏家族，自公元499年麴嘉為王，傳9世10王141年，

公元460年終為唐朝所滅。20世紀30年代初由黃文弼先生主持，在新疆吐魯番雅爾湖進行考古發掘，出土了一批高昌文物，其中有一類舊稱高昌磚，實際就是陶質的墓誌銘，內容時間跨度在6世紀前葉至8世紀初。高昌墓誌銘內容簡約，多以墨跡朱跡直接書寫銘文，也有刻字或刻字後填色。由於該地區特殊的地理條件和氣候原因，書文至今仍清晰可辨。高昌墓誌不僅是墓誌研究的重要內容，同時也是珍貴的書法遺存。

4.甲骨

北京故宮所藏甲骨為殷商占卜記事的有字甲骨，皆是19世紀末以來，出自殷墟，即今河南省安陽市西北五里的小屯村。殷墟為殷商時代（公元前14～前11世紀，從盤庚遷殷至紂滅，共273年，歷8世12王）的王都遺址。現在流傳於世的殷墟刻辭甲骨，總計約100,000餘片。故宮所藏約4,000片，來自加拿大人明義士和馬衡、羅振玉、于省吾等的收藏，其中一部分分別著錄於《殷虛書契續編》、《卜辭通纂》、《殷契佚存》、《殷契拾掇》、《殷契拾掇二篇》、《甲骨文合集》等書。

北京故宮所藏甲骨，許多銘文內容十分重要。從殷商世系講，包括了武丁、武乙、文丁、帝乙、帝辛各期；從占卜內容講，保留了殷王社會活動和日常生活的諸多方面的史實。歷史學、經濟學、天文學、氣象學、歷史地理學、語言文字學、古醫學、戰史學等多種學科都能從中找到寶貴的原始資料。例如：殷王武丁貞卜婦娸患疾刻辭龜甲，器形、內容皆很完整；而武丁占問攻戰刻辭卜骨，反映了準備5,000人征戰的大規模用兵；殷王武乙、文丁、帝乙連貫世系的占問祭祀先公先王卜骨，反映了重要的世系內容；殷王帝辛

（即紂王）刻辭卜骨，則反映了殷商末期刻辭的形式與最後存在的商代占卜行為。

5.璽印封泥

北京故宮收藏古代璽印數量眾多，品類亦較全，官印和私印兩大門類均成系列。古璽印發展史上所呈現的戰國、秦漢南北朝、隋唐以後三個階段，北京故宮都有代表作品收藏。尤其是明清兩代皇室御用璽印、閒章與文人篆刻流派私印，是占有優勢、獨具特色的藏品門類，許多作品至今尚未公諸於世。

除過明清帝后璽印，北京故宮所藏璽印與封泥文物總計21,436件套。其中璽印類文物為自戰國至民國各個時代的多種質地與形制的官、私璽印；封泥類文物為兩漢時期封緘物，泥質戳記。

北京故宮收藏的璽印，從戰國迄於近現代，各個歷史時期的印章十分全面，品類之多，內容之富，收藏之全，舉世矚目。能有如此規模，一是清宮舊藏，目前除千餘件庋藏台北故宮外，其餘仍基本完整地保存於北京故宮；另一個重要原因，則是從社會的徵集以及收藏家的熱情捐獻，數十年來，捐獻者凡22人。例如，著名收藏家陳漢第先生，舊藏古印上起戰國，下至宋元，尤以兩漢和魏晉南北朝官私印章為主流，曾收錄於《伏廬藏印》、《伏廬藏印續集》。1945年，其藏印500方進入故宮博物院收藏，是故宮接受捐獻時間最早、數量最大的一批古代印章。後經鑒定，屬於國家珍貴文物的就有11方之多。其中如秦官印「右公田印」，魏晉政權頒予少數民族的「魏率善氐佰長」、「晉率善羌仟長」駝鈕銅印，北朝龜鈕銅鎏金「城紀子章」、「安北將軍章」等，都是在多方面具有重要意義的官印遺珍。陳介祺先生是晚清文物收藏大家，其金石文物收藏被海內推為第一，其戰

國、秦漢璽印，規模空前絕後，自稱藏室為「萬印樓」，有著名的古印璽巨著《十鍾山房印舉》傳世。陳氏藏印後多轉入北京故宮博物院，總計達數千方之巨。1956年，陳元章先生又將陳介祺自用印70方全部捐獻。王承詩女士1991年向北京故宮捐獻歷代印章文物125方，可列入魏晉南北朝官印系列的有「魏率善羌佰長」、「魏烏丸率善佰長」、「晉匈奴率善佰長」、「晉率善胡邑長」駝鈕銅印，晉「振武將軍章」、「騎督之印」龜鈕銅鎏金印，南北朝「將兵都尉」、「奉車都尉」龜鈕銅印。可列入漢晉私印系列，且印文、鑄造皆精者，則有漢代單面印、雙面印、套印，魏晉辟邪鈕套印、六面印；又有形式多樣的元押等。內容之豐富，令人歎為觀止。

北京故宮的歷代璽印，還包括吳式芬的「雙虞壺齋」藏印、陳寶琛的「澂秋館」藏印，以及徐茂齋、黃濬等人的收藏，還有經國家文物局收購名家藏印入藏故宮者不下數千件之多。遂使北京故宮成為全國古印的淵藪，包括戰國時期齊、楚、燕、韓、趙、魏、秦各個國別的官私璽印；秦統一後的官私璽印；西漢、新莽、東漢、魏晉南北朝時期的官私璽印，包括從朝官、地方州縣、封爵、將軍、武職、特設官職、頒行的少數民族官印；唐、宋、五代官印，遼、金政權官印；元朝官印、私押；明清兩代官印（不包括明清帝后璽印）；清代以至民國時期的篆刻流派印與石章，等等。所藏印章的系統性，完整性，為其他博物館所不及。數十年來，凡有關古璽印研究、介紹與重要出版，皆不能離開北京故宮的收藏。

北京故宮的璽印，文物出版社曾出版《故宮博物院藏古璽印選》（羅福頤主編，1982年），紫禁城出版社出版《凡將齋印存》（馬衡印譜，1990年）、《故宮藏明清流派印選》（2005年）、《金石

藝術家書友卡

感謝您購買本書,這一小張回函卡將建立
您與本社間的橋樑。我們將參考您的意見
,出版更多好書,及提供您最新書訊和優
惠價格的依據,謝謝您填寫此卡並寄回。

1.您買的書名是: _____

2.您從何處得知本書:

　□藝術家雜誌　□報章媒體　□廣告書訊　□逛書店　□親友介紹

　□網站介紹　□讀書會　□其他

3.購買理由:

　□作者知名度　□書名吸引　□實用需要　□親朋推薦　□封面吸引

　□其他 _____

4.購買地點: _____ 市(縣) _____ 書店

　□劃撥　□書展　□網站線上

5.對本書意見: (請填代號1.滿意 2.尚可 3.再改進,請提供建議)

　□內容　□封面　□編排　□價格　□紙張

　□其他建議 _____

6.您希望本社未來出版? (可複選)

　□世界名畫家　□中國名畫家　□著名畫派畫論　□藝術欣賞

　□美術行政　□建築藝術　□公共藝術　□美術設計

　□繪畫技法　□宗教美術　□陶瓷藝術　□文物收藏

　□兒童美育　□民間藝術　□文化資產　□藝術評論

　□文化旅遊

您推薦 _____ 作者 或 _____ 類書籍

7.您對本社叢書　□經常買　□初次買　□偶而買

藝術家雜誌社　收

100　台北市重慶南路一段147號6樓

6F, No.147, Sec.1, Chung-Ching S. Rd., Taipei, Taiwan, R.O.C.

Artist

姓　　名：　　　　　　　　　　性別：男□ 女□ 年齡：

現在地址：

永久地址：

電　　話：日／　　　　　　　手機／

E-Mail：

在　　學：□ 學歷：　　　　　　職業：

您是藝術家雜誌：□今訂戶　□曾經訂戶　□零購者　□非讀者

客戶服務專線:(02)23886715　E-Mail: art.books@msa.hinet.net

千秋──故宮博物院藏二十二家捐獻印章》（2007年）、《古璽印考略》（羅福頤，2008年），香港商務印書館出版《故宮博物院藏文物珍品全集‧璽印》（鄭珉中主編，2008年）。

　　台北故宮所藏歷代官私銅印1,600多件，主要是《金薤留珍》所收的一批古銅印。清宮藏古銅印一匣，內貯古印1,290餘方，乾隆時將之排比分類，並鈐拓成譜，名為《金薤留珍》。1926年，故宮博物院曾鈐拓此印譜24部，限量發行。另有捐贈與寄存的近現代篆刻作品、竹木牙石角章610多方，以及原中央博物院早期購藏的兩方中國最早的商代銅璽。1998年，台北故宮出版《故宮歷代銅印特展圖錄》。2007年，台北故宮舉辦「印象深刻──院藏璽印展」，亦出版了圖錄。

　　封泥也稱「泥封」。中國古代公私簡牘大都寫在竹簡、木札上，封發時用繩捆縛，在繩端或交叉處加以檢木，封以黏土，上蓋印章，作為信驗，以防私拆。封發物件，也常用此法。這種鈐有印章的土塊稱為「封泥」。主要流行於秦、漢。魏晉以後，紙張盛行，封泥之制漸廢。

　　北京故宮藏封泥類文物345件，其中300件屬官印，其餘屬私印。時代為兩漢、魏晉、南北朝時期。在璽印學分期斷代方面，這正是一個相對獨立的時期。北京故宮藏封泥類文物，涉及到這一時期的王國、侯國等封爵內容，中央多個機構職官，地方行政州、郡、縣、鄉職官，將軍名號與武職屬官，國家特設官與頒賜少數民族職官，姓名私印和宗教印等。其中尤以較多的地方行政職官內容為特點，地望涉及國家的廣大政區，以較大的郡域劃分，就有會稽、丹楊、九江、豫章、廬江、南郡、汝南、河內、南陽、濟南、即墨、

東郡、琅邪、上谷、常山、上黨、五原、漁陽、遼東、巴郡、蜀郡、廣漢、漢中、天水、安定、武都、西河、酒泉等等。我國漢代官印收藏，郡太守和州刺史的實物印章傳世並不多，故宮收藏的這批郡太守封泥約有30餘方，是當時郡太守官印的真實遺存，品相比較完好。我國早期璽印以其多個方面作為文物而存在，尤以實物文獻、文字體現其珍貴內容，而當實物在歷史上遺佚後，封泥就成為極重要的遺蛻實物。北京故宮所藏封泥的原印，多已不存於世，因而這批封泥就相當珍貴。

北京故宮藏封泥的來源，一是國家撥交；二是本院陸續收購；三是個人捐獻。1898年吳式芬、陳介祺的《封泥考略》（1904出版）、1931年吳熊輯《封泥彙編》、1934北京大學研究院文史部輯《封泥存真》中提及的封泥，其中有相當多現藏北京故宮。

七　其他工藝類文物

所謂其他工藝類文物，是指古書畫、碑帖、陶瓷器、青銅器、玉器之外，諸如漆器、琺瑯、玻璃、竹木牙角雕刻，以及筆墨紙硯等文物。北京故宮也稱這些文物為「雜項」，台北故宮現把「雜項」稱為「珍玩」。台北故宮收藏的這類文物約25,000餘件（其中少部分列入「宮廷類文物」及「宗教文物」介紹）。

北京故宮收藏其他工藝類文物（包括陶俑）約13萬件。可細分為16種，其中漆器、琺瑯器、古代文具、竹木牙角雕刻、如意、成扇、鼻煙壺等7種，北京故宮與台北故宮多有相似之處，但北京故宮所收藏的各個類別的數量以及精品則更多一些。另外石器、陶俑、玻璃

器、金器、銀器、銅器、錫器、盆景、匏器等9種，則為北京故宮富
有特色的收藏，台北故宮即或有個別種類的藏品，但也為數極少。

1.漆器

漆器是中華民族的發明創造之一，早在7000年前的浙江餘姚河
姆渡文化時期中國先民就發明並開始使用漆器。在漫長的歷史長河
中，漆器一直在發展壯大，到明代隆慶年間已有14大類，101個品
種，形成千文萬華的局面。兩岸故宮收藏的漆器均以明清皇宮舊藏
為主。

台北故宮所藏漆器共706件，以雕漆為最多，約400餘件，多為明
清兩代官方所造。其中明永樂紅雕漆四季花卉紋瓶、明宣德紅雕漆雙
鳳牡丹八瓣盤、明宣德雙獅戲球盒、明隆慶雕漆雲龍圓盤等均是具有
代表性的作品，也是北京故宮藏品中之空缺。

北京故宮所藏漆器17,707件，其中清宮遺存16,000餘件，其餘為
建院後的徵集。年代上起戰國，下至近代。此外還有一些漆器的家
具、生活用器、包裝箱盒等，根據性質或功用分別保管，沒有歸列其
中。

北京故宮所藏戰國、漢代漆器60餘件，其中多為50年代購入。近
年從湖北交換而來的16件漆器，由於是考古發掘品，又經專業脫水，
因此工藝和學術價值都比較高。

北京故宮是元、明、清三代漆器薈萃之地。明、清兩代的漆器以
官造為主，民間作品兼而有之。元代及明清官造器物中經典作品較
多，一級品多出自其中。

元代漆器共有17件，為雕漆和螺鈿漆器工藝，造型以盤、盒為
主，還有渣斗、盞托等。其中具有張成款的剔紅梔子花圓盤、不具張

成款但為張成造的剔犀雲紋圓盤、楊茂款的剔紅花卉紋尊和剔紅觀瀑圖八方盤，都異常精美，是國家一級文物。張成、楊茂均為元代浙江嘉興漆藝巨匠，技藝嫻熟，工藝精湛，其傳世作品鳳毛麟角。張敏德款的剔紅賞花圖圓盒是當今僅存的一件，十分珍貴。剔紅水仙花圓盤、嵌螺鈿花鳥紋舟式盤等，雖不具款識，但元代特點突出，是學術界研究和關注的重點。

雕漆是明代官造漆器中數量最龐大的品種，最能代表明代漆工藝的卓越成就，此外還有戧金漆、描金漆、填彩漆、螺鈿漆等品種。明早期是雕漆工藝發展的鼎盛時期，所取得的成就至今莫能超越。北京故宮藏有明早期作品近百件，是珍貴而重要的傳世佳作。其風格古樸渾厚，疏朗大方。特點是漆質精良、色彩柔美、雕刻圓熟、磨工精細。代表作品有永樂剔紅孔雀牡丹大圓盤、永樂葡萄紋橢圓盤、永樂剔紅攜親訪友圖圓盒、宣德剔紅雲龍紋圓盒、宣德剔彩林檎雙鸝大捧盒等等。台北故宮收藏的永樂款剔紅花卉紋小瓶是永樂時期製作的較少的立體器物。

北京故宮藏明晚期官造作品300件左右。明晚期的特點與早期大不相同，在裝飾上崇尚工致華麗、繁縟細巧的風格，並多以吉祥圖案和龍鳳作裝飾，突出反映帝王的審美情趣與思想理念。代表作品有嘉靖剔紅松壽雲龍紋小箱，嘉靖剔紅歲寒三友圖圓盒盤、嘉靖剔彩壽春圖圓盒、萬曆剔彩雙龍紋長方盒、萬曆剔紅雲龍紋圓盒等。

北京故宮藏清代官造漆器逾10,000件，不僅數量大，而且品種齊全。主要類別有雕漆、戧金漆、描金漆、彩繪、鑲嵌、單色漆、款彩、犀皮漆等，在類別之下又有若干品種，表現了清代漆工藝的異彩紛呈。雕漆工藝仍屬重要類別，特點是漆色鮮豔，雕刻精細至極。代

表作品有乾隆剔紅海獸紋圓盒，上面波浪式的海水紋由細若髮絲的線條組成，技藝精妙。乾隆剔彩百子晬盤，盤內雕百子嬉戲，生動活潑，繁而不亂，為工藝精品。檔案記載共做兩件，如今全珍藏在北京故宮。戧金漆亦為重要類別之一，特點是色彩豐富，金水豐足，具有濃重的宮廷色彩和皇家氣息，代表作品有康熙戧金彩漆雲龍紋葵瓣式盤，上面龍紋標準，是康熙漆器中的重要作品，還有乾隆的戧金彩漆八仙長盒、壽春圖束腰盤等。描金漆也是重要類別，製作量相當大，並以紅漆描金和黑漆描金兩個品種為主。代表作品有雍正的紅地描彩漆雲龍紋雙圓式盤、黑漆描金袱繫紋盒，乾隆的黑漆描金方勝式盤、黑漆描金團龍紋圓盒、紅漆描金龍鳳紋手爐等。在每一個品種裡都有精品。

北京故宮曾編印《故宮博物院藏雕漆》（李久芳主編，文物出版社，1985年）、《故宮博物院藏文物珍品全集·元明漆器》（夏更起主編，香港商務印書館，2006年）、《故宮博物院藏文物珍品全集·清代漆器》（李久芳主編，香港商務印書館，2006年）。

台北故宮出版的漆器類圖冊有《清宮雕漆選粹》（1971年）、《故宮漆器特展圖錄》（1981年）、《清宮蒔繪：院藏日本漆器特展》（2002年）。

2.琺瑯器

琺瑯器是中西文化交流的產物，它雖出現的年代較晚，卻一直屬於宮廷御用品，民間很少流傳。

台北故宮藏琺瑯器共2,508件，除瓷胎、玻璃胎畫琺瑯外，金屬胎者約900餘件。兩岸故宮的琺瑯文物基本相同，只是器形和紋飾略有變化。與北京故宮藏品相比，台北故宮有三個特點：

第一，元明琺瑯器數量較少，但被台北故宮認定的明景泰掐絲琺瑯盒具有重要的研究價值；

第二，康熙、雍正時期畫琺瑯器的數量、質量均超過北京故宮；

第三，部分藏品具有重要的研究價值，也是北京故宮藏品之空缺，如康熙款掐絲琺瑯冰梅紋五供、雍正款金胎掐絲琺瑯豆、乾隆款掐絲琺瑯嵌畫琺瑯多穆壺、乾隆款掐絲琺瑯嵌畫琺瑯仕女圖鼻煙壺。

北京故宮琺瑯庫房所藏金屬胎琺瑯器6,155件（不包括瓷胎、玻璃胎、宜興胎），其中清宮遺存5,700餘件，建院後的徵集約400餘件。年代上起元代，下至民國，跨越600餘年，幾乎貫穿了琺瑯工藝在我國的整個發展歷程。此外還有佛塔、供器、屏風等，仍保持在歷史上的原有方位，作為宮廷原狀陳列品進行保管，沒有劃歸到琺瑯庫房。北京故宮琺瑯器總體數量之大、品種之多絕無僅有，而每個時期、每個品種又都有著豐富的精品藏量。

琺瑯工藝以掐絲琺瑯器和畫琺瑯器為主要品種，還兼有少量的鏨胎琺瑯、錘胎琺瑯和透明琺瑯器等。北京故宮有掐絲琺瑯器3,000餘件，畫琺瑯器近2,000件。其中以官造為主，還兼有一定數量的地方貢品和民間作品。

元代掐絲琺瑯器的特點是掐絲活潑，釉料瑩潤，色澤亮麗，其中葡萄紫、墨綠色的釉料似寶石般呈半透明狀。裝飾花紋幾乎都是纏枝蓮花，舒展而飽滿。造型主要是尊、瓶、爐等。最具代表性的作品有獸耳三環尊、象耳爐、三足爐等。它們工藝精湛，為稀世之珍，也是研究的重點。北京故宮可以說是元代作品的集中收藏地。

明代琺瑯一般分為早、晚兩個重要階段，風格與特點有所不同。早期胎體厚重，釉色穩重，仍以纏枝花卉為主要裝飾花紋。以宣德朝

作品為代表，如七獅戲球圖長方盤、纏枝蓮紋尊。晚期釉色鮮豔，善用折枝小花朵做裝飾，出現龍鳳、海馬、流雲、八寶以及寓意吉祥長壽的圖案，用掐絲填彩釉的方法做款識。以萬曆朝作品為代表，如雙龍戲珠紋花口盤、萬壽如意紋三足爐。這些都是標準器物，是斷代的依據，十分重要。

　　清代是掐絲琺瑯工藝蓬勃發展的時期，尤以乾隆朝為最，不僅數量龐大，且精品、極品超過任何朝代。北京故宮所藏精品以陳設觀賞器為主，造型多仿自商周鼎彝，使具有寶石鑲嵌效果的掐絲琺瑯器古意盎然。典型的作品有乾隆朝的錦紋扁壺、獸面紋甗、勾雲紋犧尊等。最著名的是寶相花紋金佛喇嘛塔。塔通高231公分，覆鉢式，塔身在黃色琺瑯地上，飾彩釉的寶相花紋和梵文。塔前設一佛龕，內置金佛。塔剎十三級，頂設華蓋、天地盤，上托日、月、寶珠。須彌座上飾獅子流雲和十字金剛杵紋。座上橫眉做長方框，內藍地陽文「大清乾隆甲午年造」楷書款。該塔造於乾隆甲午年，即1774年，一批共造6座，尺寸相當，惟塔型、釉色、花紋各有不同，富於變化。完工後陳設於宮中供佛之所梵華樓內，氣勢宏偉壯觀，至今保存完好。8年後，於乾隆壬寅年，即1782年，按六塔規格樣式，再次燒造6座，陳設另一處佛堂寶相樓內，也同樣保存完好。兩批琺瑯塔的燒造，充分顯示了乾隆時期掐絲琺瑯工藝所具有的高超技藝與輝煌成就。

　　畫琺瑯是在清代創製、並得以蓬勃發展的新型工藝品種，康、雍、乾三朝官造器物不僅精緻優美，且各具特色。康熙朝釉料細潤，畫工細膩，裝飾花紋多以寫實或誇張的手法表現，代表作有康熙桃蝠紋小瓶、蓮花式碗、團花紋花口盤。雍正朝善於加用黑色的琺瑯釉料

作裝飾，凝重之氣油然而生，呈現出與眾不同的時代風格，代表作有雍正花蝶紋冠架、八寶紋筒式爐、蓮花紋法輪。乾隆朝釉色鮮豔，描繪精緻，花紋圖案工整對稱，裝飾性極強。代表作有乾隆菊花紋執壺、母嬰圖提樑卣、團花紋六方瓶、牡丹花紋花籃等。

北京故宮編印有《故宮博物院藏文物珍品全集・金屬胎琺瑯器》（李久芳主編，香港商務印書館，2003年）。

台北故宮出版有《清宮琺瑯選粹》（1974年）、《清宮畫琺瑯彩特展圖錄》（1979年）、《清宮琺瑯彩瓷選粹》（1992年）、《明清琺瑯器展覽圖錄》（1999年）。

3.古代文具

筆、墨、紙、硯是中國人民創造的傳統的書寫工具，在長期的發展過程中，形制與功用性能逐步得到完善，成為具有特定屬性的工藝產品。

北京故宮收藏的各類古代文具多達8萬餘件，包括筆、墨、紙、硯、圖章料、文雜6類。除一小部分是通過徵集和收藏家捐獻的方式入藏外，最主要的還是明清宮廷的遺存。

北京故宮收藏的4,000餘支毛筆，基本是清宮為使用而儲備的遺存，少量為清宮收藏的明代作品。分管筆、斗筆兩種造型；可辨認的筆毫毛料有羊毫、兔毫、黃鼬尾毫、鬃毫、貂毫、馬鹿毫六類，紫毫、羊毫為其中主要類別。筆頭有長鋒、筍尖、蘭蕊、葫蘆、短錐各式。筆管分為工藝材質與天然材料兩類。其中，琺瑯、漆藝、瓷藝、玳瑁、象牙等占有一定數量。一批描金彩漆管或描金漆管的毛筆，分別帶有「大明宣德年製」、「大明嘉靖年製」、「大明萬曆年製」等製作年款，顯得更為珍貴。清代毛筆中，康熙青玉雕龍管琺瑯斗提

筆、乾隆黑漆描金壽字管纏枝蓮紋斗提筆、乾隆青花雲紋礬紅龍紋提筆等，屬於工藝材料管毛筆的代表作品，總體上表現為紋飾工整嚴謹，設色華麗，工藝精湛，具有宮廷器物的普遍特徵；竹木毛筆大多在管上題寫銘文作為裝飾，見於筆管的銘辭近百種，表現了清代宮廷毛筆獨特的藝術風格。

　　墨是中國獨有的文房四寶之一，因文化交流的需要應運而生，在其發展中良工輩出，日趨精良。更因文人、官府除使用外，還參與古墨設計、製造及收藏，因而其既是文化用品，亦是極為珍貴的文物。北京故宮藏墨多達50,000餘件，年代上起明宣德下至民國，以清代墨品為主。包括宮廷御墨、文人訂製墨、墨肆市售墨等類別；還有朱墨、彩墨之分別。匯集了程君房、方于魯、曹素功、汪節庵、汪近聖、胡開文等明清著名製墨家的作品。現藏明墨約為700餘件，主要是嘉靖、萬曆及以後的作品，早中期的僅有供宮廷使用的「龍香御墨」。署有製墨家名款，也是明代嘉靖以前所沒有的。明代墨多出自名家之手，如「程君房文犀照水墨」、「方于魯文采雙鴛鴦墨」，均為明墨精品代表，其重要價值更在於，「漆衣」、「髹彩」技術體現了萬曆時期的工藝創新；又如「羅小華一池春綠墨」、「孫瑞卿神品墨」等一批作品，見載於不同時期編著的古墨圖譜中，為流傳有緒的明墨精品。清代墨的收藏超過49,000件，包括了各種題材及裝飾風格，蔚為大觀。特別是當代著名四大收藏家（尹潤生、葉恭綽、張子高、張絅伯）所有藏墨的入藏，對豐富故宮墨的收藏有極為重要的意義。張子高先生（1886～1976年）專搜「文人自娛」之墨；張絅伯先生（1885～1969年）則專搜「市齋名世」之墨而兼及其他類的精品；尹潤生先生（1908～1982年）見聞最廣，賞鑒極精，收墨不拘一格，

然非至精之品不留；葉恭綽先生（1881～1968年），收藏精品墨甚多，特別是擁有明代製墨家潘方凱、葉向榮、汪鴻漸等的名品。周紹良先生（1917～2005年）的捐獻也非常重要，周先生集中搜羅清代具有年款的墨，並用力旁及其他種類，收藏既富，考證甚勤，有所得往往記以短文，《清墨談叢》就是他這方面的專著。因此，北京故宮不僅有豐富的宮廷御墨，文人訂製墨與市售墨（民間文人使用的墨）的收藏同樣有著非同尋常的地位。

北京故宮紙絹收藏數量有10,000餘件，除宋代藏經紙、明代蠟印故箋、明代竹紙等外，主要為清代製作的宮廷紙絹。有粉箋、蠟箋、粉蠟箋，以及明花與暗紋之分，分別以人物故事、雲龍花鳥、博古圖等裝飾紋樣。清康熙時曹寅恭進各色粉箋、清乾隆仿明仁殿畫金如意紋粉蠟箋、清梅花玉版箋、清乾隆淳化軒刻畫宣紙等均系經典作品，代表了清代各類藝術加工紙製作的最高水平。例如，仿明仁殿畫金如意雲紋粉蠟箋，由數層褙厚，兩面加蠟，正面泥金繪如意雲紋，右下角鈐「乾隆年仿明仁殿紙」隸書朱印，背面撒金。此紙加工精良，裝潢富麗，造價昂貴。梅花玉版箋是乾隆年間的名紙，紙面飾金銀色冰裂紋並繪梅花，鈐「梅花玉版箋」隸書朱印，雙面加粉蠟，光滑瑩澈，冰清玉潔，別有一番超凡脫俗的氣息。

此外，北京故宮文保科技部還有清乾隆高麗紙6,755張，明白鹿紙2,900張，原為文物修復材料，現已保護起來。白鹿紙產於元代，最早為江西道士寫符籙用紙，後因趙魏公用以寫字作畫，嫌「籙」不雅、不吉，而看到造紙的抄簾上繡有形態各異的鹿圖，紙成後隱約可見鹿紋，所以更名為白鹿紙。紙質屬特淨皮，潔白而瑩潤如玉，厚重而有韌性，受墨柔和。但製造工藝要求高，明清時作為一種獨特的名

貴紙品名揚開來，今已湮沒無聞。

　　北京故宮硯的收藏數量約4,000件。最為著名的歙、端硯數量較大，還有部分澄泥、洮河、松花江、菊花石、陶瓷、金屬硯。其中，駝基石硯屬硯中稀見品類，僅故宮存一方；松花江硯因產自清朝發祥地，故在清康熙年間擢為清宮御用硯材。所收藏硯的年代在漢代至民國之間。漢唐之硯，陶質居多，涵括了三足硯、風字硯、箕形硯、圈足瓾甕硯等具有典型時代特徵的各式造型。例如，漢三足鴟蓋石硯、唐十二峰陶硯、唐二十二足辟雍硯、唐端石箕形硯，皆為精品之作。其中的唐端石箕形硯，不僅有標準的唐代造型，其名貴的端石硯材也為傳世唐硯中所罕見。明清硯的硯材名貴、製作精良，代表了當時製硯工藝的最高水平。除有相當數量的御用、御題硯以外，著名琢硯工匠顧二娘的作品、工藝美術家劉源設計製硯、著名文人的題銘硯，北京故宮均有收藏。

　　北京故宮還有「文雜」約1,300件。「文雜」是指使用筆、墨、紙、硯過程中所需的輔助品，包括筆架、筆筒、紙鎮、水盂、印泥盒、臂擱、仿圈、墨盒等，以及套裝形式的組合文具。北京故宮現行的藏品管理體系中，絕大多數上述功能器物，根據工藝材質劃入了竹木雕刻、漆器琺瑯、瓷器、玉器各個門類。

　　成套文具清代較盛行，具有完整的組合形式，其中不僅有文房實用器，也常儲存其他物品，因組合形式、內容、件數的不同，變化多端。如北京故宮的紫檀木旅行文具箱，長74公分，寬29公分，高14公分，打開可成四足小桌，箱內兩個多寶格中，盛放筆、墨、燭台、繪圖儀器、雙陸棋、鼻煙壺、微型書畫手卷等64件，涵納了琺瑯、漆器、玉器各類藝術精品，為清宮遺存的唯一便於旅行攜帶的文具箱，

也充分地表現了成套文具使用功能外的賞玩特性。

　　北京故宮圖章料收藏數量約為1,000件，製作年代在六朝至明清之間，以明清時期的作品為主。章料質地有玉石、象牙、瓷、玻璃、銅、碑碟、蜜蠟多種，碑碟、蜜蠟等是章料中稀有之材。石材類中有珍貴的雞血石、田黃石章料。同時藏有數方清楊玉璇、周尚均款圖章，雕刻生動傳神，技藝甚為精湛，體現了清代圖章雕刻的工藝水平。

　　台北故宮所藏文具2,389件，其中筆、墨為明清兩代遺物，珍品如兩枝明嘉靖彩漆龍管筆、明「程君房書畫舫方墨」、明「羅龍文松華圓墨」、乾隆御詠名華詩十色墨、清嘉慶御題萬春集慶五色墨等。有硯400餘方，其中95方為《西清硯譜》收錄（《西清硯譜》共收錄古硯240方），著名的有宋米芾「蠹蟲瓜瓞」硯，以及清宮製作的松花硯等。這些入藏的名硯，多數裝盛於雕飾文雅的盒匣內，盒面通常刊刻御製題銘詩句或廷臣應製唱和的詩文，再附識以黃箋條說，顯示著清廷重視古硯如金石寶器的態度。另有筆洗、筆格、書鎮、硯滴、印盒及乾隆掐絲琺瑯成套文具等。紙、圖章料均似闕如。

　　北京故宮編印有《故宮博物院藏文物珍品全集‧文房四寶‧紙硯》（張淑芬主編，香港商務印書館，2005年）、《故宮博物院藏文物珍品全集‧文房四寶‧筆墨》（張淑芬、楊玲主編，香港商務印書館，2005年）。另有《葉恭綽 張絅伯 張子高 尹潤生‧四家藏墨圖錄》（上海書店出版社，2006年）、周紹良《清墨談叢》（紫禁城出版社，2000年）、《尹潤生墨苑鑒藏錄》（紫禁城出版社，2008年）。

　　台北故宮出版的文具類目錄及圖冊有《故宮文具選粹》（1971

年）、《故宮古硯選粹》（1974年）、《蘭千山館名硯目錄》（1987
年）、《文房聚英》（1992年）、《品埒端歙──松花石硯特展圖
錄》（1993年）、《西清硯譜古硯特展》（1997年）。

4.竹、木、牙、角雕刻

竹、木、牙、角器在中國工藝美術史上源遠流長，並在長期的生
產實踐中不斷改進和創新製造工藝，逐漸形成多姿多彩且富有民族傳
統風格的藝術門類。明清兩代，竹、木、牙、角雕刻藝術在繼承歷史
傳統的基礎上又有所飛躍，不僅作品的種類、數量增多，而且出現了
眾多文人、書畫家參與製作的新局面，湧現出一大批著名的雕刻家，
形成了不同的風格和流派。

北京故宮庋藏著上萬件竹、木、牙、角雕刻品，其來源主要有三
方面：一是明清皇家御用作坊徵調著名工匠，按照皇室要求製作的御
用品；二是各地官員向皇帝進獻的貢品，亦多出自名家之手；三是
1949年以來徵集的流散於民間的雕刻品，其中不乏精品。

竹刻藝術的發展主要在明代中期以後。北京故宮藏各式竹雕工藝
品數千件，主要為明清時期名家或無款的優秀作品，品種包括竹莖雕
和竹根雕等，雕刻技法有圓雕、鏤雕、深淺浮雕、陰刻，還有木胎竹
黃包鑲等，藝術水平和技術水平也是同類傳世器物中比較高的，帶有
濃厚的宮廷工藝風格。藏品以文具居多，陳設、日用品次之，包括筆
筒、臂擱、筆洗、水丞、山子、如意、香筒、冠架、簪釵、扇骨、人
物、動物、花果等各種品類。表現多為歷史典故、吉祥圖紋、山水人
物、金石書法等。其代表性作品有朱三松款竹雕白菜筆筒、朱三松款
竹雕仕女筆筒、濮仲謙款竹雕松樹小壺、竹雕對弈圖筆筒、竹雕白菜
筆筒、竹根雕帶鍊執壺、文竹蕉石紋長方盒、文竹雙蓮蓬盒、文竹鏤

空兩層海棠式盒等。當乾隆年間清宮所藏青銅器編成《西清古鑑》、
《寧壽鑑古》後，造辦處創仿青銅器竹雕，畢肖古銅器形狀和紋飾，
北京故宮藏竹雕提樑卣，即見其巧思。

　　木雕器物與竹雕有類似之處，木雕工藝在明清時期亦達到鼎盛。
北京故宮的此類藏品，也主要是這一時期的傳世品。這些木雕製品，
可分為大型木雕和小型木雕製品，大型木雕包括家具、隔扇、箱櫃等
用來陳設、儲藏的用具，小型木雕主要是一些文房用品、生活用品、
雕刻藝術品等，數量也頗為可觀，由古器物部工藝組管理的這類小
型製品就有5,000餘件。除幾件為漢代出土外，大都是明清時期傳世
品，材質和器形品類很多。木質方面，有紫檀木、黃楊木、花梨木、
紅木、樺木、黃檀木、檀香木、沉香木、烏木、棗木及各種硬雜木
等。器形方面，有匣盒、文具箱、書式櫃、筆筒、花插、臂擱、杯、
盤、碗、杖、人物、動物、模具、版畫板等。這些作品在技法上採用
了圓雕、鏤雕、深淺浮雕、陰刻等，豐富多樣。代表作品有吳之璠款
黃楊木雕東山報捷筆筒、黃楊木雕葫蘆、黃楊木雕臥牛、紫檀木百寶
嵌花果長方盒、沉香木雕山水筆筒等。

　　木雕製品在北京故宮收藏的數量很多，雖然有一部分是作為外包
裝而製作的，但依然不乏做工十分精美的作品，如宮廷造辦處製作的
鑲嵌盒具，很多都不惜工本，僅材料往往就價值連城。而圓雕作品，
無論是創作與設計，更多精巧且具藝術性之作。即使是地方進獻而來
的木器，材質和做工也十分考究。

　　牙、角製器，起源甚早。明清時期，象牙、犀角主要依靠從東南
亞和非洲進口。清代的犀角、象牙雕刻，和其他工藝品的發展一樣，
在乾隆時達到了高峰。牙角雕刻分宮廷、民間兩類。明代宮廷牙雕由

御用監造辦，以盒、筆筒、笏、帶飾、圓雕人物等為主。民間牙雕的產地集中在廣州、杭州、揚州、蘇州、南京等東南地區的大城市。到清代，廣州在產量、規模與工藝革新方面已成全國之冠，並且製做了大量外銷牙雕。北京故宮所藏象牙製品，僅古器物部工藝組收藏的就有2,000件（宮廷部生活科還有象牙生活用具），絕大部分是明清時期的傳世作品，主要為清代宮廷所遺留，出自廣州、蘇州、北京和供職於皇室的著名匠師之手。牙雕品類較為豐富，有廣東地區（包括造辦處的廣東籍工匠）製作的象牙鏤雕群仙祝壽塔、象牙雕群仙祝壽龍船、象牙絲編織花鳥扇、象牙絲編織蓆，多層浮雕花卉鏡奩、粉盒等；有江浙一帶，特別是蘇州地區工匠製作的淺浮雕各種圖案的筆筒、插屏等；還有相當一部分是由供職於宮廷造辦處的牙匠製作的作品，包括文具、人物、動物、蔬果、插屏、盆景等。其中造辦處牙雕，宮廷藝術趣味濃厚，《月曼清遊》冊、「漁家樂」圖筆筒就是傑出的代表。《月曼清遊》冊是以乾隆年間宮廷畫家陳枚的工筆畫《月曼清遊》圖冊為藍本，由造辦處牙匠陳祖璋等5人共同合作完成的象牙工藝精品。全套分為對開12冊，一邊按月描繪貴族仕女的日常遊樂，一邊則為乾隆帝題詩，以象牙表現書、畫的韻味，藝術成就頗高。

製造象牙蓆是明清時期廣州的傳統工藝。目前象牙劈絲技術已失傳200餘年，流傳下來的作品極少。據清宮造辦處活計檔記載，象牙蓆前後共製有5張，至今只留下3張：故宮原有1張，保管人員1977年在清理文物時，在雜堆著的台灣草蓆中又發現了1張，還有1張在山東煙台博物館。象牙蓆流傳至今仍潔白、柔潤，蓆面上的象牙劈絲細薄無比，令人驚歎。象牙蓆由於費工費料，耗資巨大，製作程式複雜，

成了宮廷生活精緻用具的代表，但其靡費則令雍正皇帝也宣諭不得繼續進獻。北京故宮至今還保存著43根完整的象牙，應是當時清宮造辦處製造牙雕的原料。

犀角在我國向來是比較珍罕的材質，而因其本身的藥用價值，所以以其製作的工藝品傳世非常稀少。明代的犀角雕刻較前代繁榮，器形以各種樣式的杯盞為多，紋飾內容則以花卉為主，山水人物題材構圖疏朗，饒有畫意，此外仿古風格的蟠螭紋也很醒目。雕刻技法以圓雕、鏤雕、浮雕等為主，講究刀法圓潤，琢磨棱角。北京故宮藏有清宮遺留的犀角雕刻工藝品近百件，又接受香港收藏家葉義先生捐獻的81件，加上購買等，共200餘件，大都為明清時期的精品，即令在世界範圍而言，收藏規模也頗為可觀。有史可查的著名匠人尤通製作的犀角槎杯，及帶有鮑天成款識的螭紋執壺、帶有尤侃款識的芙蓉鴛鴦杯等作品，都是彌足珍貴的遺存。而犀角雕刻自明晚期以來，盛行一種既吸收商周青銅器的造型與裝飾，又富於時代特色的風格。北京故宮收藏有這樣一批典型作品，工藝高超，引人入勝。

北京故宮還收藏一批明清宮廷中的百寶嵌。百寶嵌工藝是以金、銀、寶石、翡翠、瑪瑙、玉石、青金、松石、珊瑚、蜜蠟、象牙、玳瑁、沉香、螺鈿等材料製成各種景物，再將其鑲嵌於紫檀、黃花梨、漆器之上，使之構成山水、花鳥、異獸和人物故事等完整圖案。作品大者如屏風、書櫃，小者如筆筒、盒、匣之類，色彩富麗，作工精妙。這種百寶嵌製品，用料繁多，加工也十分複雜，需

多種工藝技巧相互配合【註1】。

　　台北故宮所藏雕刻品為651件，除「多寶格」中之外，其單獨貯存者，約100餘件。其中象牙雕刻，大者有雕牙提盒、雕牙九層塔，小者如雕牙小舟、小盒等，均為精品。竹雕亦有明代朱三松製品。雕木以黃楊木為多。珍品主要有明三松款雕竹荷葉水盛、清吳之璠雕竹牧馬圖筆筒、清木雕搔背羅漢、明雕犀角山水人物盃、清乾隆封岐雕象牙山水人物小景等。清象牙透雕提食盒，高45.4公分、橫長30.4公分、縱長21.6公分，以象牙薄片鑲嵌成三層提盒，每片各雕刻山水、樓閣、人物、鳥獸，圖案底紋鏤空為絲縷般細線，使全器仿佛罩著纖薄的花紗，為玲瓏巧雕之作。

　　明清之際，我國大型雕塑藝術無大發展，小件雕塑品和工藝品的裝飾卻生氣勃勃，富於創造性，橄欖核雕是其中一個頗有特色的品種。有清一代，橄欖核雕藝術長興不衰。台北故宮收藏的微雕赤壁夜遊橄欖核舟即為其中的上乘之作。此舟呈稍深的桔紅色，高1.6公分、長3.4公分，舟上設備齊全，艙中備有桌椅，並擺著杯盤菜肴，小窗鏤空，可開可合。舟上8人，異趣紛呈，為蘇東坡泛舟夜遊赤壁故事。舟底鐫刻著細字〈後赤壁賦〉全文，下有「乾隆丁巳五月臣陳祖章製」款。此舟為清代雕刻家陳祖章的力作，雕刻技藝精緻、細膩，著意創造出一種詩的意境，但在具體人物、物體上又力求寫實、準確，且楷體鐫文俊朗挺秀，堪稱書法佳作，為不可多得的珍品。

註1　李久芳主編：《故宮博物院藏文物珍品全集‧竹木牙角雕刻》，香港商務印書館，2002年。

台北故宮還收藏有一批清宮的多寶格。這是一種精心設計的盒匣，裡面分成多個格子、夾層、抽屜，以裝盛多種文物，供攜帶賞玩。這樣的盒匣，是從古代的筆匣、文具匣及梳具匣、備具匣等演變而來。這些多寶格或為內務府造辦處的工匠承旨之作，或由內務府發交地方製作。台北故宮所保存的清朝宮中檔奏摺中，就有一件乾隆三十九年（1774年）八月一日兩淮鹽政李質穎的奏摺，摺中述說他奉旨承做的多寶格，已依樣製好，專差家人運送至京，並先行將鑲嵌式樣與雕鏤花紋分別繪圖貼說，恭呈御覽。除了清宮內外製作者外，當時也曾選取前朝遺物改製成多寶格，例如一件「明嘉靖款剔紅雲龍福祿康寧小櫃」，本是明代嘉靖年間（1522～1566年）製作以貯放藥材的十屜櫃，清朝內廷工匠在這些大小不同的抽屜內加裝隔層與夾層，收納當時製作的玉器與瓷器，以及文臣的山水冊頁，此外尚有西洋銅胎畫琺瑯人物方盒，共有108件珍玩。除有國人自製的多寶格，內廷亦曾在日本金漆盒內加裝屜格與夾層，收貯中國歷代文物。

這些多寶格，雖然體積不大，卻內貯多種珍玩，別具一格，例如「吉範流輝多寶箱」，高34公分，長43.7公分，寬25.8公分，盒分兩層，盒蓋浮飾博古圖，兩層隔層中各分隔出5小格，共收納10件小銅器。這些銅器皆經編目，著錄尺寸、紋飾等，並為之斷代，再配合清朝內廷如意館畫師所繪製的彩色圖樣，裝裱成10開冊頁，名曰：「吉範流輝」，收納於上層隔層之上的淺屜中。每件銅器各配製精美木座，底座皆陰刻填金：「乾隆御鑒甲」款與該器器名和編號，有西周的觶、東周的盤、漢代的燈具，以及後代的仿古銅器。由於台北故宮依循清宮往例保存文物，這些多寶格中的珍玩仍然原樣地收納在原屜

格中【註1】。

北京故宮曾編印《故宮雕刻珍萃》（紫禁城出版社，2002年）、《故宮博物院藏文物珍品全集·竹木牙角雕》（李久芳主編，香港商務印書館，2003年）。由朱家溍、王世襄主編的《中國美術全集·工藝美術編·竹木牙角器》（文物出版社，1988年），共選收包括日本正倉院所藏唐代人物花鳥紋雕竹尺八在內的中國竹、木、牙、角器珍品130件，其中收北京故宮的92件。另有《清代宮廷包裝藝術》（紫禁城出版社，2001年），更能使人領略清代皇家雕刻工藝的精美。

台北故宮出版《清宮珍玩選粹》（1971年）、《玉丁寧館捐贈牙骨竹木雕器特展圖錄》（1997年）、《明清竹刻藝術》（1999年）。

5.如意

如意是中國傳統工藝中最富特色的品類之一，其發展歷史頗為悠久，據說來源於今天仍在使用的「癢癢撓」，最晚在東周時已出現，後逐漸演變成一種吉祥物，且寓意日漸豐富，製作愈發精工。到了清代，由於得到當時的統治者，如清高宗弘曆等人的喜愛和大力推廣，如意被廣泛地應用於宮廷生活的多個方面，在日常陳設、賞玩以及進獻、賞賜等禮儀中都占有重要的地位。乾隆朝時，如意作為禮物，由皇帝饋贈外國使節。同治皇帝大婚時，如意成為典儀中的瑞器。

北京故宮的如意收藏，承繼清宮舊藏，以其豐富的造型、繁複的裝飾及精湛的工藝，成為一件件精美絕倫的工藝品。其特點為：一是數量眾多。總數在3,000柄以上，目前所知，還沒有哪個收藏機構有這樣豐富的存量。二是品種齊全。各種質地皆備，如金、銀、銅、

註1　參閱《導讀故宮》第152、154頁。

鐵、瓷、玉石、琺瑯、竹木、珊瑚等，不一而足。形制多樣，某些特異的作品突破了常見的結構，如雙頭、四頭如意等。九柄成組如意最具宮廷特色，北京故宮藏有多套，而乾隆帝六十聖壽（1770年）時製作的一套60柄金纍絲如意，也完好地保存了下來。三是工藝精湛。在珍貴的材質上還要應用雕鏤、鑲嵌、點翠、纍絲等難度很大的工藝技巧，多能代表相關門類當時的最高水平。

台北故宮的如意收藏與北京故宮來源相似，在性質上亦比較接近，很多作品甚至完全相同，數量僅120餘柄。

北京故宮紫禁城出版社曾出版《歲月如意》（2003年）。

台北故宮1971年出版《清宮如意選粹》。

6.成扇

成扇都是各地根據宮廷需要，按年節進貢的地方物產，大致分團扇、摺扇、羽扇、象牙扇、葵扇五種。台北故宮現收藏摺扇1,641件，扇面都是書畫作品，由書畫部門管理。北京故宮有團扇、摺扇等多達6,964件另資料443件，分別由古書畫部、古器物部及宮廷部管理。兩個故宮的成扇都是清宮舊藏，為明清兩代遺存，沒有多大差別，只是北京故宮的收藏數量更多，種類也更豐富一些。

從北京故宮的藏品看，團扇的骨架有紫檀木、黃楊木、紅木、雞翅木、象牙骨、黑漆、紅漆骨、嵌螺鈿骨、棕竹骨等；扇面的質料有絹、綢、紗、竹絲和各種紙面；扇面的工藝有繡花、緙絲、納沙、編織、堆貼和鑲嵌等。摺扇骨有竹骨、木骨、牙骨、漆骨等；摺扇面有素面、繪山水、花鳥面、寫詩賦面，還有繡花面等，其中繡花扇又分蘇繡、粵繡、湘繡、京繡等。繪畫團扇多是由地方進貢各種骨的素面扇，或由如意館的畫師進行繪製，或由皇后、嬪妃自己繪畫。摺扇也

是如此。北京故宮現尚有一批素面扇，當是供繪製用的。羽扇是用雕翎或鵝羽製作的，有黑、白、灰三種顏色，襯上綠色的孔雀羽翎，美觀豔麗。

北京故宮的成扇，由古書畫部管理的有1,816件另資料443件，都是挑選出的藝術水平高的書畫作品，其中列為二級文物的即多達688件，主要作者有丁雲鵬、文嘉、文徵明、仇英、永瑆、弘旿、張若靄、董邦達、錢維城等；由古器物部工藝組管理的成扇（包括團扇、摺扇、潮州扇與其他扇）為5,082件，其中二級文物多達4,209件，也有相當多的名人書畫及帝后書畫；由宮廷部生活文物科管理的成扇66件，未定級，扇骨有象牙、玳瑁、黃楊木、棕竹等，扇面皆為墨紙描金。應該說，以上由三個部門管理的分類不夠科學。

北京故宮所藏成扇，珍品相當多，例如製作於乾隆十年至二十一年（1745～1756年）之間的象牙編織花卉佛手團扇，是廣東巡撫、湖廣總督周人驥、特成額等人五次進貢的30柄扇中的一柄。縱57.3公分，橫34.1公分，牙扇呈芭蕉扇形，扇邊包鑲玳瑁框，嵌金星料藕荷色彩繪花果紋畫琺瑯柄把。扇面中心裝棕竹柄樑，鑲有夔龍首紋垂如意形銅鍍金護頂。柄樑上、中、下嵌有三片雕夔龍寶相花紋紅、紫、黃三色蜜蠟護托。扇面由潔白細潤、寬不足1公分、薄如篾片的牙絲編織而成，孔縫均勻，紋飾精緻細密，經片、緯片拼合得天衣無縫。絲面之上運用了線刻、浮雕和撥鏤結合的裝飾手法，鑲有牙刻菊、蘭及佛手花卉。又如黑漆柄刺繡花鳥團扇，為清代廣州繡坊在端午節前按數向皇宮進獻團扇中的一把，通柄長43.3公分，扇面直徑27公分。鏤花的扇骨框以竹做胎，外塗黑漆並描金繪有花鳥、蕃草而成紋。扇面的牡丹花鳥紋是廣州繡行以多色絲線刺繡出，用的絲線色彩達20餘

種。牡丹花色由淺入深，雍容端麗，松樹蒼綠，孔雀展翅開屏，松下花前翩翩起舞。色彩濃豔，層次嚴謹，滿而不亂。由於花色搭配深淺適宜，使圖案顯得活潑明快，為繡扇中的精麗之作【註1】。

7.鼻煙壺

鼻煙壺是隨著滿族人吸聞鼻煙的習俗應運而生的，是宮廷生活用品，也是玩賞品。清代宮廷造辦處製做了大量質地各異、造型奇特的鼻煙壺。鼻煙壺按其質地的不同大致可分為五類，即玻璃鼻煙壺、金屬胎琺瑯鼻煙壺、玉石鼻煙壺、瓷鼻煙壺、有機材質鼻煙壺。北京故宮收藏有各種質地的鼻煙壺2,000餘件，台北故宮收藏有1,000餘件。

玻璃鼻煙壺在清代鼻煙壺中具有製作時間最早，沿續時間最長，數量最多，工藝品種最為豐富等特點。北京故宮藏玻璃鼻煙壺900餘件，且精品很多，特別是套玻璃、畫琺瑯玻璃鼻煙壺很多都是珍品傑作，如玻璃胎畫琺瑯仕女圖鼻煙壺、西洋女子圖鼻煙壺、螭紋八方鼻煙壺等。台北故宮有一件重要的玻璃鼻煙壺，即雍正款玻璃胎畫琺瑯竹節式鼻煙壺，此為目前所知最早的也是唯一留存的玻璃胎畫琺瑯鼻煙壺，並在清宮造辦處檔案中有明確的記載。北京故宮所藏的馬少宣款內畫人物玻璃鼻煙壺，一面繪有京劇大師譚鑫培飾演的黃忠形象，另一面有「心一兄大人正」並附詩一首，為光緒二十五年（1899年）作品。這一作品1915年曾在美國三藩市舉行的「太平洋萬國巴拿馬博覽會」上展出，並獲名譽獎。

金屬胎琺瑯鼻煙壺主要有畫琺瑯和掐絲琺瑯兩大類。北京故宮收

註1 《北京志·故宮志》第576頁。

藏有兩件康熙款銅胎畫琺瑯鼻煙壺，一件為梅花圖，一件為嵌匏片。
台北故宮已發表的有一件嵌漆片的鼻煙壺、一件雙蝶圖鼻煙壺。台北
故宮藏有一件掐絲琺瑯嵌畫琺瑯仕女圖鼻煙壺，是兩種工藝結合之典
範，也是鼻煙壺中之孤品。

　　玉石鼻煙壺是鼻煙壺中的重要品種之一。北京故宮保存十分豐
富，僅其造型就有玉蘭花式、桃式、石榴式、柿子式、茄子式、葡萄
式、癩瓜式等瓜果形，以及龜式、魚式、蟬式、蝙蝠式、老虎式等動
物造型，而且採用多種玉石材料，質優色美。台北故宮收藏的玉石類
鼻煙壺成套的較多，並保留了鼻煙壺的原包裝。

　　清宮所需瓷鼻煙壺，由景德鎮官窯燒造。乾隆年間，命御窯廠
每年為皇宮燒造50件鼻煙壺。乾隆朝的御製瓷鼻煙壺，尤其是粉彩
鼻煙壺最為精美，北京故宮就收藏有粉彩安居樂業鼻煙壺、粉彩玉
堂富貴鼻煙壺、粉彩梅花詩句鼻煙壺等一批具有典型的宮廷風格的
作品。台北故宮藏黃釉鏤空鼻煙壺和黃釉玉米式鼻煙壺也是別具特
色的藏品。

　　有清一代，使用有機類材料製成的鼻煙壺也頗為豐富，如竹、
木、象牙、葫蘆、玳瑁、犀角、虬角、琥珀、珊瑚、漆器、核桃等，
以其變化無窮的質地、豐富的色彩、精美的加工在鼻煙壺家族中獨
樹一幟。北京故宮收藏這類鼻煙壺也很多，例如製作於乾隆十八年
（1753年）的象牙雕魚鷹鼻煙壺和象牙雕仙鶴鼻煙壺等，以其獨特的
設計、優美的造型、精細的雕刻惹人喜愛。台北故宮所藏金珀佛手式
鼻煙壺、蚌殼壽星鼻煙壺也是這類鼻煙壺的精品。

　　北京故宮編印有《故宮鼻煙壺選粹》（夏更起、張榮主編，紫禁
城出版社，1995年）、《故宮博物院藏文物珍品全集·鼻煙壺》（李

久芳主編，香港商務印書館，2003年）。

台北故宮出版有《清宮鼻煙壺選粹》（1971年）、《故宮鼻煙壺》（張臨生主編，1991年）。

8.石器

北京故宮現藏石器1,395件，其時代從新石器時代直至清代末期。其中收購的安徽含山淩家灘出土的十幾件石斧、石鑿、石環等，以及安徽潛山永崗村出土的三孔、五孔及十一孔石刀等，尤其是十一孔石刀，雖斷為兩截，但作為早期石器仍十分難得，這些文物均有明確的出土地點和科學的考古發掘記錄。

商周石器中，大部分器物因年代久遠，呈現雞骨白狀，因此很多器物稱為白石獸、白石碗、白石工具等等，還有青石斧、藥鏟、石鈇、石鏃、石磬等。其中「石夭余磬」、「石永余磬」、「石永啟磬」等一組商代石磬，刻有銘文，非常難得。商代的石質器皿非常少見，僅殷墟有個別出土，北京故宮收藏的商代白石刻花碗，高7公分，口徑13公分，雖有修補的痕跡，但外壁口沿及足上部有數道弦紋，腹部雕刻有幾何形的俯仰山形紋飾，碗壁較厚重，呈現出早期石器的莊重厚樸之風格。另一件商代白石臥獸，亦圓雕一臥獸，身體盤旋曲屈，為章乃器先生捐獻之物。

戰國、漢代、唐宋元明的石器大部分為石豬、石虎、石兔等各類獸形器物，還有一些石璧、石環、佩飾等等。

清代宮廷石器十分豐富，大多數為清宮舊藏，種類亦很多，有壽山石、田黃石、大理石、牛油石、英石、雲石、靈璧石、木變石、菊花石、昌化石、硝石、鐘乳石、青田石、岫岩石、化石及許多叫不上名字的藍石、紫石、花石等等，粗略統計有51種之多。其中陳設用

品、實用器皿以及賞玩性質的作品多種多樣。一批壽山石伏虎羅漢和壽山石東方朔等作品，不僅雕琢得精細，人物的毛髮、眉眼、衣紋及神態亦逼真、傳神。另有田黃石雕的壽星（其上有周彬款）、田黃石雕伏虎羅漢（其上有玉璇款），不僅田黃石質上佳，雕琢得亦極為精緻，此兩件是國家一級品文物，具有很高的價值。還有一批岫岩石爵杯，包括清代中期乾隆、嘉慶到清代晚期光緒、宣統各個時代的製品，底足均刻有款識。

9.陶俑

北京故宮所藏陶俑4 000餘件，主要通過國家文物局撥交、私人收藏家捐獻、兄弟博物館考古發掘品交流等方式聚合而成。其特點如下：

第一，數量多，且貫穿封建社會整個發展歷程。4,000餘件陶俑，在國內博物館收藏中位居前列，國內綜合性或專題性博物館很少有如此閎富的收藏。有些博物館，某一個或幾個朝代的藏品較為豐富，其他朝代則較少甚至斷缺，北京故宮所藏陶俑，始自戰國，歷經秦、漢、魏晉南北朝、隋、唐、五代、宋、元、明、清，逾2,000餘年而未間斷，構成一部完整的古代陶俑發展史。這其中，漢與唐所占比例較重。

第二，體系完備。陶俑受地域文化與歷史傳承不同的影響，逐漸形成各自的風貌，如漢代有西安、徐州、洛陽、雲貴川等幾個陶俑製作中心，隋唐時期西安、河南、太原與長治、揚州與兩湖等地陶俑的地域特徵也十分鮮明。上述區域的陶俑北京故宮都有庋藏，因而具有廣泛的代表性。

第三，題材多樣。陶俑雖是埋藏於地下的明器，卻是現實社會生

活的折射。北京故宮陶俑包括樂舞俑、兵馬俑、雜技俑、俳優俑、男女侍俑、勞作俑、鼓吹儀仗俑、狩獵俑、牽馬牽駝俑、文官俑、武士俑、天王俑、外國人俑、十二生肖俑等，題材廣泛，蔚為大觀，是研究中國古代政治、軍事、經濟、文化、藝術的形象文獻。

在北京故宮收藏的眾多陶俑中，考古發掘品價值最引人關注。1951年河南輝縣百泉發掘的東漢動物俑，形體雖然不大，但塑造準確，生動有趣。如陶狐高僅2.7公分，但前伸的尖嘴，直立的兩耳，躬身前行伺機襲擊獵物的姿態，使人一眼便能辨別清楚。將不常見的動物特性塑造得如此準確，顯示出漢代工匠的高超技藝。具有典型四川陶俑特徵的聽琴俑，面帶笑意，專心致志地欣賞音樂，聽到會心處，情不自禁以手撫耳，弦外之音，令人有繞樑之想。另一件四川彭山出土的持鍤男俑，是一個治水人物形象，是蜀地人民重視水利的一種反映。隋唐五代陶俑有明確出土地點或考古發掘的包括洛陽戴令言墓、西安雷府君宋氏墓、江蘇江寧李昇欽陵（李昇為五代時南唐建立者）等。戴令言墓葬於唐開元二年（714年），5件陶塑作品，包括文官俑、天王俑、牽駝俑、駱駝俑等，全部為素陶畫彩，形體均相當高大。雷府君宋氏墓1955年發掘於西安市東郊韓森寨，出土陶俑包括男俑、女俑、生肖俑、天王俑、鎮墓獸等，時間為天寶四年（745年），其中一部分入藏故宮博物院。這些陶俑塑造簡潔，注重神情的表現，展現出了盛唐的風神韻骨。南唐李昇欽陵陶俑，製作於南唐升元七年（943年），1950年出土於江蘇江寧祖堂山李昇欽陵。男立俑頭戴幞頭，身著圓領袍，腰中束帶，袍左右開衩，雙手縮於袖中，抬足扭腰，作表演狀，其身份應是宮廷中提供娛樂服務的優伶。女俑則雍容華貴，儀態萬方。這些陶俑是當時宮廷生活的真實寫照。

除考古發掘品外，傳世品也具有相當價值。鄭振鐸先生捐獻的一組樂舞群俑，共8件，2件為舞俑，6件為樂俑，各具神態，栩栩如生。從服飾與舞姿看，屬於傳統漢族舞蹈。樂俑分別使用琵琶、排簫、笙、鈸、腰鼓等。有坐有立，身份仿史籍中所稱的立部伎與坐部伎。從樂器組合上，可以判斷這是來自異域的龜茲樂。此組樂舞俑的出現，説明在高水準的樂舞表演中，漢族傳統舞蹈仍占有相應的位置，且與外來藝術相互融合，相得益彰。立部伎與坐部伎同時出現，在唐代考古中尚未發現，它表明此組樂舞俑，具有相當高的等級。鄭振鐸先生捐獻的另1件崑崙奴俑，特意燒製成黑色，以表示黑人皮膚。唐墓中出土的崑崙奴俑，數量不多，且多穿敢曼（用羊皮或布等圍繫成的短褲）。此俑卻穿右衽衣，右衽衣是華夏傳統服飾，這表明其已經接受了唐人的生活方式。這種造型的崑崙奴俑，傳世僅存此1件，是唐朝對外文化交流的歷史見證。

北京故宮編印有《雕飾如生——故宮藏隋唐陶俑》（紫禁城出版社，2007年）、《捐獻大家——鄭振鐸》（胡國強、馮賀軍主編，紫禁城出版社，2005年）、《故宮博物院藏文物珍品全集・銘刻與雕塑》（鄭珉中主編，香港商務印書館，2008年）。

10.玻璃器

北京故宮藏有玻璃器4,010件，其中清宮遺存3,400多件，其餘為1949年以來的徵集。年代上起戰國，下至清代末期。其中絕大部分是清宮玻璃廠燒造的玻璃器，即官造玻璃器，同時還兼有少量民間作品及外國玻璃器。

玻璃工藝的發展雖有2000多年的歷史，但在明代以前一直處於緩慢發展階段，因此傳世作品不多也不精。北京故宮藏有戰國、漢、

唐、宋、明的一些玻璃器，包括蜻蜓眼、珠、管、璧、蟬、盤、碗等，加起來有100餘件，都是20世紀50、60年代徵集而來的，非考古發掘，是一批具有資料參考性質的文物。

北京故宮所藏清宮官造玻璃器無論數量還是質量，在中外博物館中都首屈一指。特別是康雍乾三朝的玻璃器，更是精美絕倫，代表著清代玻璃工藝的最高水平，具有非常高的觀賞性和研究價值。

清康熙三十五年（1696年）清宮玻璃廠成立，從此開始了清代官造玻璃器的製造，並延續至清末宣統時期，從未間斷。康熙朝雖是初創階段，但玻璃工藝已達到相當高的水平，只是傳世作品鳳毛麟角。目前已知世界上具有康熙款識的傳世作品有4件，北京故宮珍藏的透明玻璃刻面紋水丞是其中之一，不僅珍貴，且研究價值很高。

雍正朝的玻璃製造又有發展，燒煉的顏色達30種之多。北京故宮藏有21件作品，每一件都質地晶瑩，色澤純正。透明玻璃八棱形瓶、雞油黃色玻璃菊瓣式渣斗、葡萄紫色馬蹄形瓶等，都是具有代表性的作品。

乾隆朝是玻璃工藝全面發展階段，燒造有單色玻璃、套玻璃、攪玻璃、金星玻璃、玻璃胎畫琺瑯等八個品種的玻璃器。套玻璃是乾隆朝創造的優秀品種，器物造型以各式瓶、缸、盒為主；裝飾花紋以寫實的、圖案化的花卉紋為多；色彩搭配以白套紅、白套藍、黃套紅為盛，可謂豐富多彩。北京故宮所藏代表作品有白套紅雲龍紋大瓶、白套紅桃蝠紋瓶、黃套紅荷花紋缸、豇豆紅套藍花蝶紋八棱瓶、白套藍花卉紋碗、白套綠花卉紋瓶等。它們色彩搭配和諧、雕刻精湛，均為工藝極品。金星玻璃是造辦處在外國技師指導下燒造的珍貴品種，製作量不是很大。其中的三羊開泰山子和天雞式水

盛，造型生動，惟妙惟肖，藝術性很高，也是存世孤品。玻璃胎畫琺瑯是玻璃工藝中最為珍貴的品種，由於其製作工藝難度大，不易成功，歷史上製作得很少，因此流傳下來的就更少。北京故宮擁有開光花卉紋瓶、通景花鳥紋瓶、花蝶紋瓶以及鼻煙壺等十餘件作品。其器胎體瑩潤，琺瑯釉料質純色優，描繪細膩，具有繪畫藝術的表現力，堪稱傑作。

根據台北故宮已發表的作品，該院收藏的玻璃器僅看到部分玻璃胎畫琺瑯器和玻璃鼻煙壺兩類，其中的玻璃胎畫琺瑯西洋人物圖渣斗、玻璃胎畫琺瑯嬰戲圖葫蘆瓶和玻璃胎畫琺瑯福壽方瓶，都是乾隆朝玻璃畫琺瑯代表作。

北京故宮紫禁城出版社出版《光凝秋水——清宮造辦處玻璃器》（張榮主編，2005年）。

11.金器

北京故宮藏清代金器約2,200件，主要為清宮遺存。分為禮器、祭器、冊、寶、生活用具、金幣、首飾、宗教用品等，數量多，品種全，是清代金器作品的主要集合地。這些金器，包含了清代製金的各種工藝，主要有鑄造、鏨花、錘揲、纍絲、透空等多種，還有以金為胎，外包琺瑯圖案的金胎器皿。

禮樂用器，著名的有乾隆「奉天之寶」金印，重6,100克；乾隆五十五年（1790年）所製金編鐘，共16枚，耗金11,459兩。

宮廷宗教所用金器主要有金佛像、金七珍、金八寶、金塔，金佛龕、壇城等，保藏金塔20多座，形式多樣，其中有不少大金塔和嵌寶石金塔。例如乾隆皇帝為了供奉母親孝聖憲皇太后生前脫落的頭髮，特下詔鑄造金髮塔。當時，廣儲司所存黃金不敷用，臨時熔化了宮中

及圓明園等處的金盆、金匙、金箸、金琺瑯鼻煙壺等一些金器，共耗金3,440兩（清製單位），通高147公分，是現存金塔中最高、最重、做工最精細的一件。八寶又稱八吉祥，一套8件，分別為魚、罐、花、腸、傘、蓋、螺、輪，北京故宮藏金八寶約10套；七珍是以象、馬、輪、男、女、臣、珠寶組成的成組供器，為少見的金器品種。北京故宮收藏的金纍絲鏨花嵌松石壇城，高35公分，重18000克，做工精美，殊為罕見，是清代金纍絲、鏨花工藝的代表作品。

陳設用器主要有金用端、香亭、爐、金鶴、金天球儀。用端、香亭是用於寶座兩旁的陳設，香亭內可以放香料，用端為道光時期製造，高50公分，重6,009克，香亭高112公分；金爐是室內陳設；金天球儀造型複雜，加工精緻，嵌珠點翠，不可多得。

祭器有金盆、金爵杯，數量較多，是用於家廟供奉、皇帝陵墓和祭祀活動的。金盆有嘉慶款、光緒款、無款作品，金爵杯有嘉慶款、道光款、咸豐款、同治款、光緒款、宣統款作品，形成序列，除北京故宮，這種清代序列金器很難見到。

北京故宮收藏了大量的清代金酒具、金餐具，有各式的金酒壺。金龍紋執壺仿中亞地區酒壺風格，高腹、細頸、長流，壺身滿飾清代宮廷色彩的龍紋。金賁巴壺則為蒙古草原器具風格。金甌永固杯和萬壽無疆杯是皇帝御用的極品。金甌永固杯杯形如鼎，滿嵌寶石，杯口鏨「金甌永固」；萬壽無疆杯的兩耳分別透雕「萬壽」、「無疆」篆字，杯下有金盤，盤上鏨花、嵌珍珠。

台北故宮除藏有少量金佛像外，尚未看到其他金器的發表。

12.銀器

北京故宮的銀器分為工藝和生活用具兩個部分。工藝部分的銀器

共有898件，其中清宮遺存819件，占到91％。年代上起元代，下至清末，絕大部分為清代作品，兼有少量的元、明器物以及少數民族和外國的文物。在清代藏品中，又以官造的為主，間有少量民間作品。官造作品主要有執壺、杯、碗盤、暖硯及各式大小不等的盒子。民造的器物以盒為主。

　　元代作品的數量雖然不多，但十分重要。最著名的是朱碧山銀槎杯，該杯是一件富有傳統繪畫與雕塑特點的工藝品，不僅體現出朱碧山的藝術修養，也標誌著元代鑄銀的高度技藝水平，是工藝美術史上的重要作品之一。台北故宮也珍藏著一件朱碧山的作品，與此件相仿佛，同樣珍貴。

　　北京故宮還藏有17件元代作品，為出土文物，其中代表性的作品是兩件鍍金鏨刻的雙鳳穿花紋玉壺春瓶，圓形，外撇口，細頸，下垂腹，圈足，器身鏨刻鍍金的通飾花紋，上有盛開的牡丹、菊花、梔子、茶花、牽牛花，雙鳳在花叢中起舞飛翔，造型優美，刻紋流暢，為著名的玉壺春造型，帶有典型的元代工藝風格。

　　清代官造作品的數量比較大，多用於觀賞和陳設。工藝品種主要有鏨刻、纍絲、銀燒藍。所造器物主要有各式執壺、香盒、杯盤、瓶等。官造銀器的特點是銀質精純，壁厚體重，造型規範，比例適度，刻工精細，一絲不苟，整體製作工藝考究，具有皇家氣派。北京故宮所藏的代表作品有鏨刻鎏金勾蓮紋執壺、賁巴壺、龍柄奶茶壺等；纍絲的勾蓮紋束頸瓶、雲龍紋葵瓣式盒、纏枝花卉紋花籃等；銀燒藍的龍紋暖硯等。銀器中，少數帶有年款，以乾隆的居多，兼有光緒和宣統的，雍正的只有1件，是扁圓形螭紋提樑壺，它通體光素，只在提樑處有刻紋，器形圓潤，表面光潔，簡約精緻，官造之氣十足，目前

看來是清代官造銀器中年代最早的。

　　北京故宮所藏的民間作品總體來看不多也不精，但個別的很有特色，工藝水平也很高。如12件一套的方斗形套杯，以陰刻填黑漆的手法作裝飾，12件的內壁均飾各異的山水人物圖景，圖意均為中國歷史上著名的文人典故，藝人運刀如筆，將豐富的內容濃縮在盈寸的杯壁之上，猶如一幅幅中國水墨畫一般，具有非常高的欣賞和研究價值。

　　北京故宮所藏生活用具部分的銀器共有6,427件，均為清宮舊藏。這部分完全是宮廷日常生活中使用的，每一種用品差不多都有大、中、小不同的尺寸，有相當一部分還帶有年款，反映的是清宮日常生活的狀況和面貌。其中少數是清中期製造品，大多數為清晚期宮廷造辦處製作或民間銀器作坊製造。有帝后日常或外出用食具、飲具、照明用具、洗浴用具、宮廷宴筵用具，也有為同治十一年（1872年）舉行皇帝大婚典禮特製的一批「銀鏨雙喜團壽字碗盤」，還有清朝廷祭祀活動中用的銀器。凡出自清宮造辦處的製品，用料上乘，造型規整，做工精細，紋飾寓意吉祥如意，部分器物還施以鑲嵌技術。民間製器以小件物居多，用料、做工上不及宮廷，但造型設計不拘一格，紋飾題材多樣，在一定程度上反映了清晚期民間製作銀器的工藝水平與生活情趣。

13.銅器

　　北京故宮藏有工藝類銅器1,172件，年代上起宋元，下至清末，其中又以明清的藏品為主。在這些器物中，官造占1/3，民間製造占2/3。器物主要以各式香爐為主，同時兼有其他功用的器物。香爐的造型相當豐富，有圓形、方形、長方形、菱形等；顏色更是多樣，有鱔魚黃、蟹殼青、棗紅、茶色等。其他功用的器物，有面盒、盤、

碗、搖鈴、尊、瓶、洗、筆架、鎮紙、博山爐、各式小獸等。器物所具款識有官款、齋堂款、民間藝人款等，這些銅器大部分以實用為主，有相當一部分還殘留著使用過的痕跡，具有較高的工藝價值和研究價值。

銅器中也有一些珍品。例如：元代麟鶴紋大盤，高6.5公分，徑45.5公分，為菱花式圓形，圈足，盤心隨形開光。該盤鑄造而成，壁厚體重，紋理清晰，表明元代金屬製造工藝的高超水平。又如有晚明著名製銅器藝人胡文明款的鏨刻鍍金銅爐，仿商周青銅器造型，沉穩端莊，花紋精細，鍍金光亮，為其代表性作品。有陽文「大清雍正年製」楷書款的棗皮色光素手爐，結構恰到好處，致密堅實，沉穩凝重，品質卓越，是存留清宮手爐中年代最早的一件。

屬於生活用具類的銅器約1,000餘件，主要是陳設與日常用器物。有清宮大殿寶座前的陳設物、宮室內取暖用「銅炭盆」、清宮大宴擺放的「銅鍍金松蓬果罩」、日常盛放小吃食的「銅鍍金食盒」、佛堂上用的「銅鍍金五供」，以及其他陳設用器物等等。清中期製造銅器，大抵造型美觀、裝飾華麗、工藝精湛，並鑲嵌白玉、墨玉、瑪瑙、青金石、綠松石、玻璃料石，紋飾則施以鏨刻、凸雕、鏤雕多種技法；清晚期銅器，則較少用鍍金工藝，花紋多施以鏨刻手法，設計缺乏創新。

14.錫器

北京故宮的錫器可劃分為工藝和生活用具兩個部分。

工藝部分的錫器共有208件，除6件為清宮舊藏外，其餘均為20世紀50年代徵集而來，其中絕大部分是實用的壺。壺的造型非常豐富，有方形、圓形、長方形、竹節形、橋形、葫蘆形、菊瓣形、海棠形、

六角形、樹葉形、桃形等。表面雕刻的花紋一般以寫實或折枝的花卉為主，多取中國文人欣賞的梅、蘭、竹、菊，以及牡丹、百合、蓮花等象徵吉祥福貴的花卉題材，並伴有詩詞名句。部分還有較複雜的裝飾，如在鈕、柄和流上嵌有玉石，周身以椰殼包鑲等，增添了它們的觀賞性和收藏價值。這些壺基本都是清代中、晚期民間藝人的作品，其中比較有名的作者是朱堅、楊鵬年、沈郎亭、沈存周等。藏品中以製錫壺高手沈郎亭製作的桃形倒流壺最為新奇別致，顯示了設計者的奇思妙想和身懷的絕技，是藝人們追求的境界，其賞玩性超過了實用性。道光時著名鑄錫工藝家朱堅的山水人物錫壺，是其代表性作品。

生活用具部分的錫器共有293件，其中清宮遺存280件，完全是宮廷中日常生活使用的。包括水盂、一品鍋、香爐、酒壺、執壺、碗、茶桶、荷葉碟等，每類件數多少不等，用途比較多樣，反映的是清宮生活中錫器的使用狀況。這些器物一般沒有華麗的裝飾、不追求造型的奇巧，而突出其實用功能，這表明清晚期錫器已屬於次要地位，從而導致錫器製作業走向低谷。

15.盆景

北京故宮珍藏有1,400餘件各式珠寶盆景，都是傳世作品，大多使用玉石、翡翠、瑪瑙、珍珠、象牙、蜜蠟等多種珍貴的材質，仿製出生動自然惟妙惟肖的各種花卉、果實、景觀等，再配以琺瑯、玉石、陶瓷、漆器等製成的花盆式容器，就構成了雍容華美帶有吉祥含義的宮廷陳設。它們被放置在各宮室內，有著如天然盆景一般的生機與春意，卻永不凋謝，突出反映了宮廷生活追求富麗而高雅的趣味與審美取向，亦代表了當時的高超工藝水平。

這些盆景，有的是地方按照宮廷要求進貢的，有的是王公、大臣

買後進獻的，也有的是宮廷婚慶、壽誕慶典，由清宮造辦處定製的。因製作的地方不同，故也有著不同的地方風格和特點，但是名貴卻是其共同特點，往往一盆一景就價值連城。有代表性的如孔雀石嵌珠寶蓬萊仙境盆景，共用珍珠1,136顆，紅寶石679塊，藍寶石183塊，碧璽332顆，珊瑚6枝，用料珍貴，製作考究。又如青玉洗式盆水仙盆景，盆長方形，菊瓣紋，四角雕成雙葉菊花形，每花均以12塊紅寶石為瓣，綠料為芯；盆下腹的葉紋間以10根綠料為脈，8塊紅寶石為蕾；盆中以青金石製成湖石，周圍植有5株水仙，象牙為根，染牙為葉，白玉為花，黃玉為蕊。

盆景造型特殊奇異，枝杈參差，運輸攜帶極不方便。當年文物南遷時運了不少，但遷徙到台灣的則應極少。

16.匏器

匏器，即葫蘆器，是一種人工與天然相結合的工藝品，該工藝由明末宮廷太監梁九公首創。清代在康熙皇帝督促下，遂成為別具一格的工藝新品種。

北京故宮收藏的500餘件匏器，大部分是清代皇宮遺留，多有款識，數量以康熙與乾隆朝為多，質量也以這兩朝所製為精，此外嘉慶、道光等時期，也有一些佳品留存。匏器的種類則以範製為主，還有軋花、刻花、勒扎、本長等，品類齊全，形式新穎，紋飾豐富。器形有壺、碗、瓶、杯、罐、筆筒、盒、鼻煙壺、蓄蟲葫蘆等，無一不備。每一類別又有所不同。如碗就有直口碗、撇口碗、墩形碗及高椿帶托盤碗；瓶則有多瓣的蒜頭瓶、菱形瓶、直口的錐形瓶、寶月瓶、扁瓶，還有上圓下方的葫蘆形瓶。

匏器珍品不少。如康熙款匏製蒜頭瓶，細頸，鼓腹，器型規整飽

滿，口部膨起如蒜頭式，並鑲染色牙口，器身分成六瓣，均飾陽文如意雲頭紋、聯弧紋及捲草垂肩，腹部飾獨窠蓮花紋並捲草裊娜向上，底為六瓣葵花形圈足，內有陽文楷書「康熙賞玩」，形狀優美，奇麗精巧，屬於康熙立體匏中的精品，是在西苑太液池瀛台西北豐澤園中所製。又如匏製纏枝連紋槌壺，為書齋几案上的工藝陳設品，圓口、短頸、碩腹瓶形，壺飾回紋口沿，肩飾蟬紋，足飾靈芝雲紋，碩腹通體模印西蕃纏枝蓮紋。此壺為乾隆皇帝所賞識，並於乾隆四十七年（1782年）即興題詩刻在壺頸之上：「幸謝蒸鵝佐脫粟。卻成槌紙得全壺。囫圇弗藉範而範。沕穆何妨觚不觚。孝士漫嗤書依樣。陶人那問鑄從模。無煩貯水安銅膽。隨意閑花簪幾株。乾隆壬寅新正月御題。」【註1】

八　宮廷類文物

宮廷文物品類眾多，遺存豐富。在以下15種藏品中，除過織繡書畫是台北故宮的長項，其餘14種則為北京故宮的優勢，多為台北故宮所缺乏或沒有。

1.明清帝后璽印

北京故宮藏有明清帝后璽印近5,000件。這些寶璽都是皇帝和后妃的御用之物，製作時多由皇帝下旨，由內府各作御用工匠完成，選料嚴格，製作精細。印材料主要是貴重的玉石、翡翠、壽山石、青田石、昌化石、檀香木、象牙等；印鈕雕鏤精緻，印文摹刻工整，極具皇家雍容華貴特色。

註1　此詩載《清高宗御製詩》四集卷八五，原題作《詠壺盧餅》。

　　這些明清帝后璽印內容種類眾多，包括代表封建國家與皇權，發佈皇帝諭旨所用的「國寶」、皇帝冊封后妃時頒發的象徵后妃身份等級的「冊寶」、皇帝尊崇先帝所遺的太后妃嬪所上的「徽寶」、嗣皇帝為先帝與后妃所上的「諡寶」、用於帝后創作或鑒賞書畫及圖書所用的「鑒藏印」、帝后怡情悅性抒發情感所製的各類「閒章」等等，具有極高的歷史價值與藝術價值，大到明清重要歷史典制，小到帝后的一言一行，皆可在方寸之間獲得一定的答案。

　　其中最重要的是代表皇權的清帝「二十五寶」。清代以前，代表皇權的皇帝御寶基本不存，而清帝「二十五寶」卻如數完好地保存至今。它們每一方都有其特定的用途，涉及到皇權正統延續、皇位繼承、神靈祭祀、報本尊親、任命官員、民族事務處理、藩屬及邦交、軍事征伐、文教興化等，共分解為25方御寶之中，即：白玉「大清受命之寶」，以章皇序；碧玉「皇帝奉天之寶」，以章奉若；金「大清嗣天子寶」，以章繼繩；青玉「皇帝之寶」，以布詔敕；栴檀香木「皇帝之寶」，以肅法駕；白玉「天子之寶」，以祀百神；白玉「皇帝尊親之寶」，以薦徽號；白玉「皇帝親親之寶」，以展宗盟；碧玉「皇帝行寶」，以頒賞賚；白玉「皇帝信寶」，以征戎伍；碧玉「天子行寶」，以冊外蠻；青玉「天子信寶」，以命殊方；白玉「敬天勤民之寶」，以飭覲吏；青玉「制誥之寶」，以諭臣僚；碧玉「敕命之寶」，以鈐誥敕；碧玉「垂訓之寶」，以揚國憲；青玉「命德之寶」，以獎忠良；墨玉「欽文之璽」，以重文教；碧玉「表章經史之寶」，以崇古訓；青玉「巡狩天下之寶」，以從省方；青玉「討罪安民之寶」，以張征伐；墨玉「制馭六師之寶」，以整戎行；青玉「敕正萬邦之寶」，以誥外國；青玉「敕正萬民之寶」，以誥四方；墨玉

「廣運之寶」，以謹封識。

清代皇帝依靠這些御寶，得以發佈各種文告，指令王朝的各個機構有效地運轉，維繫封建國家的延續。清代作為中國封建社會最後一個王朝，在各種制度方面都有集大成的特點，而歷代王朝御寶只見諸記載而不見實物，因而，完整的清代御寶實物形式，是我們認識整個封建社會皇權運行的重要尺規之一。

北京故宮紫禁城出版社出版有《明清帝后寶璽》（徐啟憲主編，1996年）、《故宮博物院藏清代帝后璽印譜》（13冊，2005年）。

2.鹵簿儀仗

鹵簿儀仗是封建社會體現皇權尊威無比的最外在的體現和象徵。鹵簿制度最早見於漢代典籍記載，以後歷代各有增損，到清代根據不同的場合而確定為不同的大駕鹵簿、法駕鹵簿、鑾駕鹵簿、騎駕鹵簿四個等級，同時對后妃也規定了不同等級相應的儀仗、采仗。北京故宮現存鹵簿儀仗文物1,000餘件，有陳於太和殿檐下的完整成套的金八件（金提爐二件、金盆、金瓶、金盒二件、金唾壺、金交椅）；有設於太和殿前御道兩側，用於整肅大典秩序的靜鞭等；有從太和殿丹陛上下一直排列到午門以外的各種傘、蓋、扇、旗、節、旌、鼓等等，以表現盛大儀式的場面和肅穆莊嚴的景象。

當時皇帝的鹵簿雖分為不同等級，但卻是根據不同的典禮場合進行組合，而非並列的四套。儘管現存這批儀仗並不能組成特別完整的一套，但皇帝、后妃的均有相當數量的遺存，且根據北京故宮收藏繪畫中的《鹵簿圖卷》、《皇朝禮器圖式冊》以及《皇帝南巡圖卷》、《萬壽圖卷》等，可以把文獻記載的鹵簿完全有序排比，通過實物感受皇權的尊威。

3.清代宮廷服飾

服飾制度是歷代禮儀制度的重要組成內容之一，服飾的色彩、紋樣、款式、質地無不反映服用者的身份等級和社會地位。清代服飾制度比中國歷史上任何一代都更為繁縟嚴格，而宮廷服飾又是其中等級制度最為複雜嚴密的。清代服飾等級的區分，首先是顏色，其次是紋樣，再次是質地。清代宮廷服飾所用的衣料大多由江南三織造即江寧織造局、蘇州織造局和杭州織造局生產，極少部分由京內織染局織造。

北京故宮藏清代宮廷服飾類文物62,000餘件，包括成衣16,000餘件、冠履近3,000件、佩飾6,000件、「活計」27,000餘件；此外還有清代織繡材料類文物60,000餘件，包括匹料3000餘件、衣料10,000餘件和條帶20,000餘件。

成衣中，絕大部分是清代皇帝和后妃穿用的服裝，另有極少量官員穿用的服裝。按清代服飾典制，帝后服裝有禮服、吉服、行服、常服和雨服等。北京故宮成衣藏品涵蓋了這幾類典制類服裝的全部，所屬年代跨越整個清代。服裝質料綾、羅、綢、緞、紗、緙絲、獸皮等一應俱全，式樣豐富多樣，花紋裝飾精美繁複，製作工藝高超精湛，為清代服飾制度的研究，提供了大量詳實的實物資料。

成衣中還有少量是1949年以後北京故宮收購、接受撥交和捐贈所得，共計134件。其中有1975年發掘的福州南宋黃升墓、1975年發掘的山東鄒縣元代李裕庵夫婦墓和1961年發掘的北京南苑葦子坑明代墓等墓葬出土的衣物，它們對於研究宋代至明代的服飾史和絲綢史具有重要價值。

冠帽中，以清代皇帝和后妃的冠帽占絕大多數。皇帝的冠帽分為

朝冠、吉服冠、常服冠、行服冠和雨冠五類，每一類中又有冬冠和夏
冠之分，其形制、材質和裝飾各不相同，北京故宮藏品中較齊全地保
存了這幾類冠帽。另有少量官員的冠帽，主要是親王和三品、五品、
六品、七品等官員的吉服冠。清代官員的帽頂須飾頂子，以所飾頂子
的材質作為區別等級的重要標識。此外還藏有官員的冠飾花翎，借此
可區分官階等級，這也是清代服飾中富於特色的飾物之一。藏品中后
妃所用冠帽主要有朝冠和鈿子，這些后妃的冠帽以頂子、鳳翟、垂珠
和條帶等材質、顏色的不同及數量的多少區分等級。以清代皇后冬
朝冠為例，冠頂正中飾三層金鑲樺樹皮鳳頂，每層間飾以一等大東
珠1顆，金鳳的頭部、翅膀各飾二等東珠3顆、三等東珠1顆，金鳳的
尾部各飾小珍珠16顆，背部各嵌1塊貓眼石。三隻金鳳各口銜三等東
珠1顆。朝冠的檐部綴7只金鳳，每只金鳳飾二等東珠9顆、小珍珠21
顆、貓眼石1塊；冠後部飾金翟1只，貓眼石1塊、小珍珠16顆；翟尾
垂珠穗五排二就，嵌302顆四等東珠，中間的金纍絲圓形結中嵌青金
石，下垂珍珠六，珊瑚墜角五。

佩飾中有頭花、簪子、頭面、大拉翅、蓋頭、扁方、耳墜、耳
環、領約、手鐲、手串、戒指、扳指兒、指甲套、朝珠、念珠、懷
檔、腰帶（包括朝服帶、吉服帶和行服帶）等。質地有銅、銀、金、
玉、珊瑚、牛角、珍珠、香木、蜜蠟、瑪瑙、水晶、玳瑁、琥珀、紅
藍寶石、青金石和綠松石等。

活計中，清代成套的活計包括荷包、錶套、扇套、靴掖、眼鏡
套、鏡盒、鏡子、粉盒、檳榔袋、扳指套、褡褳、明信片盒等，一般
以取其中的4至8件組成一套，但每套中一般都有荷包。

總之，北京故宮所藏清代宮廷服飾數量多，規格高，保存完好，

在國內及世界博物館同類藏品中首屈一指，對於研究清代服飾制度、清代絲織品織造技術水平、絲織業發展狀況，以及清代的歷史文化、宮廷生活、藝術審美和思想觀念等都具有極為重要的價值。

此外，北京故宮又藏有豐富的明清織物，即材料類的文物。明清時期的絲織品生產集古代織造技術之大成，品類豐富，質地優良，且明清兩代各有所長，都代表著中國織造業的最高水平。北京故宮藏明清織物主要有緙絲、起絨織物、雙層織物、錦、緞、綾、羅、綢、紗等，藏品年代以清代中晚期占絕大多數，幾乎全部來源於江南三處官營織造局。具體來說，錦類有4個品種計864件；綾1,603件；羅618件；綢類有江綢、妝花綢、織金綢等14個品種計4,498件；緞類有妝花緞、織金緞、暗花緞、閃緞、蟒緞等12個品種計10,528件；絨類有漳絨、絲絨和燈芯絨3個品種計762件；紗類有實地紗、直經紗、芝麻紗等10個品種計7,223件。雜項有土絹、棉布、印花布等13個品種計2,561件；少數民族織物約20個品種計1,912件；經書皮子874件等。以上許多織物除北京故宮外很少有收藏。因此，北京故宮這批藏品是研究明清織物最為豐富、完整、寶貴的實物資料。

在台北故宮幾乎沒有清代宮廷帝后服裝，僅有極少量的冠帽和一些佩飾，如冠帶、袍服、簪笄、釵環、耳墜、手鐲、扳指、帶鉤以及朝珠、香囊、荷包、煙嘴等，計11,000多件。其中清高宗御用的皇帝大閱胄，為運台文物中之僅有者。台北故宮個別文物如冠帽的頂子、腰帶帶版等藏品的數量較多，其中如清代皇帝朝冠頂、皇帝夏朝冠金佛、金纍絲嵌東珠鏤空雲龍舍林和嬪朝冠頂等，均十分精美完整。

台北故宮出版了《清代服飾展覽圖錄》（1986年）。

北京故宮編印了《故宮博物院藏文物珍品全集·清代宮廷服飾》（張琼主編，香港商務印書館，2005年）、《故宮博物院藏文物珍品全集·明清織繡》（宗鳳英主編，香港商務印書館，2005年）。

4.清代以前樂器及清宮典制樂器

故宮收藏的樂器可以分為兩類，一類是清代宮廷和皇帝，以及北京故宮建立以來搜集、珍藏的前代樂器珍品；一類是在清代宮廷朝政和生活中頻繁使用的典制樂器、民族樂器和戲曲樂器等。

故宮收藏的明代以前的樂器即多達328件，其中不少都是珍品。有150餘件先秦「鐘磬之樂」時代的青銅鐘、銅鐃、玉磬等，如早至商代的青銅編鐃一組3枚、玉編磬一組3枚，至今發音清潤。故宮珍藏的唐代大忽雷、小忽雷，為傳世的孤品，其歷史和藝術價值難以估量。再如北京故宮存有北宋宮廷的典制重器——徽宗時所製的7枚「大晟鐘」，其發音與今律近乎吻合；明代宮廷的嘉靖款雲龍紋玉編磬一套12枚，形制承前啟後。北京故宮珍藏的古琴多達40多張，自唐代以迄清代，傳承有序，形制齊全，尤顯彌足珍貴。其中的一些珍品更是舉世聞名的瑰寶，如可視為唐琴標準器的「大聖遺音」，唐琴還有「九霄環佩」琴、「飛泉」琴、「玉玲瓏」琴，數量為世界博物館之最；此外宋琴有「萬壑松」琴、「玲瓏玉」琴、「玉壺冰」琴、「海月清輝」琴等，元琴有「朱致遠製」琴等，明琴有「奔雷」琴、「蕉林聽雨」琴、「天風環佩」琴等，時代最晚的是譚嗣同的「殘雷」琴。另外還有供觀賞用的鐵琴、銅琴、石琴，以及康熙時期精緻的製琴模型。

清代宮廷樂器遺存有2,300餘件，其中以壇廟祭祀和殿陛朝會使用的典制樂器規格最高、數量最大，代表了先秦以來中國歷代王朝

宮廷雅樂所用樂器的種類和形制。如祭祀和朝會中所用的「中和韶樂」，依「八音克諧」的傳統，有鎛鐘、特磬、編鐘、編磬、建鼓、琴、瑟、簫、笛、排簫、篪、塤、笙、搏拊、柷、敔等16種樂器；「丹陛大樂」有戲竹、大鼓、方響、雲鑼、杖鼓、拍板、管、笙、笛、簫等。其中如鎛鐘、編鐘、建鼓、方響、柷、敔等，後世已十分罕見。皇帝四種鹵簿所用的「鹵簿樂」樂器也為數可觀，有大銅角、小銅角、金口角、金鑼、銅鼓、花腔鼓、得勝鼓、鐃、小鈸、海笛等。另外還有一些民族特色的樂器，如薩滿教祭祀用的「嚓啦器」、「太平鼓」、腰鼓及柳條編簸箕形節等滿族特色樂器，匏製三弦、胡琴、馬頭琴等蒙古族樂器，乾隆時期安南國進貢的「銅萬象鉦」、「銅萬象鐲」等。清代宮中演戲盛行，因此也就留下了不少戲曲伴奏樂器，有單皮、拍板、堂鼓、各種鑼、鑔、三弦、琵琶、什不閑等。

清代宮廷樂器，有年款的早自順治元年（1644年），下至宣統二年（1910年），絕大部分是康熙、乾隆兩朝所製，其中康熙時期的金編鐘、乾隆時期的金鎛鐘和全套的和田碧玉描金雲龍紋特磬，無不彌足珍貴。此外，還有一批晚清時期的軍樂器，如大小銅鼓、長號、黑管等，為反映中國近代音樂史上西方音樂傳播的重要實物。

台北故宮沒有宮廷樂器的收藏，有南遷時的宮廷古琴3張，加上近年徵集的1張，古琴收藏應不少於4張。

北京故宮編印有《故宮古琴》（鄭珉中主編，紫禁城出版社，2006年）。

5.其他清宮典制文物

除了以上典制文物外，北京故宮還收藏有一些其他的典制文物，如品級山、紅綠頭簽、選秀女頭簽、腰牌等等。

清朝在太和殿舉行典禮（即每逢皇帝登極、大婚或每年元旦、冬至、萬壽三大節）時，為文武官員站列有序，於乾隆二十四年（1759年）始設站位元標誌紅漆木牌，乾隆五十四年（1789年）改製為品級山（由銅鑄成，內腔空，因像山形而名），一直延續至清末。品級山自正、從一品至正、從九品，總共72座，北京故宮成套保存完整。

北京故宮收藏有千餘件紅、綠頭簽。官員要求覲見皇帝，必須呈遞寫有官員姓名、官銜的竹製紅、綠頭簽。宗室、王公用紅頭簽，其他大臣用綠頭簽。其中重要的人物如時任太子少保北洋大臣直隸總督袁世凱的綠頭簽、御前大臣領侍衛內大臣右宗正步軍統領和碩肅親王耆善的紅頭簽等還保存完好。

選秀女頭簽是清代皇帝選秀女制度的遺存，北京故宮尚存有千件。當時滿蒙漢八旗的適齡女子都要經過宮廷為皇帝選擇后妃的「普選」程序，為了辨別眾多的女子出身與身體狀況，女子須在參選時胸前佩掛竹製的「名牌」。大名鼎鼎的慈禧太后也是經過這一程式入宮的。

腰牌是宮廷警衛制度的直接體現，北京故宮也存有上千件。當時凡是來宮內服役的人員，均由內務府頒發木製的腰牌，作為出入宮禁的憑證，以加強宮廷的禁衛。

以上各類典制文物，對於今人研究清代的典章制度，喚起往昔的歷史記憶，是最為直接的形象材料。

6.武備器具

北京故宮珍藏的武備類文物，主要是明清宮廷保存下來的遺產，多為皇帝御用之物。由於清朝以騎射立國，因而十分重視武備，並專

由清宮內務府管轄的武備院管理。北京故宮所藏的武備兵器大致可分為冷兵器和火器兩大類，共計15,000餘件。

　　北京故宮所藏冷兵器主要包括以下幾大類別：防護裝具中有太祖努爾哈赤、太宗皇太極以及順治、康熙、雍正、乾隆、咸豐等皇帝御用的成套盔甲和清代八旗盔甲8,000多件；遠射兵器中有弓、箭、櫜鞬（又稱撒袋）等，清箭種類繁多，形制各異，清宮中貯有清代皇帝御用禮儀用箭、軍事用箭、行圍狩獵用箭等；護體兵器中有清代皇帝御用腰刀、寶劍和匕首等；雜兵器、格鬥兵器中有玉嵌石柄花漆鞘刺、長劍、青龍偃月刀、钂、阿虎槍、片刀、戟、驍騎長槍、銅吞龍鉞、矛、長槍、長柄斧、鐵鞭、杵式鐵鞭等；馬裝具中有清代皇帝御用馬鞍與御用馬鞭等。這些皇帝御用裝備，其上或拴以皮簽或以黃條記錄，或鐫刻有明確的款識。當然有的非實用器物，而是藝術品。

　　火器主要包括火銃、火炮和空心鐵彈以及皇帝御用的各式火槍等。火銃、火炮既有明代遺存，也有清代皇帝命名的「神威將軍炮」、「威遠將軍炮」、「神捷將軍炮」等，在清代著名的戰事中曾大顯威力。外國槍支有荷蘭改鞘槍、馬嘎爾尼進獻自來火槍、火繩燧發雙用槍、西洋氣槍、雙用氣火槍、雙筒火槍、四筒火槍、燧發槍、燧發手槍、扣刨擊發槍、自來火手槍等。

　　北京故宮編印了《故宮博物院藏文物珍品全集‧清代武備器具》（徐啟憲主編，香港商務印書館，2008年）。

7.明清宮廷家具

　　北京故宮現存明清家具5,300餘件，是目前國內外收藏中國古典家具最多、質量等級最高的博物館。其年代最早的為明代宣德年（1426～1435年），最晚為清末民國時期。以高檔硬木家具為主，主

要有紫檀木、花梨木、黃花梨木、酸枝木、鐵梨木、烏木、雞翅木，及樺木、榆木等。另有一定數量的漆木家具。其風格特點可分為明式家具、清式家具和清末民國家具。

清康熙年以前製作的家具大體保留著明式風格，被視為明式家具，絕大多數用黃花梨木製成。清雍正至乾隆晚期，經濟高度發展和繁榮，生產的家具藝術水平較高，被譽為清式家具的代表，材質以紫檀木為主。道光年（1821～1850年）以後，內憂外患，家具藝術逐漸沒落，絕大多數家具用酸枝木製成，製作比較粗糙。

明清家具的總體特點是結構合理，技術精湛，注重實用與審美的和諧統一，強調選用質地優良的硬木。具體來說，明式家具以樸素大方、優美舒適為標準，清式家具則以厚重繁華、富麗堂皇為特徵，論風格，明式以蘇作為主，其次有京作和晉作。清式家具以廣作、蘇作和京作為主，其次有揚州的雕漆、福建的描金漆等。

明清宮廷家具來自民間又高於民間。除過北京和宮廷御用作坊製作的精美家具外，各地也爭相把材質優良、做工精細的高檔家具進獻皇宮。因此明清兩代的宮廷家具，囊括了全國各地的家具精品。

北京故宮收藏明清家具種類豐富，數量巨大，主要有以下六類：

其一是床榻類。這類家具包括相當數量的寶座，計約150件，可分為架子床和羅漢床兩大類。架子床因床上有頂架而得名，一般四角安立柱，床面兩側和後面裝有圍欄。羅漢床是專指左右及後面裝有圍欄的一種床。清宮中寶座數量較多，一般在皇帝和后妃寢宮的正殿明間都陳設一組寶座，寶座周圍常有屏風、宮扇、香筒、甪端、香几和太平有象等配合。故宮太和殿中的金漆龍紋寶座，是最典型的代表。

其二是椅、凳、墩類。這類家具約1,100件。按中國傳統等級觀

念劃分，有寶座、交椅、圈椅、四出頭官帽椅、南官帽椅、靠背椅、
杌凳、墩子等品種。椅凳類還有三件特異的家具：一是只有座台、下
無腿足的靠背。在南宋李嵩的〈聽阮圖〉中雖畫有此物，晚期實物恐
只有清代宮中才有。一是三面低矮卻又等高的扶手椅，一是以鹿角做
成後背和腿足的大椅，也都是清代宮中家具的特殊製品【註1】。

　　其三是桌、案、几類。此類約1,600件。案子、几子、桌子品類
中又有方桌、長桌、圓桌、炕桌、炕几和香几。桌類家具中又分兩種
造型，一種有束腰，一種無束腰。有束腰桌子即在面下裝飾一圈縮進
桌面的線條，束腰下再安牙條。無束腰桌子的面下不用束腰，而是腿
子上端做榫，直接承托桌面。

　　其四是櫥、櫃、箱類。此類泛指各種存貯用具，分櫥、櫥櫃、
櫃、櫃格、書格、箱子等，約450件。收藏的櫃子大小不一，大者有
坤寧宮和寧壽宮炕上陳設的兩對大立櫃，形體寬大，且有三層頂櫃，
最高層緊貼天花板，總高度達5.185公尺。其次是太和殿陳設的一對
大立櫃，櫃身高3.7公尺。

　　其五是屏風類。約1,750件，以清代為主，包括各式座屏、插
屏、掛屏、圍屏等，種類齊全。圍屏在清宮中占很大比重，一般用於
臨時陳設，或作娛樂活動。例如有一套黑漆款彩圍屏，共24扇，12扇
為一組，正面雕通景花鳥圖，背面雕通景山水風景圖，至今保存完
好，仍絢麗多彩，是目前國內傳世清式家具中極為罕見的品種。

　　其六是其他類。包括鏡台、衣架、盆架、燈架和護樹圍子等，均

註1　參閱王世襄、朱家溍《明清家具》，《中國美術全集·工藝美術編·竹木牙角
　　　器》，文物出版社，1987年12月。

為清代作品。

北京故宮收藏的明清家具中，一批有具體年款的家具有著重要的價值。這批家具的年代有明宣德款、萬曆款、崇禎款；清康熙款、乾隆款。質地有雕漆、填漆戧金、描金漆、罩金漆、推光漆，嵌螺鈿、灑螺鈿等。形式有桌、案、椅、榻、櫥櫃、書架、箱匣等，造型紋飾和製作均優美精緻，這對於研究明清家具的造型、工藝及時代特徵是不可多得的實物資料。

北京故宮收藏的一些家具與皇帝的愛好、信仰和使用有密切聯繫。如「清初康熙御用楠木銀面算術桌」，桌面三塊銀板當中的一塊呈正方形，左右兩邊的長方形銀板上，刻著各種表格和圖形。其中一塊刻有「開平方比例尺」及「求圓半徑」比例尺表等；另一塊刻有用十條橫線和斜線組成的精確到千分之一的分厘尺，上方刻五條射線，分別標有一、五、十……千、萬、十萬直至千萬萬的數字，射線兩側分別有「開立方」、「求球半徑」、「測米堆」的比例尺。下面兩側有「開立方體表」和「相比例體表」。總之，在兩塊寬不過17公分的銀板上共刻有十幾個數學、物理用表，使用時，利用中間製圖或計算，在兩側查表，極為方便。這張精巧的楠木銀面算術桌，專為康熙帝製作，是康熙皇帝經常使用的家具。

北京故宮收藏的這些家具，有的是陳於廟堂之上的寶座，是君臨天下的工具，而大多則是用來陳設在皇家宮殿、園林、行宮等地，供皇帝后妃們實際使用及賞玩。由於使用者的尊貴身份，在其製作時覓尋巧匠，優選良材，因而不僅是高檔實用品，而且是巧奪天工的藝術品，代表著中國古典家具的最高成就。

北京故宮收藏的明清宮廷家具，朱家溍、王世襄主編的《中國美

術全集・工藝美術編・竹木牙角器》（文物出版社，1988年），共介紹明清家具82件，其中70件選自北京故宮；另有《故宮博物院藏文物珍品全集・明清家具》（上、下）（朱家溍主編，香港商務印書館，2002年）以及《故宮博物院藏明清宮廷家具大觀》（胡德生著，紫禁城出版社，2006年）。

台北故宮現有明清家具不足50件，都是近20年來從香港收購所得。最有代表性的是原北京恭親王府舊藏的一套家具，計30餘件，時代應為乾隆晚期，估計為和珅時舊物。

8.戲衣道具

戲劇是我國傳統文化的重要組成部分，戲曲表演藝術有著雅俗共賞、能為各種層次觀眾接受的特性。清統治者入關後很快和戲曲藝術結下不解之緣。將戲曲演出列入朝廷儀典始於清代，新年、除夕、萬壽節及各個節令、每月的初一、十五都有較為固定的戲曲演出活動，內廷喜慶事如皇子出生、冊封嬪妃，也都要唱戲以示慶賀。

清代宮廷重視戲曲活動，對京劇的形成起了推波助瀾的作用。特別是乾隆時期的四大徽班進京，直接引導了京劇的誕生，晚清時期再掀京劇演出高潮。現在清宮戲曲文物遺存相當豐富，大致包括戲衣、盔頭、道具、戲本、戲曲演出人物畫、老唱片和不可移動的戲台等幾大類。

清代宮中特設演戲機構，並有專供演出所需戲具的製造機構，因此，故宮得以遺存大量清代戲裝道具。這些戲具在外出演戲和平常存放時，都置於箱內。按戲班裝箱分類習慣，大致分為衣、靠、盔、雜等四類。衣箱多放各色蟒、官衣、褶子等文官服飾和仙怪用衣，靠箱多放各色靠、甲、鎧、箭衣等扮武的服飾，盔箱專放各類帽子，以上

三箱統稱「行頭」。雜箱則放什件，如大帳、桌圍椅披、各類旗幟、道具和刀槍把子等，統稱「砌末」。行頭砌末均設專人管理並使用，遂形成一種服務於舞台的管理制度，這種制度即稱為「衣箱制」。

北京故宮現收藏有戲衣類文物近8,000件。戲衣種類繁多，有各類蟒、靠、鎧甲、箭衣、帔、褶子、開氅、官衣、花神衣、仙衣、英雄衣、打衣、戰裙、宮衣、裙子、袈裟、道姑衣、馬褂、坎肩、達婆衣、罪衣、劊子手衣、茶衣、侉衣、旗衣、回回衣、像生衣等，可以滿足戲台各類角色扮演的需求。質地有紗、綢、綾、緞、棉、呢、洋布、倭絨及雲錦、妝花類、緙絲、漳絨等貴重織品，裝飾技法有平金繡、彩繡、妝花、納紗、彩繪等，顏色也極其豐富多彩。除僅存的8件明代戲衣外，餘皆為清朝製造，早至康熙，歷各代至光緒、宣統，尤以乾隆、光緒兩朝為多，為研究昆曲、弋劇的演出及京劇戲衣的淵源流變提供了極其難得的實物。

盔頭類文物333件，此外還有不少資料。根據劇中角色扮相的需要而製作，主要有各類巾、帽、冠、盔類文物。製作精美，用料講究，如硬質盔頭外用瀝粉方法勾畫紋樣，並貼以翠羽，釘綴珠花、絨球和各色絲穗。此外，還有少量各種頭面，蝦水形臉子、水獸頭形、王八頭水形等，和少量髮式、頭飾、髯口等。

道具類文物4,300餘件，可分為刀槍把子、桌圍椅帔和帳幕台衣三類。刀槍把子類以各種刀、槍、劍、狼牙棒、流星錘等各類武器為大宗，還有反映社會各階層人物和社會生活的各種道具。軟片類道具，有椅帔、椅墊、桌圍、轎圍、琴套、門帳，傘、各式旗、幌子、汗巾、進香袋和城幕等各種戲台底幕，用以形成舞台空間、塑造戲曲角色和渲染戲曲氛圍。尤其值得提及的是三套台衣，各由六七百件各

式條塊組成，可完全把暢音閣大戲台包裹起來，以適合皇帝萬壽等特定演戲場合的需要。

清代宮廷戲台，遍佈後廷和各處苑囿，形式多樣，結構精巧，裝飾奢華，已成為宮殿建築的重要組成部分。故宮現仍保存暢音閣大戲台，漱芳齋大、小戲台以及倦勤齋小戲台等4個戲台。這些戲台對於研究傳統戲場戲曲演出的舞台空間結構、舞台背景與聲響試驗等，都是寶貴的實物。

北京故宮編印了《故宮博物院藏文物珍品全集・清代戲曲文物》（張淑賢主編，香港商務印書館，2008年）。

9.鐘錶

北京故宮收藏中外鐘錶1,500多件，製作年代從18世紀至20世紀初。外國鐘錶包括了英國、法國、瑞士等國所產，國產鐘錶則有清宮內務府做鐘處所造的各式鐘錶及廣州鐘錶、蘇州鐘錶等，在世界鐘錶收藏中占有極其重要的地位。

這些鐘錶是中西文化交流的產物。清初，來自西方的傳教士為了傳教目的，仍把進獻鐘錶等奇器作為親近中國皇帝的重要手段。於是大量的鐘錶進入宮中。康熙皇帝尚能通過這些奇器看到西方科學的先進性，而他的子孫卻只把這些奇器當作玩物。這些反映中西文化交流一段歷史的中外鐘錶給我們今天以很多的啟示。

清宮鐘錶的來源有兩個方面。一部分是舶來品，或為傳教士進獻，或由清政府直接從國外購進，或是地方官員從洋商手中購買再進貢宮中，或根據帝后喜好專門訂做。另一部分是中國製造。宮廷造辦處設有做鐘處，在傳教士的指導參與下製造與修理鐘錶，最盛時多達上百人。當時全國唯一對外通商口岸的廣州以及手工業相當發達的長

江中下游地區也趁勢而起，鐘錶生產很快形成一定的規模。

做鐘處所造御製鐘多以木結構為主體，給人以莊重肅穆之感。其所製作的大自鳴鐘體量極大，最大的紫檀木雕花樓式自鳴鐘，高達585公分，底座260公分。其所用木料主要有紫檀木，兼有高麗木、花梨木、杉木等。紫檀木上或雕花，或鑲嵌銅條，或光素。此外，還有在黑漆地上描金的洋漆鐘架。鐘的造型為亭、台、樓、閣。有的鐘外形簡直就是宮殿建築的具體而微，連欄杆、柱頭，乃至屋脊上的吻獸也悉數做出。

廣州鐘錶則具有非常濃郁的民族和地方特色。其整體外型多為房屋、亭、台、樓、閣等建築造型，或者做成葫蘆、盆、瓶等具有吉祥含義的器物形狀，以象徵「天下太平」。內部機械結構也相當複雜，除了通常歐洲鐘錶所具備的走時、報時、奏樂系統外，還有各種變幻多樣的「玩意」裝置。這些玩意或者以文字對聯形式表達祝願，由人持握展開，如「福壽齊天」、「萬壽無疆」、「時和世泰」、「人壽年豐」等；或者以特定的景物搭配，使其具有吉祥祝福的意義。如以三羊寓意「三陽開泰」，以靈芝、仙鶴、鹿、佛手寓意「福祿長壽」等，這些都為中國所特有。廣州鐘錶還有一個突出特點即其錶面多是色彩鮮豔的各色琺瑯。這種琺瑯又稱廣琺瑯，透明，有黃、綠、藍等顏色。琺瑯上的裝飾花紋細密繁褥，很有規律。

清宮所藏外國鐘錶，包括了英國、法國、瑞士，以及美國、日本等國所產，製作年代從18世紀至20世紀初，不僅反映了這200年間世界鐘錶發展的歷史，也體現了當時鐘錶製造業的最高水平。外國鐘錶中以英國18世紀的產品為最多。18世紀英國的科學技術處於世界領先地位，其鐘錶也以優美的造型、華麗的裝飾、巧妙的機械傳動裝置成

為當時世界上最先進的鐘錶，同時又湧現出一大批著名的鐘錶大師，如詹姆斯‧考克斯、威廉森等，他們的作品在清宮中都有不少收藏。來自法國的鐘錶多為19世紀末至20世紀初的產品，它們在技術與造型藝術上集中了當時科學技術的最新成果，構思奇妙，設計新穎，反映了法國匠師的創新精神，同時也是法國鐘錶製作水平的標誌。瑞士的「銅鍍金變魔術鐘」、「銅鍍金四明鐘」、「銅鍍金琺瑯圍屏式鐘」等，都做工講究、精湛無比。西方各國製造的各式形體小巧的袖珍錶，造型豐富，材質珍貴，也紛紛進入中國，受到帝后及顯貴的喜愛。這些藏品，都是各國當時最有代表性的產品，尤為可貴的是，多數至今仍能正常使用。當然，這還得感謝故宮博物院幾代認真鑽研並勤奮敬業的鐘錶維修人員。

北京故宮收藏的一座座鐘錶，遠不止是計時工具，而且都是一件件精美絕倫的工藝美術品。英、法、瑞士等國製造的鐘錶，採用了齒輪連動的機械構造，在鐘的外表裝飾了人、禽、獸及面具等，能夠定時表演，出現耍雜技、演魔術、寫字、轉花、鳥鳴、水流等景觀，動作複雜，形態逼真，配上悅耳的音樂，令人驚歎不已。又由於文藝復興運動的沾溉和影響，這些鐘錶不可避免地反映了文藝復興之後歐洲在造型藝術、裝飾藝術等方面的特點。中國皇家製造的鐘錶，為了突出皇家的權威，多用紫檀木、紅木為外殼，以亭台樓閣的傳統建築形式為造型，上嵌琺瑯或描以金漆等，烘托出古樸與威嚴。這些鐘錶以乾隆時期製造的居多，如用五年時間製作的「黑漆彩繪樓閣群仙祝壽鐘」，設計複雜，做工精細，把中國傳統文化的多個方面巧妙地體現在一座鐘錶上，具有極高的藝術價值，每每令參觀者流連駐足。

儘管各自的文化背景決定了它們以不同造型出現，但裝飾華貴、

製作精美、功能複雜，均代表了當時鐘錶製造的最高水準，具有極高的機械科技價值、工藝美術價值和社會文化價值。

北京故宮編印有《清宮鐘錶珍藏》（陸燕貞主編，香港麒麟書業有限公司，1995年）、《故宮鐘錶》（紫禁城出版社，2004年）。

10.天文地理儀器

北京故宮收藏清代宮廷遺存的天文地理儀器760件，其中一級品即達109件。這些儀器中，天文儀器有日月星晷、天體儀、渾儀、星盤等；地學儀器有地球儀、象限儀、測角器、銅版地圖、指南針等；算學儀器有算尺、比例尺、分離尺、角尺、矩尺、比例規、算籌、手搖計算機、幾何體模型等；測量儀器有象限儀、全圓儀、測角儀器；繪圖儀器有套式繪圖儀等；光學類儀器有折射望遠鏡、反射望遠鏡等。

清宮遺存各類儀器之多之精，與當時的科技活動緊密相連，也與皇帝個人喜好有關。康熙初年，清欽天監內爆發了一場因奉行不同天文理論而產生的「曆法之爭」，康熙皇帝看到西洋科技準確的預測功能，遂起用比利時傳教士南懷仁為欽天監監正。康熙朝前期許多儀器都是在南懷仁指導下製成的。他返欽天監後為皇帝製造的第一架天文儀至今仍完好地保存著。康熙皇帝傾心於自然科學，向南懷仁學習天文曆法、星象學、地學等，特別是康熙四十七年至五十七年（1708～1718年），歷經10年進行的大地測量活動，從客觀上促使宮廷內的科技儀器激增。清中期，一度興起復古之風，受其影響，乾隆皇帝也旨令宮廷造辦處製造了一定數量的儀器。這些儀器與清初不同的是，更多用於宮室內陳設。清晚期，隨著宮廷科技活動衰退，科技儀器數量也有減無增。

　　清宮廷不同背景下的科技儀器，來源於三個渠道。一是進貢品。由傳教士攜入宮廷，遇有機會進呈當朝皇帝，如1541年由德國科隆製造的「銅鍍金星晷」即為其一；再如18世紀馬嘎爾尼使團來華，向乾隆皇帝進獻的「太陽系儀」、「赫歇爾天文望遠鏡」等；還有外國親王或中國地方官所進貢物。二是由宮廷造辦處通過仿製、研製的形式製造。其中，富有名望的傳教士，為朝廷設計製作具有一定水平的儀器，諸如德國湯若望製作的「新法地平日晷」、比利時南懷仁等製作的「銀鍍金渾天儀」、德國戴進賢等參與製作的「銅鍍金三辰儀」等。三是有一定數量的儀器通過對外貿易購得，以滿足宮廷活動之需。

　　匯集於清宮的儀器，真實地反映了清代科技理論的變化與發展。清代，科技儀器製作一改傳統度量單位，全面引用西法，如分圓周360°，分一日為96時刻的度量單位，從而拉近了中國與西洋曆法、地理測量等學科的距離。清中期，西方製造的用於宣傳哥白尼「日新說」的儀器，為18世紀先進的科技儀器，這對於中國摒棄落後的「地心說」起了積極的作用。

　　代表清宮科技儀器製作水平的是出自清宮的製作品，它通過改製、研製，為宮內增添了新型儀器。最為典型的是，清初宮廷製造的手搖計算器，在借鑒西方相關製作理論上進行研製，機芯內設置的齒輪系統，使計算機具備了加減乘除的使用功能，比之同期清宮內西方製造的滾筒式計算機，在設計與使用功能上，都略勝一籌。又如清康熙朝歷時10年進行的大地測量活動，所用儀器中不乏有清宮廷製作物，測量後繪製的〈皇輿全覽圖〉，採用經緯圖法，梯形投影，比例為1：1,400,000。它是我國第一次經過大規模實測，用科

學方法製出的地圖，雖然還有不準確之處，畢竟「是亞洲當時所有
地圖中最好的一份。而且比當時的所有歐洲地圖都更好、更準確」
（李約瑟語）。當時清宮廷製作相關儀器中的科技含量，可見一
斑。

清宮所造儀器用料上乘，精於設計，做工精湛。如算學儀器中有
象牙、虯角算籌、象牙尺、玉尺；渾儀中銀鍍金的環架，配以紫檀木
或黃花梨木的支架，再施以鏤雕技術精雕花紋，為儀器增加了藝術氣
息；有的則是通體鍍金，金光燦爛而華美異常。為方便皇帝外出應
用，宮廷還特別設計了便於攜帶的袖珍成套儀器，或可折疊的小型儀
器。其中「銀鍍金簡平地平合璧儀」，整體似一小方盒，開啟後正反
面是不同用途的儀器，即用於測日月星的三辰晷、測方位角的羅盤
儀、測水平角的象限儀、測星象求得時刻等功能的演示性的簡平儀，
以及時刻度分盤，將泛著金光熠熠的六種使用功能的儀器集於一體，
可謂精製之極。

清宮當年的各類科技儀器，在中國古代重理輕技的大學術環境
下，不僅在宮廷史領域，而且在中國古代科技發展史上，亦具有重要
意義。

北京故宮編印有《故宮博物院藏文物珍品全集·清宮西洋儀器》
（劉潞主編，香港商務印書館，1998年）。

11.織繡書畫

織繡書畫多以書畫、詩文作品為藍本，運用織和繡的多種工藝技
法加以藝術再現，既追摹原作筆墨之神韻，又有筆墨所不及的光澤、
質感和立體感等效果，是別具特色的藝術門類。織繡書畫表現的題材
內容有花鳥草蟲、山水風景、人物故事、吉祥圖案、詩文法書、佛像

梵經等，裝幀形式有軸、卷、冊頁、條屏、屏風、扇面、鏡心等，多用作宮中陳設和觀賞。

　　織繡書畫所用工藝以緙絲和刺繡為主，另有織錦、堆綾、刮絨等工藝。其中緙絲藝術在南宋已達到一個高峰，沈子蕃、朱克柔等緙絲藝術大師取得了緙絲藝術無人企及的傑出成就，即令後世千年間的緙絲作品，也難見出其右者。北京故宮藏織繡書畫1,600餘件，絕大部分是清代藏品，另有少量宋至明代藏品。所藏宋代沈子蕃〈緙絲青綠山水圖〉、〈緙絲梅花寒鵲圖〉等作品技藝精湛，享譽國內藏界。元明緙絲精品多件，其中明代〈緙絲瑤池集慶圖〉是我國現存明代緙絲作品中最大的一幅。清代緙絲書畫以乾隆時期為代表，大量緙絲作品為御製詩文書畫、佛像梵經等，以題材豐富、巨製宏幅、緙織精巧而蔚為大觀。刺繡以明代顧繡為傑出代表，它以劈絲纖細，針法豐富，配色考究，繡畫結合等特點，在中國古代刺繡藝術中占有重要的一席之地，故宮藏明代《顧繡宋元名跡冊》是顧繡的代表作，亦堪稱中國古代刺繡藝術的巔峰之作。入清後，全國刺繡形成各自具有獨特技法與藝術風格的蘇繡、湘繡、粵繡和蜀繡四大名繡。北京故宮藏品除蜀繡外均有收藏，其中以蘇繡藏品最為豐富精美，以御製宗教題材類刺繡作品的藝術水平最為上乘。

　　台北故宮織繡收藏，為刺繡與緙絲兩種。刺繡作品共179件，其中時代最早者為五代繡三星圖，又有宋代34件、元代1件；緙絲175件，其中宋代70件，包括宋代著名緙絲專家沈子蕃署名作品3件，朱克柔署名作品4件；元代3件。台北故宮織繡書畫藏品總量不如北京故宮，但質量精美，尤其是緙絲，幾乎件件是精品。宋至明的緙絲藏品在數量上超過北京故宮，且藝術水平也在北京故宮藏品之上。其中著

名的有宋代沈子蕃〈緙絲山水〉與〈緙絲秋山詩意〉、朱克柔〈緙絲鶺鴒紅蓼〉，元代有〈緙絲崔白杏林春燕〉，明代有吳圻〈緙絲沈周蟠桃圖〉等。許多緙絲作品都經過《石渠寶笈》著錄，緙絲藝術水平極高。例如，宋〈繡梅竹山禽〉軸，設色線繡。老梅、翠竹蒼勁挺拔，上下山禽三對，各具形態。繡者對禽鳥觀察入微，用色線短針捻線，層層繡出羽毛的生長狀態，傳神生動。元〈緙絲崔白杏林春燕〉軸，設色織，石旁杏樹一株，枝上花朵累累，雙燕相互關注，上下飛翔。此幅設色明麗，表示春的氣息。通幅緙織細巧，以藍線設色，樸實穩厚。明吳圻〈緙絲沈周蟠桃圖〉》軸，為明代有名織工吳圻所作，頗得原畫精神，人物神韻眉睫傳神，緙織上方的詩文，筆法遒勁，氣勢雄壯，墨色渾厚。清孔憲培妻于氏〈恭繡御製樂壽堂詩意〉軸，五彩色線繡宮中樓閣庭院，用粗鬆線，以長短交錯平針繡出，設色鮮亮華麗，繡技精工，為清乾隆時代精品。【註1】

北京故宮編印有《經綸無盡——故宮藏織繡書畫》（紫禁城出版社，2006年）、《故宮博物院藏文物珍品全集・織繡書畫》（單國強主編，香港商務印書館，2005年）。

台北故宮出版了《清宮織繡選粹》（1971年）、《緙絲特展圖錄》（1989年）、《刺繡特展圖錄》（1992年）。

12.地毯類文物

中國地毯織造歷史悠久，至明清時得到進一步發展。北京故宮保存著當時皇宮實際使用的各種毛（絲）毯1,000餘塊。依其用途，分地毯、地平（寶座下面台面）毯、炕毯、壁毯、窗戶毯、桌毯、寶座

註1 《導讀故宮》，第114～117頁。

毯、靠背毯、腳踏毯、樓梯毯、戲台毯、轎毯、馬鞍毯等，達10餘種
之多。其工藝有栽絨毛毯、栽絨絲毯、栽絨盤金銀線絲毯、平紋毛
毯、斜紋毛毯、緯毛毯、漳絨毯、毛氈毯等手工織造與西方傳來的機
織毯。這些毛毯，既有宮廷內府機構直接織造，也有通過貿易在國外
訂購或西方訪華使團進獻的禮品及藩屬國進貢物，而最主要的則是北
京、新疆、內蒙、寧夏、甘肅、西藏等地的貢品。

　　這批清代宮廷用毯，根據不同的使用功能，裝飾有不同內涵的文
飾：祥龍瑞鳳文飾的，多鋪設在典禮大殿中；名花蕙草與亭台樓閣等
文飾的，則鋪設在具有寧靜溫馨格調的生活建築之內。它們多隨建築
內空間格局，依形成幅，鋪設吻合，使得地面、牆面的絢麗毯面與天
花渾然一體，營造出富麗堂皇的皇家氣派。

　　現藏手工栽絨地毯，有10件左右當是明代中期的編織物，其餘都
是清代（直至清末）的地毯。這些地毯早的已有500餘年歷史，最晚
的也有100餘年。其中明中期的龍戲珠、雙鸞鳳紋以及錦紋大地毯，
儘管有的殘損，但作為中國皇家用毯，在世界地毯史上仍有其獨特的
地位和價值。

　　清代初期，由工部為皇宮織造的栽絨大地毯，至今約有40件左
右，其中部分品相較好或完好。這批地毯的拴扣（地毯打結）均採
用西藏、青海地區特有的連環扣（也叫手捧纏），具有操作簡單、
編製效率高、節省用料的特點。這是中國各地手工地毯打結中最為
特殊的編織法。這批栽絨地毯專為宮廷殿宇地平或地面而織作，
面積較大，小的有40平方公尺，大的則達70多平方公尺。體積也厚
重，一般300餘斤，最重者有700多斤。大毯中的經緯線，常選用價格
高於棉線的純絲線，從而打破國內地毯研究中「經緯線用料三階段

之說」——毛經毛緯、麻經麻緯，以及棉經棉緯，從而填補了明清時期，繼麻經麻緯之後，還曾有過絲經絲緯的階段。由於地毯選用植物染色，歷經300餘年，色澤仍鮮豔，顯示了中國傳統植物染色的魅力。

清代中期，回疆（今新疆南部）地區編織的盤金銀栽絨絲毯，在宮內數量增多，故宮藏品中至今仍有30餘件，其中大多數品相完好。整個地毯豔麗的花紋綻放在金銀線的襯托中，華美異常。這種用料昂貴、工藝複雜的盤金銀線栽絨毯，是清代特有的地毯品種，在中國地毯發展史上占有重要位置。

此外，通過進貢或其他形式匯集於宮廷的栽絨地毯，由新疆、寧夏、蒙古、北京、甘肅、西藏、青海及北京宮廷織造，編織中的邊經、過緯線、起絨高度等，多以各地區傳統手法完成。唯出自清初工部的織造品，表現出綜合的製作技術。可以說宮廷栽絨毯比較全面地反映了清代傳統工藝的特性。

北京故宮還收藏50餘件大小西洋毯，絕大多數為19至20世紀的機織地毯。這些洋地毯帶著異國的藝術風情，如五彩花環紋西洋毯，為法國流行一時的古典式樣。由於拿破崙執政時期（1799～1814年），要求法國人以古典主義作為美的規範，所以裝飾圖案中大量運用希臘——羅馬藝術中象徵勝利、成就、榮譽的形象，諸如月桂、橄欖枝、花環等，再以古典風格的直線幾何形將它們組合起來。西洋地毯的裝飾，對清代地毯也產生了一定影響。最為典型的是清代壁毯毯邊成功運用了西方大像框的圖案，使壁毯裝飾中西融合，別具一格。

地毯作為清代宮廷實用品，長期以來未能引起人們的足夠重視，今天其價值已被認識，其價值不僅在於織造藝術方面，還有其中宮廷

典章制度沿革以及宗教信仰、民俗風情與文化交流等歷史文化蘊涵。

13.寢居類鋪墊幃幔文物

北京故宮收藏的鋪墊幃幔類文物，主要是清代皇帝后妃日常起居所使用的床上用品及相關的家居鋪墊用品，共計7,844件。種類涵蓋帳幔、炕單、被褥、枕頭、寶座坐褥與靠背及迎手、凳墊、椅墊、椅披、桌圍、桌套、桌布、鏡套、鏡簾、門簾、窗簾等，其質地有綢、緞、紗、緙絲、錦、呢、氈、漳絨、皮毛等。

由於帳幔、炕單、被褥等床上用品在當時的使用頻率較高，作為實用品的淘汰率自然也大，所以遺存至今的不是很多，但其中也不乏用工極為精美者，如企望皇家子嗣繁盛而刺繡百子圖案的被褥，其上各種孩童千姿百態，刺繡極其工致；在晚清皇帝大婚時直接使用的「龍鳳同合」文飾的幔帳、被褥也都保存完好。

此類文物中，寶座靠背與坐褥及迎手所占比例較大，計有2,000餘件，其中多為清宮舊藏，有些帶有千字文編號，有的還留有當時所用的建築名稱記錄，既有紫禁城的，也有古物陳列所從承德避暑山莊運來的。這些不僅對宮廷史研究具有意義，而且對恢復宮廷原狀也具有實際意義。同時，由於其時代跨越較大，幾乎包括清代各個朝代的成品，對研究織物組織、織造技術、刺繡技法、時代特點亦有借鑒作用。

14.醫藥類文物

北京故宮現存醫藥文物3,000餘件，可以分為醫藥和藥具兩大類。其中醫藥又包括藥材、中成藥、西洋藥品幾類。藥具按材質劃分主要有石質、銀質、銅質、瓷質、木質、砂質、玻璃等；按用途劃分，有製藥用具、盛藥用具、診療用具、教學用具等。例如，有當年

御藥房配置丸散膏丹的銀質器皿和模具，有設計精巧、攜帶方便的藥袋、藥櫃；有當年備用的牛寶、馬寶、猴寶、狗寶、蜘蛛寶等罕見的名貴藥材；還有西洋傳教士進貢的西藥和葡萄酒；太醫院購置的西洋人體解剖模型、化驗用的顯微鏡、消毒用的蒸氣發生器、比較準確的天平等等。

這批文物是研究清代宮廷醫學的重要資料。徵收各省藥材、官員進貢、外買藥材和成藥、外國使節饋贈、宮中自製藥品是清宮醫藥來源的五個主要途徑。宮中御藥房和造辦處對進入宮廷的藥材進行加工炮製，製備成型，最大限度地滿足了宮廷用藥的需求。而外國藥品的流入無疑極大地豐富了清宮醫藥的品種，是對中成藥的補充。

清宮藥具中銀器和瓷器占有較大的比例。這是因為銀器和瓷器都具有化學成分穩定、不容易和藥物成分發生化學反應的特性。此外，清宮大量使用銀質藥具還有一個重要原因，就是沿用傳統的看法，認為銀器可以試毒。藥具是清宮諸多生活用具中的一種，這就決定了其不可能像其他陳設工藝品那樣光鮮奪目，即便如此，還是可以從用料、紋飾、造型等方面體現出宮廷特色。巡幸各地是清帝經常性行為，皇帝出巡時，御藥房派官員、製藥醫生攜藥隨行，這就出現了一些方便使用的藥具，如銀背壺等。康熙和光緒時期出現了西洋醫學傳入的兩次高潮，反映到清宮藥具上就是出現了一些西洋藥具和診療用具。

清代宮廷醫學是中國醫藥史的組成部分之一，它在一定程度上代表著中國醫學發展的最高水平。北京故宮現存醫學文物在研究宮廷醫學方面具有不可替代的作用，在某些方面甚至可以彌補文獻、檔案記

載之不足，從這個角度上講，其價值彌足珍貴。

15.清宮日常生活用品文物

　　北京故宮所藏清宮生活文物，主要是當時實際使用的日常物件，遺存到今天而成為文物，數量多達幾萬件，包括餐飲炊具、煙酒茶及其器具、沐浴盥洗化妝器具、取暖納涼器具、照明器具等。前邊介紹的銀器、銅器、錫器，都有一部分是生活用品，已特地說明。這些文物真切地反映了當時帝后的生活實態。餐飲炊具既有漢民族長期使用的器具形式，也有滿族餐飲生活特殊的器具，比如喝奶茶用的奶茶壺，吃涮羊肉的火鍋等。當時帝后實際吸食的水煙、洋煙以及鼻煙等，都有大量遺存；尚有未開封的晚清皇帝舉行大婚所用的成罐喜酒；當時全國各地進貢的名茶無所不具，現在尚存有400件左右，其茶具亦十分精美。沐浴盥洗化妝器具可謂類別、形制五花八門，僅梳妝用具即達3,000餘件，且還存有從國外進口的香水。取暖納涼器具中，手爐、熏爐、火爐、炭盆等取暖用具存量豐富；納涼除了傳統的手扇外，還遺存有機械的風扇，通過特殊的家具構造而能隔熱盛冰的「冰箱」。另有玩具近700件，火鐮藏品1,500餘件，鞘刀約2,000件，香約200件，蠟燭1,600餘件，等等。

16.外國文物

　　北京故宮除收藏大量外國鐘錶、天文地理儀器外，還存有各類外國文物1,000多件，一部分為國家間的禮品，例如收藏的日本文物，就是明清時期中日皇室間的互贈品或商行之間的貿易品；一部分是從西洋採買；一部分為當時藩屬國的貢品，例如琉球王國進貢的東洋漆盔甲等，同樣反映了當時的中外關係。

　　在英國文物中當屬英使馬噶爾尼向乾隆皇帝進獻的火槍與腰刀歷

史價值最為重要，是中英兩國第一次正式接觸的直接物證。馬嘎爾尼進獻火槍，長159.5公分，內徑16公釐。槍管鐵質，帶準星、望山。槍口底部附搠杖一根。槍床木質髹漆。槍整體金、銀嵌絲西洋花卉、捲草、蕉葉、花籃、星、月、刀、槍、劍、弓、箭、斧、鉞、盾、炮、盔、甲、武士、旗、號等紋飾。槍上所嵌的各種紋飾，按類集成，特別是武器部分集西方當時兵器之大成，鑲嵌的各種器械及圖案，金壁輝煌，製作精美，立體觀賞效果極強。槍管鍍金處鑴西文：「HWMORTIM□□LONDN MAKER TO HIS MAJESTY」。槍附皮條滿、蒙、藏、漢文：「乾隆五十八年八月……進自來火鳥槍一桿。」

北京故宮收藏日本文物較多，有繪畫、陶瓷、雕塑、織物、漆器、家具、書籍等。2002年，北京故宮從院藏的大量日本文物中精選154件套，在日本舉辦「故宮藏日本文物展覽」，展品多為日本江戶至明治時期（公元17～19世紀）的各類藝術品。其中，繪畫包括了軸、冊、扇等各種裝裱形式，及山水、花鳥、人物、佛像等多種創作題材，且有日本江戶時期以來畫壇上的主要畫家雪舟等楊、雪村周繼、豐原國周等人的〈山水〉、〈鷹圖〉等優秀作品。並出版《故宮藏日本文物展覽圖錄》（紫禁城出版社，2002年）。

琉球在明清時期一直是中國的藩屬國，國王由中央冊封，每年向中央朝貢，因而中國與琉球關係極為密切。2003年以來，北京故宮與日本沖繩縣教育委員會合作，共同調查北京故宮所藏琉球文物。通過互訪、實地調查、文物拍照、查詢資訊資料等工作，已初步確定院藏琉球時期相關文物110餘種，700餘件。主要為「紅型」（琉球布料）和漆器，武備器具及書畫等，主要為琉球王朝時期進獻的文物。2004年曾在日本沖繩縣舉辦過展覽，出版了《中國·北京故宮博物院藏琉

球王朝的珍寶》展覽圖錄。應沖繩縣要求，於2008年11月在沖繩縣新建博物館舉辦琉球文物展。

另外，還有奧地利、俄羅斯、越南等國少量文物，其詳細情況仍在整理之中。

有關宮廷類文物，北京故宮還編印過《清代宮廷生活》（萬依等主編，香港商務印書館，1985年）、《清代帝后萬壽慶典文物展覽》（香港中藝有限公司，1983年）、《清宮宴樂藏珍》（北京出版社，2002年）、《清代后妃首飾》（紫禁城出版社，1992年）、《故宮珍寶》（紫禁城出版社，2004年）、《故宮博物院藏文物珍品全集·宮廷珍寶》（徐啟憲主編，香港商務印書館，2004年）。

台北故宮出版了《故宮歷代香具圖錄》（1994年）。

九　宗教文物

北京故宮宗教文物十分豐富，可分佛教、道教、薩滿教文物三大類。

道教文物500多件，存於欽安殿、玄穹寶殿兩處殿堂，包括供奉道教的神像、供器、法器、經書。欽安殿主供三尊高大的玄天上帝鎏金銅像，八尊一人高的銅侍從神像，以及明代銅鐘、大鼓等，北牆則繪道教諸神五彩描金壁畫，東西壁的南北兩端還有四時值神壁畫。玄穹寶殿供銅鎏金昊天至尊玉皇大帝、三官大帝、文昌帝君銅像，侍從神銅像，各種供器、神牌等。道教文物中有部分明代文物，大部分為清代文物，種類齊全，保存完好，是研究明清兩代宮廷道教文化的重要實物。

薩滿教文物存於坤寧宮西暖閣，有薩滿祭祀儀式所用布偶像、七仙女神像、五仙神像、鐵箍台鼓、拍板、腰鈴、鐵神刀、三弦、琵琶等幾十件，是清宮薩滿教祭祀活動的珍貴遺物，對研究滿族薩滿教信仰及禮儀實踐意義很大。

北京故宮宗教文物中主要是佛教文物，又以藏傳佛教文物為主，占宗教文物總數的90％以上，原存於清宮多處藏傳佛教佛堂。現存比較完好的原狀佛堂有雨花閣、寶華殿、寶相樓、吉雲樓、佛日樓、梵華樓等20多處，不僅建築完整，而且室內保留著清代的原貌，匾聯、供案、神佛造像、佛塔、供器、法器、唐卡、壁畫等皆維持原樣，甚至擺放位置都未改變，真實地反映了清代藏傳佛教在宮廷內的深刻影響。與道教、薩滿教不同，這些藏傳佛教文物大部分為清代蒙藏地區的民族宗教領袖進獻皇帝的珍貴禮物，以及內地宮廷所造的佛教藝術精品，匯聚了蒙藏地區以及內地的藏傳佛教文物珍品，並收藏了不少域外佛教藝術的精品，如古代印度、尼泊爾地區的古代佛像等。其中，藏傳佛教造像2萬多尊，有金銅、石、木、泥等各種質地，而以金銅造像時代最早，最有代表性。這些藏傳佛像的可貴之處還在於保留了清代喇嘛高僧的鑒定記錄，通過保留至今的佛像上的黃條和佛龕題記，可知佛像的名稱與分類，至今仍具有重要的研究參考價值。

北京故宮藏有唐卡1,000餘幅，匯聚了17至18世紀西藏與內地藝術家創作的一大批珍貴畫作，包括彩繪唐卡與織繡唐卡兩大類，是這一時期唐卡藝術的精華，表現了藏傳佛教豐富的尊神形象以及壇城世界。北京故宮唐卡大部分是收藏在箱櫃中的畫像，所以至今大多品相完好，色澤如新。如佛日樓佛堂供案前至今完好保存的兩個箱子，就

是專供存放唐卡的。而長期掛在佛堂中的唐卡，至今仍保持著原初的狀態，對瞭解清代宮廷藏傳佛堂內佛像的組合配置，是重要的實物資料。清宮唐卡亦經高僧大德鑒定加持，基本上每幅背後都有一方白綾，上書漢、滿、蒙、藏四種文字的題記，說明唐卡進宮的時間、來源、名稱、鑒定人、掛供方位等，這不但在當時就具有宗教與圖像學兩方面的權威性，也為今天的研究提供了可靠的依據與線索。

北京故宮所藏供器與法器、法衣計7,000多件，品類相當豐富，不僅有藏傳佛教寺廟中常用的各種器物，許多在一般寺廟中難以見到的珍貴法器，也深藏在宮廷佛堂中。供器有五供、七珍、八寶、海燈、巴令供盤、滿達、佛缽、佛塔等。法器有金剛鈴、金剛杵、金剛橛、喀章噶、噶巴拉碗、噶巴拉鼓、鑲翅海螺、骨笛、鉞刀、大號、鼓等，這些器具有來自西藏地方進獻皇帝的禮物，多為歷代達賴、班禪進貢，大部分法器為清宮廷製作，有純金銀製品，也採用銅鎏金，掐絲琺瑯等各種工藝技法，用料考究，工藝精湛，如雨花閣內三大琺瑯壇城，梵華樓、寶相樓內六座琺瑯大塔，都是清代的琺瑯工藝珍品。法衣有佛衣、佛僧帽、佛冠、佛玉帶、佛玉圭等。佛衣是清代藏傳佛教大喇嘛舉行重大法事活動時穿用的法服，由髮冠、五佛冠、雲肩、兩袖和下裳五部分組成，製作十分精美繁複，衣上滿綴骨料、角料、硨磲或象牙等材料製成的瓔珞，式樣獨具特色。這批佛衣對研究清代藏傳佛教及清廷與西藏的關係提供了寶貴的實物資料。

北京故宮現存有一些歷世達賴喇嘛進獻的文物。如明永樂款銅鈴杵，為明初宮廷製造，上鏨款「大明永樂年施」，所附黃簽寫：「達賴喇嘛恭進大利益銅鈴杵」，原為明朝皇帝賜贈給西藏高僧，後達賴喇嘛又進獻給清朝皇帝；木製佛舍利盒，乾隆三十八年（1773年）

和四十年（1775年），八世達賴喇嘛進獻的兩顆「燃燈佛」舍利和兩顆「迦葉佛」舍利就存放在此盒內；清紅銅鍍金彌勒佛像，高84.5公分，為菩薩裝彌勒像，頭戴五葉冠，左右手結說法印，各持一蓮枝，身上繫有清宮黃簽：「達賴喇嘛又呈進利瑪佛一尊連衣」；清銀間鍍金壇城，是達賴喇嘛為皇帝壽辰而進獻的禮物。

乾隆四十五年（1780年），六世班禪參加乾隆皇帝七旬萬壽慶典，敬獻了大量壽禮，相當部分仍保存在北京故宮，如：以藏、漢、滿三種文字寫成的奏書，讚頌文殊菩薩化身的乾隆帝，並附有禮單；進獻的《白傘蓋經注》、象徵「福吉祥瑞」的右旋螺；七月二十六日，在承德進獻的鐵金馬鞍，後來嘉慶帝曾乘坐過；八月七日，作為壽禮進獻的〈無量壽佛像〉唐卡、〈白文殊菩薩像〉唐卡、〈白救度佛母像〉唐卡、〈威羅瓦像〉唐卡、〈六臂積光佛母〉唐卡；八月十八日，為祝壽念經進獻的〈上樂金剛壇城〉唐卡；八月二十四日，乾隆帝到須彌福壽廟看望班禪時，班禪進獻的明銅鍍金釋迦牟尼佛像等等，這些至今仍完好保存。

為紀念六世班禪，乾隆帝將宮內雨花閣西配樓佈置為六世班禪影堂，供奉六世班禪銀造像、畫像、〈班禪源流像〉等。〈六世班禪僧裝像〉為大幅唐卡。畫幅正中六世班禪分別穿僧服和清朝官服，結跏趺端坐在雕龍扶手椅上，面容安詳慈善。像背後白綾用漢滿蒙藏四體文字書寫題記：「乾隆四十五年七月二十一日，聖僧班禪額爾德尼自後藏來覲，上命畫院供奉繪像留，永崇信奉，以證真如。」為畫這兩幅像，乾隆帝從七月就命畫畫人陸燦進京，十月三十日，陸燦至西黃

寺為班禪畫像。兩天後，六世班禪就圓寂了。【註1】

　　北京故宮所藏各類漢地佛教造像約3,500件。從質地上劃分為石、銅、鐵、陶、瓷、琉璃、木等，時間上起自佛教藝術初傳華夏的2～3世紀，止於清末。題材豐富，時代齊備。金銅佛像中時代最早的是一尊帶有犍陀羅風格的持淨瓶菩薩立像，被定為公元2～3世紀製作，是一件國內難得發現的較早的佛教造像。另外一件陳萬里先生捐獻的青瓷禪定佛坐像，製作年代大約在西晉時期，也是目前能夠見到的較早佛造像。北魏時期的釋迦多寶像，唐朝盧舍那佛像、地藏菩薩像，遼代的釋迦牟尼像、觀音像，明代的文殊菩薩像等皆為上品。

　　石質佛像以河北曲陽縣白石佛造像最具代表性。這批造像1953至1954年在其縣城西南修德寺舊址埋葬坑內出土，較完整者在600件以上，其中有明確紀年者271件，始自北魏晚期，止於盛唐天寶年間。曲陽白石佛像數量多，持續時間長，紀年發願文排列有序，題材豐富，材質溫潤潔白，雕刻精美。排列有序的紀年造像為造像研究提供了斷代依據；豐富的內容，對研究造像題材發展演變規律，提供了可能；高超的技藝，特別是鏤空雕刻的廣泛使用，在中國佛造像中獨占鰲頭。這批造像精品現都由北京故宮收藏。

　　北京故宮所藏唐朝泥質造像，俗稱「善業泥」，因背面印有「大唐善業泥，壓得真如妙色身」而得名。是玄奘從印度歸國後，仿效印度做法，以為唐太宗與長孫皇后祈福之機，在都城長安印造的一種佛像。這種佛像與唐朝政府佛教政策有密切的關係，也是對外文化交流

註1　參閱一之《清宮中的部分藏傳佛教文物》，《中國文物報》2008年4月30日。

的產物，為研究中印藝術的相互融合，以及「長安模式」構成要素與藝術特徵，提供了重要依據。

北京故宮所藏木質造像，以廣東韶關南華寺木雕羅漢像的歷史內涵尤為豐富。羅漢像最初為500尊，現存360尊，北京故宮收藏50尊。它雕造於北宋慶曆五年至八年（1045～1048年），所用木材多數為柏木，少數為楠木、樟木、檀香木。像座有束腰須彌座、長方形透雕鏤空花石形空心座、半圓形透雕空心座等多種。像身以現實人物為參照對象，形態各異。所刻發願文內容豐富，是研究世俗信仰的重要資料。南華寺是慧能傳法之地，禪宗從始祖達摩直至六祖慧能，佛教才完成了真正意義上的中國化，木雕羅漢像則是形象上對此理論進行的詮釋。

明清時期，工匠的創作更多受到文人士大夫審美情趣的影響，德化窯瓷塑藝人何朝宗等創作的瓷塑佛像堪稱翹楚，他燒造的觀音像和達摩渡海像，胎質細膩，線條流暢，釉面光滑溫潤，人物神形兼備，栩栩如生，獨步天下，後世視為上善之作。

北京故宮現藏佛、道經籍計有2,000餘種、6,400餘部、54,000餘冊。包括歷代寫本、刻本、墨拓、硃拓本。漢文之外，還有滿文、藏文等文字的寫經。宋以前寫經近百件，紀年題記最早的是北魏宣武帝元恪永平四年（511年），最晚的是北宋太平興國十年（985年）。元、明、清三代寫本、刻本數量最多，尤以清內府寫、刻經卷最具特色。除了漢文，還有滿文、藏文等文字選入《中國古籍善本書目》者計有160餘種。藏文寫本《甘珠爾》經、《清文翻譯全藏經》，以及《嘉興藏》三部重要佛經，將在後面「古籍善本」中介紹。

應該看到，北京故宮的佛教及道教、薩滿教文物，大多一直在原

來的存放地，文物與古建築未脫離，保存了大量的原始信息，具有比一般傳世文物更高的歷史文化價值。

北京故宮紫禁城出版社出版了《圖像與風格——故宮藏傳佛教造像》（2002年）、《藏傳佛教眾神——乾隆滿文大藏經繪畫》（2003年）、《故宮博物院藏品大系·雕塑編·曲陽白石佛教造像》（2008年），香港商務印書館出版了《故宮博物院藏文物珍品全集·藏傳佛教唐卡》（王家鵬主編，2003年）、《故宮博物院藏文物珍品全集·藏傳佛教造像》（王家鵬主編，2003年），還有展覽圖錄《妙諦心傳》（澳門藝術博物館，2003年）。

台北故宮收藏的宗教文物以佛教為主，並包含印度教、耆那教等。佛教文物以漢傳和藏傳兩大系統為主，就性質可分為三類：經典、造像和法器。台北故宮藏佛教經典不含清刻滿藏文《大藏經》有300餘部，根據經典製作的方式有寫本、緙繡和雕版三種，其中明以前的經卷達50餘種，大都是清宮舊藏，著名的有宋代張即之、明代董其昌等的寫本佛經。其中明代內府寫經用金汁抄寫，且有精美的彩繪插圖，既是內廷供養的佛教法物，更是完美的工藝品，其內容以藏傳佛教經典為主，而且有準確的抄寫年代，是研究明代宮廷藏傳佛教真實面貌的珍貴材料。

台北故宮佛教造像主要有北魏太和元年（477年）銘釋迦牟尼佛金銅坐像，8世紀韓國統一新羅時期的立佛，宋代大理國梵像卷、千手千眼觀世音菩薩等，以及德化白瓷觀音像、清金漆夾紵觀音大士像。東南亞的佛教造像，有印尼中爪哇夏連特拉王朝的立佛，柬埔寨吉蔑王朝的造像以及13世紀泰國佛陀造像。

台北故宮有藏傳佛教法器約200餘件，原貯存於紫禁城中之慈寧

宮花園，包括法衣、法器等。其中不論材質和金工均為上乘製作的金嵌珊瑚松石壇城，是順治九年（1652年）五世達賴喇嘛入京朝覲順治皇帝時所獻，清帝給達賴頒發了金冊金印，封五世達賴為「西天大善自在佛所領天下釋教普通瓦赤喇怛喇達賴喇嘛」，由此確立了達賴喇嘛的西藏佛教領袖地位。五世達賴朝覲，是清代西藏佛教領袖人物第一次到北京朝拜皇帝，得到朝廷的冊封，標誌黃教取得在西藏宗教中的統治地位，五世達賴此行為加強西藏地方與清中央政府的關係起到了積極作用。這件文物便成為見證這一歷史事件的絕佳資料。

此外，台北故宮近年來還徵集到兩件16世紀的《古蘭經》：伊朗《古蘭經》1冊，印度比哈律體《古蘭經》文法注解1冊；另有抄於1926年的貝葉經。

台北故宮出版的法器及金銅佛圖錄有《清宮法器選粹》（1971年）、《金銅佛造像特展圖錄》（1987年）、《金銅佛教供具特展》（1995年）、《歷代金銅佛造像特展圖錄》（1996年）、《皇權與佛法：藏傳佛教法器特展圖錄》（1999年）、《觀音特展》（2000年）。

十　文獻檔案

台北故宮藏清宮檔案約39.5萬件冊，大致分以下五項：

其一是宮中檔案。其中滿、漢文奏摺158,535件。除奏摺外，還有諭旨、御製詩文、各類檔冊及奏摺的附單、片等。較重要的有康熙十七年（1678年）三月十六日頒給撫蠻滅寇將軍廣西巡撫傅弘烈的特諭。各大臣的貢單。康熙帝親征準噶爾期間，厄魯特一些頭目如扎木素、達喇什、博洛特宰桑和碩齊、多爾濟、察罕代、吳巴什、臧卜格

隆、達什等人的供詞。雍正時的寄信諭旨、晴雨錄、官員履歷單、各省的雨水糧價單等，都是很珍貴的史料。

其二是軍機處檔案。軍機處檔案分月摺包和檔冊兩大類，其中奏摺錄副檔共有190,837件、軍機處檔冊6,218件冊，其名目與數量依性質分為目錄、諭旨、專案、奏事、記事、電報等類。月摺包中有許多檔案具有很高的史料價值，例如有一些重要的外交文書，如照會、國書、條約、地圖等，包括乾隆時福康安致阮光平的照會、暹羅國統攝主事鄭昭的稟文、法國鐫工柯升為雕刻銅版得勝圖事的來函，清晚期總理各國事務衙門與各國公使的來往照會，中法戰爭期間李鴻章《與美使楊約翰問答節略》等，同治年間俄羅斯與總理衙門的照會、中俄界約等，都是極為珍貴的中外交涉材料。

其三是內閣檔案，現藏2,027冊，包括內閣承宣的文書（詔書、敕書、誥命等）；帝王言動的記載；官修的實錄、聖訓及清代會典；內閣日行公事檔冊；舊滿洲檔。其中舊滿洲檔共40冊，太祖朝20冊，太宗朝20冊，是滿洲入關以前用無圈點老滿文及有圈點新滿文記錄史事的檔冊，是研究清入關以前歷史和滿洲文字發展變化的極珍貴的原始材料。

其四是史館檔案，現藏22,970冊、包。這些檔案，一是清朝國史館為修國史所形成的檔冊稿本，一是民國初年清史館因修清史所形成的檔稿。國史館與清史館所修史書，都沿用傳統的體例，分紀、誌、表、傳等類。

其五是輿圖。台北故宮還藏有輿圖273種，800餘件，為原國立北平圖書館舊藏。這批古地圖大多是清內閣大庫紅本中拾出的明、清舊圖，小部分為後來搜購，多屬於官繪本或進呈本，因此品相甚佳。內

容上，除一般行政區域圖外，沿海、邊防、水道、河工、城市、宮殿、道里、驛鋪等專題地圖亦多。此外還有受贈輿圖，劉錚云《地圖小世界世界大地圖——本院新近受贈古地圖簡介》、盧雪燕《漫步古地圖——從飯塚一教授捐贈古地圖談起》專門做了介紹。

台北故宮已出版了《國立故宮博物院清代文獻檔案總目》和《國立故宮博物院藏清代文獻傳記傳稿人名索引》，文獻館同仁對於所存的清代檔案，基本整理就緒，編有目錄卡片及各種索引以供學者檢索。從1973年至1982年間，編輯出版了《宮中檔光緒朝奏摺》26冊、《宮中檔康熙朝奏摺》9冊、《宮中檔雍正朝奏摺》32冊、《宮中檔乾隆朝奏摺》68冊等。還有《袁世凱奏摺專輯》、《年羹堯奏摺》3冊等。台北故宮所存清代起居注冊，由台北聯合報文化基金會國學文獻館先後影印出版了《清道光朝起居注冊》100冊、《清咸豐朝起居注冊》57冊、《清同治朝起居注冊》43冊、《清光緒朝起居注冊》80冊。1969年影印出版《舊滿洲檔》10冊，2005年又以《滿文原檔》為名出版了整理本。還有《先正曾國藩文獻彙編》（全8冊）、《曾文正公國藩文獻特展目錄》、《清宮宮中檔奏摺台灣史料》、《清宮月摺檔台灣史料》（1至3冊）、《清宮諭旨檔台灣史料》等專題。

如前所述，由於業務及機構的調整，北京故宮明清檔案部1980年劃歸國家檔案局，改稱中國第一歷史檔案館，收藏的明清檔案按當時統計即有800萬件，後經深入整理和陸續徵集，中國第一歷史檔案館檔案目前的統計數位已達1,000餘萬件，占到海內外所有存世明清檔案的一半。從1971年至1979年，北京故宮明清檔案部整理出版了《第二次鴉片戰爭》（7冊，上海人民出版社出版）、《關於江寧織造曹家檔案史料》（中華書局出版）、《李煦奏摺》（中華書局出版）。

北京故宮現在文獻類收藏可分六個部分：

其一，輿圖收藏。大部分輿圖存於中國第一歷史檔案館，北京故宮現有300餘冊（幅、件）。以康、乾時期繪製的最為精緻。如康熙年繪製的〈皇輿全覽圖〉；雍正朝繪製的〈皇輿十排全圖〉，不僅有木刻本，還有二種不同的色繪紙本；乾隆朝繪製的輿圖較多，尤以〈皇輿全圖〉之銅版初印本最為罕見。全圖共104塊，圖幅範圍基本上和雍正圖相似，北盡北冰洋，南抵印度洋，西至波羅的海、地中海和紅海，不僅為我國最完整的實測地圖，也是當時世界上最早的、最完整的亞洲大陸全圖。為了宣揚這一成就，乾隆皇帝命內府造辦處鐫刻銅版104塊並刷印紙圖104張。在河圖方面，有乾隆三十三年（1768年）方觀承、黃立隆測製的〈濡源征繪〉和〈畿輔河澱四圖〉最具參考價值。這些輿圖內容極其豐富，有的色繪精細，猶如青綠山水畫卷，對於考察瞭解各處的歷史變遷等，具有重要的資料價值。

其二，部分《清內務府陳設檔》。這是清宮內務府每年對其所轄各處殿堂陳設物品清點的清冊。中國第一歷史檔案館現存雍正八年（1730年）至宣統十四年（1922年）陳設檔1萬餘冊，大多為圓明園、靜宜園、靜明園、景山、避暑山莊等皇家園囿的陳設清冊；而北京故宮所藏康熙三十三年（1694年）至宣統十四年陳設檔682冊。陳設檔的種類，就其形式而言，有原始檔、覆核檔和日記檔之分。

北京故宮所藏陳設檔，以乾隆年以後者居多，主要有清宮內廷各殿陳設檔、景山各殿陳設檔、雍和宮陳設檔、圓明園陳設檔及一些沒有殿名的陳設檔。每頁中縫處均鈐「廣儲司」之印。據此可知，陳設檔由廣儲司專管。現藏陳設檔中年代最早的一份為康熙

三十三年（1694年）所立《陳設帳》。該檔在許多陳設物品名稱下黏貼浮簽，浮簽上以墨筆注明康熙至乾隆年間這些陳設物品的動態信息。例如《欽安殿佛像供器檔》，清宣統年內務府抄本，簽題「清宣統二年八月立」。每半頁9行，每行登錄陳設物品1種，包括名稱、件數、現狀、隨飾物件、陳設立位等。其中值得注意的是，檔冊中載有：「光緒五年五月二十五日，連英傳旨，慈禧皇太后祈雨靈驗特供御用龍袍一件」字樣，對於研究清宮神事活動具有參考價值。總之，陳設檔真實地反映了清代宮殿陳設的特點與變遷情況，對研究清代宮廷陳設規律、帝后生活以及恢復宮廷原狀陳列等具有重要價值。

其三，「樣式雷」建築圖檔。「樣式雷」為中國清代著名的建築世家，祖籍江西。從第一代樣式雷——雷發達在康熙年間由江寧來到北京，到第七代樣式雷——雷廷昌在光緒末年逝世，雷氏有7代長達200多年為皇家進行宮殿、園囿、陵寢，以及衙署、廟宇等設計和修建工程。因為雷家幾代都是清代樣式房的掌案頭目人，遂被世人稱為「樣式雷」。從康熙至清末，雷氏一家完成了大量建築設計，製做了大量畫樣、燙樣及工程做法等圖籍。北京故宮現藏樣式房和工部繪製的建築圖樣有2,000餘幅，時間跨度近180年。其圖樣內容廣泛，有宮殿、皇城、行宮苑囿、陵寢、衙署、王府、廟宇、營房、橋樑、河道、內外檐裝修，以及在慶典中臨時支搭的樓閣戲台等工程項目。最多者為陵寢類（788幅）及園林類（532幅）。種類也很豐富，有為平面圖的地盤樣，有相當於立面、軸側圖或透視圖的立樣，有展示結構的大木立樣等圖樣。按設計階段分為糙樣、糙底樣、底樣、細底樣、進呈圖樣等。圖樣大小不一，大者盈丈，小者數寸。繪製色彩上有墨

繪、朱墨繪、彩繪、描金彩繪。繪圖紙張，除個別用絹，大部分用中國手工紙，也有少量為機製紙。集中反映了清代國家建築工程設計程式及雷式畫樣的圖學成就，同時也是清代皇宮建築設計及營建活動的真實記錄，極具文物及史料價值。例如清內府彩色繪紙本軸裝〈西陵全圖〉，四邊黃綾裝裱，共四軸，四軸相等，每軸縱191公分，橫96公分。黃浮簽注釋，極為詳細。其四扇屏相接成為一幅巨畫。所繪除西陵的群山、松林、山石等外，尚有清雍正帝陵、嘉慶帝陵、道光帝陵三座，皇后陵三座，妃園寢二座，以及公主墓、王父墓、衙署、寺廟、行宮等等，宛如一幅優美的山水畫，實為清西陵形勢立樣圖。此圖展示了百年前清西陵的全貌，為今人研究西陵提供了形象資料。

其四，清代中晚期的帝后服飾和器物小樣。各類服飾圖樣有370餘種，3,400餘幅（件），係定製實物之前，由內府畫師繪出紙樣，局部施以彩色，以供內府按樣製作。這些圖樣可供瞭解清代帝后及其家族們穿戴服飾的生產過程和當時工匠們的高超技藝及紡織業的發展水平。

服飾圖樣種類繁多，大致可分帝后朝袍、龍袍、朝裙、龍褂、馬褂、緊身衣、褂、坎肩、被褥、靠墊、迎手、香囊、荷包等等。以其繪製方法可分為按身材原大裁剪的尺寸紙樣和色繪各式花紋的小樣二種，墨繪、色繪和朱墨二繪皆有。其繪製時間，據署款、奏摺可知，大多是清道光以後和同治、光緒時期。有的畫樣上署有畫工姓名，有的還以楷書注明「照此樣做各色面料若干等」。據活計單所列目錄及其編號可知，正項目錄共列1至96個號，末附「另」字目錄號為1至50號，二者共為146種。其中1至10號為明黃、石青緞五彩金龍朝袍、

朝褂、披肩、龍袍等共10種，分別依此樣織造緙絲、繡江、繡實地紗、繡芝麻地紗、納紗直經地紗等面料各若干件，總計為80種。自11至18號為各色花紋衣面料18種，每種要求織造若干件，共計32件。自93號至96號所列為馬褂、緊身、褂面樣計4種14件。活計單中還列有織造「繡石青緞五彩金龍女領袖」、「石青五彩紺絲金龍女領袖」各「三十份」；織造各色緞共60連、各色紡絲、綢共1,800件。經過核對，圖書館現存衣飾圖樣上的號碼、名稱，與活計單所著，除個別缺失外，大都相等。

其五，清宮照片。清代後期，西洋攝影技術傳入中國，後傳入宮中，因得到慈禧太后的認同，一度宮中拍攝照片盛行。這些照片，自溥儀出宮後由故宮博物院收藏至今。北京故宮現收藏宮中遺存照片有1,800餘張，其中主要是人物照，約1,000多張，另外還有建築、場景、動物、風景、書影照等題材。這些照片極少數拍攝於1898年戊戌政變以前，如光緒帝珍妃的照片等，其餘都是1900年以後所拍，包括慈禧、溥儀后妃及太監、宮女等在宮中居住期間的生活照和戲劇人物照，還有溥儀居住天津時所拍的一批照片，以及八國聯軍侵占北京、晚清新式軍隊、清末某地水災災民照片，民國時期部分人物和故宮博物院建院初期的一些照片等等。建築照有故宮文淵閣、御花園等。場景照有「京張鐵路」、「戶部造幣總廠」等。書影照有《唐音統籤》、清後期銅版剿匪戰圖等。在清代晚期人物照中，以慈禧太后為最多。這些照片，大都攝於慈禧70歲前後，形象大同小異，但其服飾、頭飾、陳設等都不盡相同。1924年印度詩人泰戈爾來華時，曾到故宮會見溥儀，並在御花園四神祠前合影留念，其後在景山莊士敦家中與詩人林徽因、徐志摩及當時的民國政府總理顏惠慶等12人合影

的照片，以及張學良、于鳳至與美國人端訥等參觀故宮乾清宮的照片等，也是難得的歷史鏡頭。

1995年，北京故宮紫禁城出版社出版了《帝京舊影》（朱家溍主編）、《故宮珍藏人物照片薈萃》（劉北汜、徐啟憲主編），披露了大量清宮照片，並開啟了日後「老照片熱」的先河。2007年，北京故宮完成了國家清史編纂委員會委託的《故宮博物院圖書館藏清代圖像整理》子項目，對館藏圖像資料，包括清宮舊藏照片、古籍插圖、善本書影、清代圖樣，以及西文和日文圖書插圖等進行掃描、分類，共15,000幅，編目著錄資料15,000條。

其六，書版。我國自有雕版印刷以來，書版便成為印刷典籍傳播文化的重要工具。清宮在遺存大量古籍的同時，亦遺存了大量的書版。北京故宮現收藏清宮書版約20萬塊，其中有乾隆年鐫刻的滿文《大藏經》48,211塊、康熙年刊刻的蒙文《甘珠爾》約18,000塊，雍正年刊刻的《律曆淵源》、《朱批諭旨》、乾隆年刊刻的《十三經注疏》、《欽定二十四史》等，大多保存完好，十分珍貴。其中還有近200塊佛像畫經版，多為《大藏經》中的佛像插圖，雕刻刀法嫻熟，線條細膩流暢，人物逼真，堪稱版畫佳品。1980年以後，由中國書店利用其中的書版，補刊重印過《西域同文志》、《平定兩金川方略》等書。

十一　古籍善本

清宮舊藏是兩岸故宮藏書的主要內容和共同特點。但由於台北故宮藏書是從南遷典籍中挑選的，因此少而精，體現在版本早（宋、

元、明版多），卷帙完整、品相好者居多等方面。台北故宮藏宋版書約200部，計2,452冊；元版書304部，3,667冊。台北故宮藏書，其中不乏獨有的巨帙或孤善之品，相當珍貴。

其一，文淵閣《四庫全書》。乾隆時期敕編的《四庫全書》，基本聚集和保存了18世紀以前中國古籍的精品，是中國文化史上的一件大事。乾隆四十一年（1776年）在紫禁城文華殿後建成文淵閣，乾隆四十七年（1782年）春抄成第一部《四庫全書》即貯藏在這裡。文淵閣《四庫全書》在七部書中最先抄成，謄錄、校勘、裝潢也最為精善，共收錄文籍3,461種、79,309卷，裝訂為36,381冊。1986年台北商務印書館影印文淵閣《四庫全書》，16開精裝本1,500冊。

其二，摛藻堂《四庫全書薈要》。該叢書是根據乾隆皇帝的諭旨，從《四庫全書》中選擇精華編成的，篇章格式一如《四庫全書》的體例。《四庫全書》的特點在博，《薈要》的特點在精，且能互相輔助。《四庫全書薈要》共抄成2部，一部存放在宮內御花園的摛藻堂，另一部存放在圓明園長春園內的味腴書屋。咸豐十年（1860年），英法聯軍火燒圓明園，味腴書屋《薈要》化為灰燼。《薈要》收書458種，20,828卷，11,145冊，2,000函，另有《分架圖》2冊1函，《簡明目錄》6冊1函。從總數言，約為《四庫全書》的1/7，依冊數而論，則占《四庫全書》的1/3。1985年台北商務印書館將其影印出版。

其三，《宛委別藏》。清阮元任浙江巡撫時，發現有許多為《四庫全書》沒有收錄的珍本，便萌發了搜輯四庫闕書的願望，遂廣泛收集和購買宋、元以來的各種刻本、抄本，歷時十餘年之久，並分三次

進呈，嘉慶皇帝令將這批書貯於養心殿，賜名為《宛委別藏》。傳説夏禹登宛委山，得金簡玉字之書，此即取書之珍貴罕得之義。該叢書都是罕傳本或據珍稀舊本影抄的，對各書的內容又無增、刪和更改的弊病，保持了原書的完整性，用以考訂史實更為可信，後世給予極高的評價。《宛委別藏》有正、續、三編之分，收書160種，共780冊、103函。1935年，故宮博物院曾選該叢書40種由商務印書館出版。1981年，台北商務印書館將全書影印出版。

　　其四，「天祿琳琅」藏書。在清宮豐富的藏書中，以「天祿琳琅」善本最具價值，不但孤本秘籍為世重寶，而且各書校勘精審、刻印精良、裝潢講究，流傳有緒。「天祿琳琅」藏書內有宋、遼、金、元、明五朝善本650餘部。1925年清室善後委員會點查故宮物品時，發現約有300部被溥儀賞與其弟溥傑，僅剩下311部，現均在台北故宮，有宋版34種，影宋抄本3種，遼刻、遼抄本各1種，元版62種，明版203種，明抄本7種。如南宋初年國子監刊本《爾雅》，南宋兩浙東路茶鹽司刊本《周禮》、《論語》、《孟子》，宋乾道年間高郵軍學刊本《淮海集》及韓仲通泉州刻本《孔氏六帖》，元刻本《大元聖政國朝典章》都是寰宇僅存的孤本。其他如宋刊本《春秋集注》、《龍龕手鑒》、《宣和奉使高麗圖經》、《郡齋讀書志》、《四朝名臣言行錄》、《劉賓客集》，元刻本《宣和書譜》、《韓詩外傳》、《元豐類稿》、《佩韋齋集》等都是世所罕見的版本。

　　其五，內閣大庫藏書。內閣大庫是清代存儲檔案冊籍的處所，同時還藏有為數不少的宋、元、明、清舊刻書，其來源有官修書籍及其底稿、為修書徵集的參考史籍及明文淵閣遺書。內閣大庫的大部分圖籍於清末撥交京師圖書館，剩餘的一小部分圖書，今存台北故宮，包

括宋、元、明、清刊本、抄本，共計208種、2,024冊。明清內府原抄本如《大明會典》、《大明律曆集解》、《大清會典》等都有相當高的價值。另外還有《黑龍江公報》、《交通官報》、《學部官報》、《商務官報》及清末各種統計表，為研究清末歷史的重要資料。

其六，楊守敬「觀海堂」藏書。楊守敬為清末駐日公使隨員，在日4年，大量訪求流散在海外的古籍，載運回國，儲觀海堂書樓藏之，謂之觀海堂藏書。民國4年（1915年）守敬逝世，觀海堂藏書的大部分被政府收購，藏於政世堂。民國7年冬，政府收購之書，徐世昌以一部分撥交松坡圖書館，約十之五六，所餘者儲於集靈囿，民國15年（1926年）1月始將儲於集靈囿的15,000多冊書籍撥交故宮博物院保存，1933年隨故宮文物南遷，其大部分現收藏台北故宮，其遺存的一小部分，現仍庋藏於北京故宮。楊氏這批藏書歸故宮博物院後，故宮博物院圖書館曾為之編輯過兩本書目：一本是《大高殿藏觀海堂書目》，不分卷，1926年油印本；另一本為1929年觀海堂藏書移至壽安宮專室庋藏後，由故宮博物院圖書館館員何澄一編撰《故宮所藏觀海堂書目》4卷，共收書3,020種，1932年9月故宮博物院鉛印本。現存台北故宮的「觀海堂」藏書，共計1,666種、15,000餘冊，是遷台圖書中唯一不屬於清宮原藏的圖書。其中宋刊本13種，元刊本56種，明刊本358種，清刊本450種，抄本24種，日本刊本330種，日本抄本407種，韓國刊本28種，其中有不少稀世善本，後人給予極高的評價。包括408種醫書，多半是日本漢醫學家小島學古舊藏，多罕見秘本，而且書本復加朱批墨校，尤顯珍貴。

另外，接收的原國立北平圖書館的一批善本書也很重要。清末推行新政，籌建京師圖書館，文津閣《四庫全書》、翰林院所存八國聯

軍之役劫餘的《永樂大典》和內閣大庫的宋、元、明舊刻的大部分圖籍，一併撥交京師圖書館即後來的國立北平圖書館儲藏。民國年間，國立北平圖書館將該館所有的書籍分為甲乙兩庫庋藏，甲庫所存善本於抗日戰爭期間，為避日本戰火運往美國，1965年11月運返台北，庋藏於台北故宮，其中有宋刻本81種、元刻本133種、金刻本4種，不乏孤本秘籍，非常珍貴。

　　台北故宮多年來接受各界捐贈圖書中，有一些也相當珍貴，例如徐庭瑤先生捐贈明清刻本舊籍326種、2,390冊。其中有一部1926年披縣張氏皕忍堂模刻的唐開成石經本《九經三傳》附賈刻《孟子》，刻工、印刷、紙墨均屬上品，是民國以來的雕版印書中的絕佳珍本。沈仲濤先生捐贈的研易樓藏書，共90種1,169冊，其中有宋元版本51種、明本31種，清本3種、舊抄本3種、手稿本2種，數量雖不算多，但多屬精品，已收錄在《國立故宮博物院藏沈氏研易樓善本圖錄》中。

　　為廣流傳，台北故宮影印出版了多部單行的宋元善本，宋版有《劉賓客文集》、《爾雅》、《周禮注疏》、《南軒先生文集》、《晦庵先生文集》、《昌黎先生文集》、《新刊校定集注杜詩》、《孟子注疏解經》、《春秋公羊經傳解詁》、《音點大字荀子句解》、《古史》、《儀禮要義》、《纂圖互注毛詩》等，元版有《論語集解》、《孟子趙注》、《宣和畫譜》、《大元聖政國朝典章》、《宣和奉使高麗圖經》、《四書集義精要》、《元豐類稿》等。

　　台北故宮編有《國立故宮博物院普通舊籍目錄》、《國立故宮博物院善本舊籍目錄》（上、下冊）、《國立故宮博物院所藏族譜簡目》等館藏目錄，編纂了《國立故宮博物院宋本圖錄》，《故宮圖書

文獻選粹》（《故宮文物選粹》系列之一）等善本圖錄。

　　北京故宮古籍特藏亦相當豐富，有33萬餘冊，不僅數量龐大，而且品類豐富。其中善本古籍約20萬冊，收入《中國古籍善本書目》者有2,600多種、10餘萬冊。其中有一批古籍分別編入《全國滿文圖書資料聯合目錄》、《全國蒙文聯合目錄》、《中國醫書聯合目錄》、《中國地方誌聯合目錄》及《中國叢書綜錄》等。2008年3月，中國國務院公佈了首批51家「全國古籍重點保護單位」，在5家博物館中，北京故宮名列前茅。同時，公佈的首批進入《國家珍貴古籍名錄》的古籍共有2,392種，其中北京故宮列入名錄的有61種（包括碑帖），各個時代、各類版本兼有，具有一定的代表性。

　　北京故宮藏有豐富的清內府刻本圖書，且大部分是初刻初印本，紙墨、刊印都很精良。還有670餘種4,000餘冊的方志收藏，絕大多數是清國史館和內閣大庫的舊藏，尤以順治、康熙、乾隆年間所修志書為多，約占館藏總數的94％以上，其中清刻本最多，清抄本、舊抄本和清內府抄本、稿本次之。這些方志幾乎遍佈全國30個省市以下府、州、縣。台北故宮在清內府刻本及方志收藏方面也占有優勢。溥儀、溥傑帶出宮的「天祿琳琅」藏書，後收回239部、2,868冊，由北京故宮收藏，1959年劃撥北京圖書館（今中國國家圖書館），前文已介紹過。現北京故宮圖書館尚存有元至正二十三年（1363年）吳郡庠刻本《通鑒總類》，為宋人沈樞所輯，原屬清前期內大臣揆敘家藏，康熙年進獻宮中，後被選入「天祿琳琅」儲於昭仁殿。另存藏乾隆四十年（1775年）內府朱格抄本《天祿琳琅書目後編》5部及嘉慶年間繪製的《天祿琳琅排架圖》，亦彌足珍貴，為今人研究「天祿琳琅」藏書原狀、藏書目錄及收藏印記等提供了

詳實可信的實物資料。

北京故宮典籍貯藏有以下特點：

第一、明、清內府寫本書及原宮中遺存的抄本書

北京故宮所藏明朝內府抄本書，數量不多，卻很精好，如《大明太宗皇帝御製集》、《聖政雜錄》和《太乙集成》等，字體、筆法、開本、紙墨等方面都體現了明宮特有的風格。現藏清內府寫本、抄本書，數量多，抄寫精，裝幀美，包括清初以迄宣統末年的經史子集各類，多為北京故宮特藏，外間並不多見。

其一為內府從不發刻之書。清內府編纂的某些書從不發刻，只准鈔錄若干部存於宮禁。如清歷朝皇帝起居注、本紀、玉牒、實錄等。僅《實錄》一種，自太祖至穆宗十朝，共有4,400餘卷。北京故宮現藏漢文一套即為原貯乾清宮的小紅綾本。此外還有《石渠寶笈》、《秘殿珠林》、《國朝宮史》等，也是不准發刻的書，特命詞臣抄錄數部供大內陳設備覽。

其二為呈請皇帝御覽之書。為了皇帝閱覽、攜帶方便，特命善書詞臣精寫成大中小號字，或端楷細書，或仿宋方字，或行、草、篆、隸，或漢、滿、蒙、藏諸文合璧，或圖文並茂。有朱墨二色，亦有三色、四色兼用。字有大如錢，亦有蠅頭細書。書冊首末鈐印皇帝寶璽、閒章，冠御製序文或御筆題識，繪上御容肖像，或命大臣注釋、題跋於卷末。裝幀極為考究，紙墨精良，典雅端莊。

其三為皇帝御筆和臣工奉敕精寫的各種釋道經文、疏論、著述等。康熙初年定製，每月朔望兩日，皇帝要熏沐恭書《心經》一部。每遇皇帝、太后萬壽節等，皇帝要御筆寫經恭祝太后，臣工奉敕敬書《華嚴經》、《寶積經》等進獻。因此宮中收藏各種寫經頗多，僅御

筆《心經》一種就有1,100餘部，其中乾隆皇帝寫經多達600餘部。這些寫經都選用上好的金粟藏經紙、磁青紙、黑漆臘箋、灑金箋、菩提葉等，紙質堅厚光潔，並用上等泥金、徽墨精寫，繪佛像、韋馱等。有不少是極為罕見的絕妙精品。此外，還有于敏中、陳邦彥、劉統勳、和珅等大臣奉敕寫進的各種經卷，也有不少佳作傳世。這些經卷大都鈐印皇帝寶璽、藏章，裝幀豪華，具有很高的工藝水準和觀賞價值，有的還著錄於《秘殿珠林》。

其四為修書各館在編書過程中形成的稿本、修改本、清本、呈覽本和付刻底本等。如《康熙字典》、《淵鑒類函》、《佩文韻府》、《選擇曆書》等。所藏各種稿本書內，大都貼有修改意見的黃、紅、白浮簽和皇帝、總裁、總纂各官的朱批和墨筆勾改塗抹的筆跡。

其五是升平署劇本。台北故宮藏有升平署戲曲抄本807種，北京故宮則有南府時期和升平署時期各類戲曲抄本11,000餘冊。這些戲本，包括元明雜劇、明清傳奇（即民間同樣常演的戲）和清代樂部根據小說名著所編連台本戲以及樂部所編節令承應戲等。其抄寫年代最早有順治年間教坊司時期遺留下來的，絕大部分是康熙至道光南府時期及道光七年（1827年）以後升平署時期抄寫的。這些戲的演出形式是昆腔、弋腔。還收藏一部分亂彈戲本和梆子腔戲本。有供帝后賞戲時專用的「安殿本」，也有供演員排練用的「串頭」和「排場」腳本，有的還配工尺譜。這些劇本有不少尚未刊行的罕見珍本和孤本，是研究清代戲劇的寶貴資料。如乾隆年間抄本《喜朝五位·歲發四時》，為主管樂部大臣張照所撰。墨筆楷書，朱筆句讀，附串頭排場。屬昆腔月令承應戲，一本二齣。又如乾隆六十年（1795年）抄本《四海升平》傳奇戲，為樂部所撰，昆腔承應大戲第七齣，演英吉利

來朝故事。這兩種皆是編撰和抄寫年代較早的罕見孤本。

其六是清內外大臣編進、採集和清宮舊藏的各種抄本書。明抄本重要的有嚴嵩《鈐山堂集》40卷、錢正春《紅豆村雜錄》稿本等。清抄本內重要的有康熙年間著名藏書家季振宜進獻的抄本《全唐詩》710卷。此書是季氏據錢謙益殘稿補編而成。康熙四十五年（1706年）編校的《欽定全唐詩》900卷，即以此為底本。康有為編進的抄本書有《日本變政考》、《波蘭分滅記》、《列國政要比較表》等，皆是光緒皇帝瞭解外國政治，準備維新的重要讀物。影宋抄本有《營造法式》和《金壺記》兩書，紙墨色澤和影抄之精佳，都勝過當時一般名家抄本。所藏唐人吳彩鸞寫本《刊謬補缺切韻》，是一部自宋迄清流傳有緒的稀世孤本，至今仍保留著宋朝內府龍麟裝原貌，尚有宋宣和四印和清乾隆璽印，宋《宣和書譜》、《中興館閣儲藏書畫錄》和清《石渠寶笈》初編均有著錄，是研究中國古代書籍裝幀的寶貴實物資料。

第二、少數民族文字古籍圖書

北京故宮所藏滿、蒙、藏等少數民族文字的圖書約近2,000種、25,000多冊（台北故宮收藏11,501冊）。無論是種類還是數量，均屬收藏大戶，其中大部分是善本，稀有珍本近百種。大都是清代內府修書的重要組成部分，包括武英殿刻本、精寫本和抄、稿本，也有採進的抄本和京師三槐堂、聚珍堂、二酉堂等書坊刻本。其內容廣泛，經史子集皆有，尤以滿文字書、實錄、聖訓、方略、典則、天算、佛經和文學藝術類圖書最為突出。

北京故宮所藏自然科技方面的滿文書頗具特色。天文曆法類清歷朝滿文刻本、抄本及蒙文刻本時憲書就有1,000餘冊。另外有關數

學、音樂、地理、醫藥等方面的滿文典籍也有幾十種。其中《西洋藥書》介紹了金雞納霜等40餘種西洋醫藥及其使用方法。乾隆六十一年（1796年）內府編《笳吹番部合奏樂章滿洲蒙古漢文合譜》和《慶隆舞樂章清漢合譜》兩書，共輯緬甸、越南、尼泊爾三國國王進獻的樂章和少數民族進獻的平定金川、西陲樂章，以及乾隆八旬萬壽舞詞等幾十首歌舞音樂的曲譜、樂章，於研究清代宮廷音樂和少數民族歌舞頗具價值。

北京故宮收藏清內府刊錄和採進的滿文音韻字書及有關歷史、言情小說亦很豐富，約近百種，並多是手抄孤本。例如清乾隆年抄本《會同四譯館譯語》，是清帝敕纂而未經刊行的一部翻譯詞典。與現藏於國內外諸明清刻、抄本《華夷譯語》比較，該書所收英、法、拉丁、意、葡、德及中國四川、雲南、廣西三省的少數民族語種最多，對於研究300年前的西歐、東南亞及我國西南地區民族語言文字及研究我國翻譯學史，都是罕見的珍貴資料。清寫本《滿蒙藏嘉戎維語五體字書》是清代唯一的一部滿、蒙、藏、嘉戎、維語五體合璧詞典，是一部「標音詞典」，為清代滿語、蒙語、藏語、嘉戎語、維語等各少數民族語言的語音學研究提供了珍貴的語音資料。

北京故宮珍藏的滿、蒙、藏等文字的佛經數量大，裝幀也極精美。其經文和佛像諸圖多出自內廷大臣和名匠之手，藝術水準勝過其他圖籍。除過藏文寫本《甘珠爾》經及滿文刻本《大藏經》後面另作介紹外，還有不少佛經珍本。例如，乾隆三十七年（1772年）命和碩莊親王允祿率通習梵音之人，將全部藏經中的咒語編為《漢滿蒙古西番合璧大藏經全咒》，末附《同文韻統》6卷、《字母讀法》1卷、《讀咒法》1卷，共96卷，是研讀佛經咒語的重要工具書。其他各種

文種的單本譯經也很多。稀有珍本中如乾隆三十八年（1773年）允祿和章嘉國師奉敕編譯的《滿漢蒙古土伯忒四體合璧楞嚴經》，編譯、寫刻、裝幀都十分精彩。

乾隆四十五年（1780年）五世班禪進獻的《白傘蓋儀軌經》，為漢藏蒙滿四體合刻朱色印本。每種文字均為單頁雙面刻印，共256頁，合裝在一長方形紫檀木匣內，匣蓋上鐫刻「班禪額爾德尼所進白傘蓋經注」13字。此經被譽為佛說經中之「精深秘傳者」，是印度、西藏佛界的根本儀軌，凡黃教僧徒皆虔心敬誦，具有重要的歷史文物價值。還有乾隆皇帝親譯的佛經，如《御譯大聖文殊師利菩薩法身禮》，末識「此經系唐三藏自梵本譯漢，乾隆歲次辛丑（乾隆四十六年）暮春，上詣五台瞻禮，御筆譯清文，命屬躍御前額駙巴林公德勒克錄」。黑光蠟箋，泥金端寫，藏滿蒙漢四體對照。

第三、三部重要佛經

清乾隆三十五年（1770年）內府泥金藏文寫本《甘珠爾》，全名《太皇太后欽命修造鑲嵌珠寶磁青箋泥金書西域字龍藏經》。「太皇太后」指的是康熙皇帝的祖母博爾濟吉特氏，她篤信佛法，依據本藏卷首康熙帝的滿漢文合璧《御製序》，康熙八年（1669年）她巡視宮廷庫房，發現有明代藏文《甘珠爾》一部，年久破損，乃命康熙皇帝派人仿照抄寫，是為本藏修造的緣起。乾隆帝為慶祝其生母崇慶皇太后八旬萬壽，特頒旨以康熙八年寫本為祖本謄錄而成，共108卷(夾)。本藏的內容即藏文大藏經中的《甘珠爾》，意為「佛陀教敕的譯本」，相當於漢文大藏經中的「經藏」和「律藏」，共收佛典1,000餘部。本藏為梵夾裝，外裹經衣，上下有朱漆描金木夾板，彩色經帶。首葉經頭板裱磁青紙，覆蓋紅、黃、藍、綠、白五色經簾，

中間凹下部分書梵藏對照金字，兩邊彩繪佛像二尊。裝飾純金歡門，鑲嵌珍珠、珊瑚珠、松石等各色珠寶1萬餘顆，可稱富麗堂皇。這部藏文《甘珠爾》，現分藏兩岸故宮，其中絕大部分藏於北京故宮，有96函（夾），台北故宮有12函（夾）。

《清文翻譯全藏經》，是奉乾隆皇帝之命用滿文翻譯的佛教經典總集。「清文」即滿文。乾隆皇帝敕旨譯印滿文《大藏經》，其目的有三：一是在已有漢、藏、蒙三種文字佛教大藏經的情況下，彌補沒有滿文大藏經的缺憾；二是藉著滿文佛典來推廣滿文滿語；三是認為漢文字詞較簡約深澀，而滿文則明暢易曉，更能表達梵文的原意。該藏翻譯始於乾隆三十六年年底（1772年），設「清字經館」於西華門內，成立譯場組織，乾隆五十五年（1790年），全藏翻譯完畢，乾隆五十九年四月二十六日，「所有本館辦理頒發《大般若》、《阿含》等經統計一百八套，每套十二分，陸續實收過貴處裝潢共一千二百九十六套」[註1]，表明《清文翻譯全藏經》108函，刊印、裝潢12套，至此業已全部竣工，並頒發完畢。該藏裝潢採梵夾裝，極為精美。現僅存二部，一部藏於拉薩布達拉宮，一部分藏兩岸故宮，北京故宮收藏76函，台北故宮收藏32函。2002年，北京故宮紫禁城出版社利用故宮所藏乾隆年刊刻的滿文《大藏經》經版，經過整理、補照，以《滿文大藏經》為名，重新刷印20套，向社會公開發行。

以上兩種藏經有著重要的價值：一是文物價值，兩者都是僅存的珍本，從版面的考究、裝潢的富麗、製作的精美，體現了清代印刷及

註1 中國第一歷史檔案館、香港中文大學文物館合編：《清宮內務府造辦處檔案總匯》第52冊，第632頁。

書籍製作的高峰；二是文獻價值，《甘珠爾》可與其他版本的藏文大藏經作為校勘比對，而《清文翻譯全藏經》中的佛學譯語則能補足歷來滿文辭書語彙的不足。【註1】

　　北京故宮所藏《嘉興藏》是浙江巡撫都御使李馥雍正元年（1723年）印本，包括「正藏」、「續藏」、「又續藏」三部分，共收經書2,100餘種，12,000餘卷。其中宋明以來名僧禪師的各種撰著，是其他大藏經未曾收錄的。每經末的刊刻識語，詳載刊刻時間、地點，捐資者、校對者及寫刻工匠姓名，工價銀兩等，於考證版本十分有用。全書紙墨、寫繪、刊刷乃至裝幀都十分精良，是傳世《嘉興藏》中最為完整、品相最好、內容最豐富的一部。

　　第四，敦煌文獻

　　北京故宮所藏敦煌文書共計116件，除1件屬於1949年以前的舊藏外，其餘全部是1949年以後入藏的。來源主要是收購、捐獻和國家調撥。這批藏品大致可以分為四類：寫經、文書（如歸義軍時期酒帳）、古籍（如敦煌土地廟遺書《毛詩注》）、繪畫（如敦煌菩薩像和吐魯番伏羲女媧圖）。其中比較重要的有北魏時期的曹法壽楷書《華嚴經卷》、北周時期的無名氏楷書《大般涅盤經卷》、北涼時期的安弘嵩隸楷《大智度論》、隋代無名氏楷書《大方等大集經》、唐代國詮楷書《善見律卷》等。王素、任昉、孟嗣徽三位研究員對這批敦煌吐魯番文獻（寫本、文書類）進行了系統的整理、定名，發表了《故宮博物院藏敦煌吐魯番文獻提要（寫本、文書類）》，使這批文獻的來源、性質及價值得以清晰地展現。

註1　《導讀故宮》第165頁。

　　此外，北京故宮尚存有「禁毀書」、「四庫撤出書」和「四庫存目書」等，共200餘種。如明張燧輯刻《經世要》內有明兵部參將曹飛撰《御覽籌兵藥言三十六字》和《御覽蚤圖復遼議》等；明金聲撰《金太史集》等，皆因文字和內容不利於清統治者而列入禁書。又如《皇明帝后紀略》、《皇明兩朝疏抄》等被列入「四庫存目」。而如李清《南朝史合注》等4種、周亮工《讀畫錄》5種、吳其貞《書畫記》及潘檉樟《國史考異》等11種「四庫撤出書」，北京故宮尚存10種。這些書有許多是海內僅存的孤本，具有一定的文物、史料價值，現今編纂《續修四庫全書》和《四庫全書存目叢書》，多被選作影印底本。

　　北京故宮藏書中，還有部分極為珍貴的外國典籍。以日本古書為多，有數十部。《日本開國五十年歷史》即是日本伯爵大畏重信於光緒三十四年（1908年）七月進獻的。朝鮮人李焰《養鷹方》刊於明，此書是介紹養鷹方法的專著。這些書開本寬大，紙質厚重，代表了日本、朝鮮古籍雕版印刷的特有風格。

　　北京故宮的古籍善本圖錄，有《兩朝御覽圖書》（朱家溍主編，紫禁城出版社，1992年）、《清代內府刻書目錄解題》（紫禁城出版社，1995年）、《清代敕修書籍御製序跋暨版式留真》（朱賽虹編撰，北京圖書館出版社，2001年）、《清代內府刻書圖錄》（翁連溪編著，北京出版社，2004年）、《盛世文治：清宮典籍文化》（朱賽虹主編，紫禁城出版社，2005年）、《天祿珍藏：清宮內府本三百年》（向斯主編，紫禁城出版社，2007年）。它們的特點是，既有圖像資料，也有多年研究的心得。

　　北京故宮也十分重視善本的影印出版，上世紀90年代，朱家溍先

生主持，海南出版社出版《故宮珍本叢刊》731冊，選擇影印館藏善本書1,100餘種和清代南府及升平署戲本、檔案1,700餘種。此外，整理重刊明朝《永樂北藏》，重印出版《滿文大藏經》，合作整理《嘉興藏》等。

十二　古建築文物

　　故宮是明清兩代的皇宮，是中國古代宮殿發展的集大成者，是中國古代建築史中最輝煌的篇章之一，也是最有代表性的中華文明的象徵物。故宮本身就是最為珍貴的文物，是世界文化遺產。北京故宮古建部還保存了大量古建築文物資料和構件。

　　一是「燙樣」。除過「樣式雷」的2,000餘張樣式圖外，北京故宮還有83具「燙樣」。樣式房做出的建築物模型，製作中需要熨燙工序，因此也叫「燙樣」。古代建築，凡是工匠能明白的、承做的，一般不再畫圖。而對於宮廷重要建築，向皇帝呈報，需做出模型，這是設計過程中非常重要的環節。燙樣是根據一定的比例，在空間表現反映設計意圖。北京故宮珍藏的燙樣，建築形式有單體的和群體的兩種，包括紫禁城建築，還有圓明園、長春園、萬春園、頤和園、北海、天壇等處。主要是清代同治、光緒年間（公元1872～1896年）重建圓明園、頤和園、西苑等地時所做，至今日已有100多年的歷史。由於燙樣是專為恭呈皇帝御覽而做，欽准後才能據以繪製施工設計畫樣、編製「工程做法」即設計說明，以及核算工料錢糧。因此燙樣製作是清代建築設計的關鍵步驟。燙樣上都貼有黃色標籤，叫「貼黃」。標籤上面記錄了建築的高度、面寬、進深等各個部位的尺寸，

以及重建或修繕的要求，記述簡明清楚。這個標籤是非常重要的，也是燙樣所具有的珍貴的歷史價值的體現。由於燙樣完整地表現出了建築的結構、體量、形式、色彩等，所以留有燙樣的建築，不管因為什麼原因，當建築實體不存在的時候，都能找到原物的例證。燙樣作為建築物實體的有規律的縮影，凝聚了古代建築獨特的藝術形式、建築美感，也反映了封建帝王對建築的需求及審美情趣。同時其精巧的製作工藝，也顯示出古代匠師的智慧和技藝，更是研究古代建築設計思想、建築準繩、建築藝術發展的實物資料，是建築藝術這門非物質文化遺產的組成部分。

二是金磚。故宮的宮殿建築中，其室內地面用方磚鋪墁。太和殿等地面所鋪光潤似墨玉、踏上去不滑不澀的方磚，稱為「金磚」。此磚是專為皇宮燒製的細料方磚，顆粒細膩、質地密實，敲起來有金石之聲，所以叫「金磚」。金磚為蘇州窯燒造，過程極為複雜。根據有關文獻記載【註1】，至少經過四道工序：其一，選取蘇州城東北陸墓所產黃色土壤，經過「掘」、「運」、「曬」、「椎」、「舂」、「磨」、「篩」七個步驟而得土；其二，經過澄漿、晾乾、揉軟三個步驟而得泥；其三，需「徐為棚打」而製坯；其四，入窯燒造，「防驟火激烈，先以糠草熏一月，及以片柴燒一月，又以棵柴燒一月，又以松枝燒四十日，凡百三十日，而後窨水出窯。」經過如此工序燒造出來的方磚還要經過檢選，「或三五而選一，或數十而選一」，才能得到「面背四方色盡純白，無燥紋，無墜角，叩之聲震而清者，乃為

註1　參閱丁文父著《金磚識錄》，文物出版社，2008年，第131～132頁。

入格」的合格品。【註1】金磚燒製，從取土到燒成出窯需1年之久，且每燒製10塊正磚，必須多備3塊副磚以供挑選。金磚不僅是封建王朝時期的御用建築材料，而且是精美卓絕的工藝品，也是古代勞動者智慧的結晶。北京故宮現收藏有自明代永樂年間至晚清歷代所產的刻有燒造年代、地點、窯戶的金磚600餘塊。

　　三是玻璃畫。玻璃畫是指用油彩、水粉、國畫顏料等材料在玻璃上繪製的圖畫，其色彩鮮明強烈，具有喜慶氣息。玻璃畫早期用於建築外檐門窗上，進而發展到室內，用於內檐裝修隔扇上，或用於掛屏、插屏、圍屏、宮燈等處。北京故宮收藏的玻璃畫共103塊，是清乾隆年間一座建築物上的遺物。當時玻璃是非常昂貴的物品，在玻璃上製畫，更是當時少有的建築上的工藝用品。這些玻璃畫每片高31公分、寬23.5公分、厚0.3公分，規格統一，鑲嵌在楠木框中。均於透明的白玻璃上繪製各種圖案，取材廣泛，形象生動，色彩豔麗。從題材上大致分為人物畫、動物畫、植物畫、風景畫四大類。

　　四是寶匣。寶匣是放置在古建築正脊正中脊筒內盛放「鎮物」的容器。故宮古建築，就修繕過程所見，寶匣的應用範圍相當廣泛，大至主要殿座、崇樓，小至門樓、罩棚，均有寶匣發現。北京故宮收藏寶匣30多個。製作寶匣的材料，有銅、錫、木三種，重要建築上的寶匣多為銅鍍金，並刻有龍或鳳紋圖案。寶匣多為長方形。寶匣內放置所謂「鎮物」，一般有金、銀、銅、鐵、錫元寶，金錢、銅錢、五色寶石、綢緞、絲線，五種藥材、五穀等，有的還放有經卷、如意、珠子、雲母等物。

註1　《四庫全書總目》卷八四《〈造磚圖說〉提要》。

　　五是琉璃構件。琉璃，古代又稱「流離」，意思是說它流光陸離。為二氧化矽與其他金屬氧化物混合燒製而成的釉質物，隨著配入的金屬物質比例不同而呈現不同的顏色。明清時期，琉璃構件作為建築材料得到大量使用，為封建等級中尊貴的象徵。紫禁城是中國歷代皇家宮殿建築的結晶之作，廣泛地運用琉璃。宮殿建築中常用的琉璃釉色有黃、綠、藍、紫、白、翠藍、翠綠等，其不同顏色都有深刻的文化象徵意義。琉璃製構件主要是瓦件、脊件、獸件，用於建築的屋頂。還作為為裝飾材料，被製作成各種形式用於建造琉璃門、琉璃壁、琉璃花壇，以及鑲嵌在牆面上。琉璃構件繁多，名目多達幾百種。琉璃構件，不但是中國古代獨有的創造、用於建築上的材料，並且在幾百年、上千年的發展變化中，其製作工藝、藝術種類、藝術風格、表現形式等都達到無可復加的地步。北京故宮現收藏有明清兩代的有代表性的琉璃構件1,000餘件。

　　六是匾額楹聯。皇宮中匾額楹聯，是宮廷建築裝飾的一種。但不僅僅是裝飾，更體現了建築功能的觀念表達，同時也有欣賞藝術、展示書法、體味工藝的作用。清宮匾大都是皇帝御筆和知名臣相所題，尤以乾隆時從數量到質地上均達到一個新階段。除過各殿堂懸掛的匾聯外，北京故宮還收藏其他各類匾聯約600餘幅。

第六章 故宮文物與故宮、故宮學

　　故宮的文物藏品是無價之寶，在國人心目中有著至高無上的「國寶」地位。故宮文物不是孤立的存在，它與故宮古建築、故宮歷史密不可分，正是這一特點決定了故宮文物藏品的獨有的內涵及其普世價值，而把故宮、故宮文物以及宮廷歷史文化作為一個文化整體看待的故宮學，則不斷挖掘著蘊藏其中的豐富內涵，加深著人們對故宮的認識。故宮學的發展必將對故宮及故宮文物藏品的研究、發掘起到重要的積極推進作用。

一　故宮文物的地位

　　故宮是世界上最豐富、最重要的中國古代藝術品的寶庫。在兩岸故宮的210萬件套文物中，論時代，上自新石器時代，下至宋元明清直至近現代；論範圍，囊括了古代中國各個地域的文明精華，包容了漢族和古代許多少數民族的藝術精粹；論類別，包含了中國古代藝術品的所有門類。故宮庋藏的各主要類別文物，其本身就完整地記錄了

該類文物從萌生、發展到輝煌的文化鏈。以書法為例，故宮的藏品涵蓋了從契刻到書寫，進而發展成為一門獨立的書法藝術的歷程，藏品從甲骨文、鐘鼎文，直至晉朝開始形成書畫藝術，此後，歷朝各代的名家流派，幾乎一應俱全。再以陶瓷為例，從新石器時代的黑陶、彩陶，直到兩宋的五大名窯，元青花瓷、明代白瓷、釉裡紅、鬥彩等，清代的粉彩和琺瑯彩等；其他如玉器、銅器和許多工藝品等，也是如此。為了這條歷史文化長河永遠奔騰流淌、潤澤後代，兩岸故宮還在收藏現當代的藝術精品。因此，故宮是一部濃縮的中華8,000年文明史。中華民族綿延不斷的歷史文化在故宮博物院的各類文物藏品裡均得到了充分的印證。

故宮文物有著特殊的崇高的地位，概括地說，是國寶的地位。

長期以來，故宮的文物藏品被稱為「國寶」。前多年，有一部反映故宮文物南遷的電視劇，名字叫做《國寶》。故宮博物院前輩專家那志良先生寫了一本書，書名就是《典守故宮國寶七十年》。現在人們也把一些極為珍貴的文物稱為「國寶」，意為國之瑰寶。但是，把故宮文物稱為「國寶」，則有別於一般的「國之瑰寶」的概念，有著國寶本身所具有的特殊含義。

什麼是「國寶」？所謂國寶，指的是國家的寶器，又稱國器，是祭祀之器。在古代，「國之大事，在祀與戎」【註1】。《國語·魯語上》載：「夫祀，國之大節也。而節，政之所成也。故慎制祀以為國典。」視祭祀為國典，強調祭祀與國家制度的重要關係，說明當時將祭祀視為國家頭等重要之事。《周禮·春官·天府》云：「天府，掌

註1　《左傳·成公十三年》。

祖廟之守藏與其禁令。凡國之玉鎮、大寶器藏焉。若有大祭、大喪，則出而陳之；既事，藏之。」宋夏僎《尚書詳解》卷一〇《商書・湯誓》云：「國之寶器，即祭天地諸神寶玉之類。」國之寶器，原本皆指宗廟祭祀之器，這些祭器象徵著王位。傳統的祭祀禮俗，以祭祖、祭社與祭天最具重要性。在古人看來，「天」主宰王朝的興替，是人世君主的父親，因而周王遂被稱之為「天子」。從政治功能而言，祭天就是政權合法性的象徵，也只能是君主獨享的專權。直到明代，猶有法律頒佈，提醒百姓「庶民祭里莊、鄉厲及祖父母、父母，並得祀灶，餘皆禁止」【註1】。相傳夏禹鑄九鼎，歷商至周，為傳國的重器，亦稱之為國寶。《史記・平原君列傳》記平原君用毛遂出使楚國，謀合從成功，歎云：「毛先生一至楚，而使趙重于九鼎大呂。」《索隱》云：「九鼎大呂，國之寶器。」《正義》云：「大呂，周廟大鐘。」宗廟為國家象徵，其寶器之存亡，往往作為國家存亡之標誌。「國寶」又特指傳國璽，更是與國家的統治權聯繫在一起。此外，「國寶」還有國家寶貴人才之義。

　　中國文物博物館界用國寶稱呼相當珍貴的文物，大約受到日本的表述語言的影響。日本於1928年就頒佈了《國寶保存法》。對於重要文化財，他們從世界文化的角度考慮，把其中認為具有較高價值的、不同類型的國民之寶指定為「國寶」，有美術工藝品，也有建築物【註2】。日本的國寶是文化財的最高等級名稱，有明確的對象，我國則是泛指極其珍貴的文物。把故宮的文物藏品統稱之為「國寶」，與

註1　《明會典・祭祀通例》；參閱洪德先《俎豆馨香──歷代的祭祀》，載《敬天與親人》，台灣聯經出版事業公司，1983年。

註2　王軍：《日本的文化財保護》，文物出版社，1997年。

這種泛指顯然有著區別，雖也說明故宮藏品的極端重要性，但應注意到它與國寶的本來含義的關係。

故宮文物國寶地位的形成，有著多種原因，也有一個強化的過程，我們可以從以下四個方面來認識。

首先，皇家收藏的國寶意義。

收藏作為一種文化活動，貫穿於人類社會發展的始終。現代重大考古發現證明了史前人類收藏行為的存在。從商代起，王室就重視文物的搜集和保存。殷商的文物多集中於宗廟。周代王室文物、珍品收藏之處名曰「天府」、「玉府」，並有專職官員負責管理。在青銅器時代，象徵著權力之源的青銅器是最受尊崇的王室寶物。漢朝的「天祿」、「石渠」、「蘭台」，則是漢宮貯藏珍貴文物及圖書之所。到宋徽宗時，收藏尤為豐富。清代帝王特別是乾隆皇帝，更使宮廷收藏達到了頂峰。在古代中國，「普天之下，莫非王土；率土之濱，莫非王臣」【註1】，掌握著絕對權力的封建帝王，必然是全社會中最高檔級同時也是最為豐富的奢侈品、禮儀用品、珍奇品及古董的擁有者；由於皇帝以「內聖外王」的身份出現，被人為地推崇為全社會倫理的最高典範，這樣皇室又成為祖先、民族、國家象徵物的最大收藏者【註2】。

人類收藏的動機與目的是多方面的。對於源遠流長的皇室收藏，它不僅是「宜子孫」的一筆寶貴財富，也不是只供皇帝個人賞玩的珍稀藝術品，更重要的是這些藏品所具有的強烈的政治與文化的象徵意

註1　《詩·小雅·北山》。
註2　吳十洲：《紫禁城的黃昏》，文物出版社，1998年，第148頁。

義。皇室收藏文物，更重視這些文物所寓有的某種至高德行的涵義，認為它的聚集可被視為天命所歸的象徵。因此，新的王朝接受前朝的舊藏，表示著它繼承前朝的天命；或者如有的研究者認為，皇家收藏是中國歷代統治者確定其政權合法性的重要來源【註1】。故宮的收藏，可以上溯到宋朝，至今已有千年歷史，而所收藏的文物，則反映了中華5,000年的文明史。宋代宮廷收藏宏富，靖康之亂，圖籍、書畫寶器，悉歸於金；宋高宗南渡，遷都臨安，又積極搜集。南宋滅亡，臨安未遭兵革，元相伯顏派郎中董祺將南宋收藏由海運到大都，即今日的北京。元為明所滅亡，明將徐達將元內府所藏，全部運到南京；後來明成祖遷都北京後，這些寶物又由南京運到北京。明代亡國，這些宮廷藏品又悉數為清所得。見於著錄中的很多古代文物早已散失，但也有不少珍品幾經聚散，歷盡滄桑，保存到今天。

皇室收藏與王朝命運的緊密聯繫，使這些藏品成為皇權的象徵。因而清宮舊藏文物本來就具有國寶的意義。

第二，故宮博物院的成立，象徵君主法統的清宮舊藏為人民所共有並同享，為其國寶意義賦予了維繫中華民族文化、傳續中華文明血脈的新內涵。

在封建時代，「朕即天下」，國即家，家即國，整個天下都是帝王的，皇宮裡的所有物品，自然都是帝王的財產，誰也動不得。乾隆皇帝曾規定過，宮中的一切物件，哪怕是一寸草都不准丟失。養心殿的一個景泰藍小罐裡盛著36根一寸長的乾草棍，他拿了幾根放在几案

註1　〔美〕珍妮特‧伊里亞德、沈大偉：《中國皇家收藏傳奇》，當代中國出版社，2007年，第9頁。

上，叫人每天檢查，少一根都不行，這叫做「寸草為標」。溥儀曾回憶道：「這堆小乾草棍兒曾引起我對那位祖先的無限崇敬，也曾引起我對辛亥革命的無限忿慨。」【註1】

辛亥革命後，紫禁城的三大殿交給了中華民國政府，但溥儀還暫居內廷，皇宮裡大量堆積的文物珍寶仍然由皇室和內務府占有。為了解決經費困難，小朝廷1922年曾用公開投標的辦法拍賣古物，還在向各銀行借款時抵押了大量金器古董。不僅溥儀小朝廷認為這些文物珍寶屬於自己，甚至民國政府也承認這是皇室的私有財產。1914年民國政府成立古物陳列所，在文華殿、武英殿展出了從瀋陽故宮與熱河行宮運來的20萬件清宮藏品，據莊士敦稱，這些藝術品是被「借」來而尚待民國政府購買的皇室藏品。【註2】

對於溥儀等拍賣或抵押宮中大量文物的行徑，社會輿論予以高度的關注。這些文物到底是國家財產還是皇家私產？皇室是否有權處理？一些報刊時評發出抗議的言論，認為被處置的物品是國家財產，皇室沒有權力出賣它們。湖北省教育會為制止清室出售古物致內務部代電（1923年11月12日）更有代表性，認為這些古物是「全國五千年之文物」：

竊我國與埃及、希臘、印度同為數千年前古國，其文明久為中西所慕。清室之古物，尤為歷代帝室遞嬗相傳之珍秘，並非一代一人所得私有。合全國五千年之文物，集於首都之清室，一涉

註1　溥儀：《我的前半生（全本）》，群眾出版社，2003年，第55頁。

註2　〔英〕莊士敦：《紫禁城的黃昏》，山東畫報出版社，2007年，第228～230頁。

疏忽，不徒散佚堪虞，即立國精神且將無從取徵。清室以經費短
絀，轉售東鄰，不啻將五千年立國精神捐棄一朝，念及此，能勿
痛心。〔註1〕

　　驅逐溥儀後，成立了清室善後委員會，首先就是清點清宮物品，
分清公產與私產。原清宮的物品，有公私產之分。屬於私者，為溥儀
生活衣物、財錢，包括金、銀錠等，均由溥儀帶去；屬於公者，是與
中國歷史文化相關的部分，必須交給人民並努力保衛。也正因這個
原因，當溥儀出宮時行李中所藏的王羲之《快雪時晴帖》和仇十洲
的〈漢宮春曉圖〉一卷，因係公物被扣了下來，而存放在庫房中的
101,382兩銀元寶，則悉數發給了溥儀。清宮善後委員會在點查時發
現溥儀的「賞溥傑單」等文件，後以《故宮已佚書籍書畫目錄四種》
為題刊行，在序言中強調「國寶散失，至堪痛惜」！

　　對清宮舊藏文物的這種內涵，並不是所有人一下子都能認識。
1928年6月，國府委員經亨頤提出一項議案，認為故宮是逆產，要求
廢除故宮博物院，分別拍賣或移置院內一切物品。國民政府會議竟然
通過了這一荒謬提案，並要求中央政治會議重新覆議有關故宮博物院
的決定及有關法令。故宮博物院同仁向社會各界特別是政府高層做了
大量的宣傳工作，闡述保護故宮文物的重要意義以及故宮博物院的歷
史使命，對經亨頤提案的五個要點逐條反駁。兩個月後，中央政治會
議否決了經亨頤提案，故宮博物院保存下來了。這次交鋒，留給世人

註1　中國第二歷史檔案館編：《中華民國史檔案資料彙編第一輯‧文化》，江蘇古
　　　籍出版社，1994年，第222～223頁。

印象最深的是張繼以古物保管委員會主席委員的長篇呈文，他在最末一段說道：

　　現歐洲各國，為供歷史之參考，對於以前皇政王政時代物品，莫不收羅保存，惟恐落後，即蘇俄在共產主義之下，亦知保護舊物，供學者之研究。一代文化，每有一代之背景，背景之遺留，除文字之外，皆寄於殘餘文物之中，大者至於建築，小者至於陳設，雖一物之微，莫不足供後人研究之價值。明清兩代，海航初興，西化傳來，東風不變，結五千年之舊史，開未來之新局。故其文化，實有世界價值，而其所托者，除文字外，實結晶於故宮及其所藏品。近來歐美人士，來遊北平，莫不歎為大可列入世界博物院之數，即使我人不自惜文物，亦應為世界惜之。【註1】

　　這裡突出故宮古建築及其藏品的「世界價值」，是難能可貴的認識。

　　1932年，日軍進攻熱河，窺伺華北，「北平政務會議」對故宮做了三項決議方案，其中第一項是呈請中央拍賣故宮古物，購買飛機500架，以作抗日之用。經院長易培基等多方努力，國民黨中央政治會議議決保護故宮辦法，拍賣文物一案被否決。

　　每次爭論的結果，都使人們加深了對故宮文物國寶地位的認識：這是數千年中華文明的精粹，來之不易，不可當作尋常古董任意處置。

註1　轉引自劉北汜：《故宮滄桑》，紫禁城出版社，2004年，第83頁。

　　第三，文物南遷進一步強化和提升了故宮文物的國寶地位。【註1】

　　故宮文物南遷的消息經報紙披露後，引起截然不同的反響。支持者認為，日軍極有可能得寸進尺，繼續南侵，有必要把故宮重要文物轉移到南方安全地帶。國土淪喪猶可力圖恢復，任何文物之損失，終將萬劫不復。反對者則認為，遷運文物猶如棄國土於不顧，勢將造成民心浮動，社會不安。反對最力者為北平名流周肇祥，他於中南海成立「北平民眾保護古物協會」並自任主席，發通電，散傳單，公然表示將以武力手段阻止文物南遷。當時一些文化界名人也反對南遷。而有意思的是，此後不久即擔任故宮博物院院長的馬衡先生正在為文物南遷奔忙時，他的兒子馬彥祥卻以筆名在報紙上發表多篇文章，對文物南遷提出批評：「因古物之值錢，結果弄得舉國上下，人心惶惶，束手無策，這種現象，想起來實在有點好笑。」他說：「我們國難一來的時候，不是大家都眾口一辭地說『寧為玉碎，勿為瓦全』麼？現在為了一點古物，便這樣手忙腳亂，還說什麼犧牲一切，決心抵抗？要抵抗麼？先從具有犧牲古物的決心做起！」【註2】想不到的是，1937年11月下旬，故宮有兩列裝文物的火車要從南京發往陝西，缺少押運員，院秘書便請馬彥祥幫忙押運，他便擔負了這個重任。四年前的反對，到這次甘冒戰火參與到押運故宮文物西遷的行列之中，馬彥祥的認識已有了重大轉變。

　　故宮的文物不能簡單地視為古董、古物，而是國寶，是祖宗留給

註1　石守謙在《清室收藏的現代轉化──兼論其與中國美術史研究發展之關係》一文
　　中，對此有所論述。該文載《故宮學術季刊》第23卷第1期。

註2　馬思猛：《參與故宮文物西遷》，載《攢起歷史的碎片》，北京圖書館出版
　　社，2007年，第185～186頁。

我們的文化遺產，其中蘊含著民族的歷史、民族的文化、民族的情感，不能以幣值論價。故宮文物南遷的爭論，使人們對它的國寶地位有了進一步的認識。文物南遷十多年，受盡種種險阻，始終為國人所關注。而文物的常常化險為夷，使「古物有靈」的説法廣為傳頌【註1】，且與「國家的福命」聯繫了起來。1947年9月3日，馬衡院長在北平廣播電台做了《抗戰期間故宮文物之保管》的著名演講，簡要介紹了抗戰時期文物南遷、西遷的經過以及保管之困難等。他説：抗戰八年之中，文物多次險遭滅頂之災，例如當9,000多箱文物由重慶運往樂山途中暫存於宜賓沿江碼頭時，重慶及宜賓上游的樂山和下游的瀘縣都遭到敵人的狂轟濫炸，唯有宜賓倖免；長沙湖南大學圖書館在文物搬出後不到四個月就被炸毀；重慶的幾個倉庫在搬出後不到一個月，空房也被炸掉；從南鄭到成都時，在把存放在南鄭文廟的文物運出後剛12天，文廟就遭敵機投下的7枚炸彈夷平。「像這一類的奇蹟，簡直沒有法子解釋，只有歸功於國家的福命了。」【註2】

從現在來看，歷史已經證明，當時還不可能有比南遷更為有效的保護文物的方法。為了避開戰爭的災難性破壞，為了保證在這一個非常時期文物不受損失，最為可能的方法就是將文物遷到安全的地方。遷徙疏散成了戰時文物保護與保管的手段。

不僅中國，在第二次世界大戰中，歐洲許多國家為了防止德國的侵掠，也都紛紛疏散、藏匿本國博物館的藝術精品。以英國為例，英國博物館的主管們1938年就做轉移藏品的準備。他們計畫將

註1　參閱那志良：《典守故宮國寶七十年》，紫禁城出版社，2004年，第110頁。
註2　馬衡講演稿，現存故宮博物院圖書館。

藝術收藏品轉移到英國西北部的威爾士隱藏起來。在倫敦本地，地鐵未用地段被預置為儲存點。在國家美術館，大幅畫的邊框都做有特別的槽口，以便很快從框中取出畫裝入存放在地下室的箱子裡。經過多次操練，一個大美術館能在7分鐘內清空。1939年8月23日蘇德互不侵犯條約宣佈後，歐戰不可避免的步伐加快，英國博物館即著手裝箱外運。裝滿了包裝好的首都藏品的皇室列車只能以每小時10英里的速度行進，以使顛簸震動減少到最小限度。大多數英國藏品甚至在9月3日正式宣戰前就抵達指定隱匿地點，9月5日，所有重要物品都撤離疏散。

　　再以美國為例。日本偷襲珍珠港後，美國本土主要博物館即著手轉移他們最有價值的收藏品，弗立克、大都會和其他藝術品收藏機構做出了授權轉移收藏品的決定。文化資源保衛委員會1943年3月的報告稱，僅從華盛頓就有4萬立方英尺的書籍、手稿、其他印刷品和繪畫，加上第一面星條旗，以及那些代表著美國民主發展步伐的檔案被送往「內陸腹地的三處教育機構」；《獨立宣言》則送往諾克斯堡保存【註1】。

　　歐洲及美國博物館的文物藏品，絕大多數是來自世界各地，一般主要不是本國本民族的藝術品，而故宮的文物，全是中華文明的結晶，是中國5000年藝術長河的重要載體和見證。與歐美相比，故宮文物精品在外十多年，受盡艱難曲折，更是為保存人類文化遺產創立了豐功偉績。

註1　〔美〕C·H·尼古拉斯：《歐洲的掠奪──西方藝術品二戰蒙難記》，江蘇人民出版社，2000年，第63～65、271頁。

第四，海峽兩岸兩個故宮博物院的同時存在，為兩岸同胞及國際社會所關注，也更加彰顯著故宮及其藏品的國寶意義。

二 故宮的內涵

清宮舊藏與紫禁城密不可分。要瞭解故宮文物藏品的深刻內涵，必須加深對故宮古建築價值與意義的認識。

故宮是明清兩代的皇宮，又叫紫禁城，中間雖經多次重修和擴建，但仍保持了初時的格局。從1420年建成至1911年清朝統治結束，491年間先後有24位皇帝在此居住並執政。

皇宮是封建帝王發佈政令的統治中心和豪華生活、奢侈享受的所在，因此總是力求宏大壯麗。西漢初年，天下還未定，蕭何大發民役營作未央宮，「壯甚」，漢高祖劉邦以為過度，怒責蕭何，蕭何回答說：「天下方未定，故可因遂就宮室。且夫天子以四海為家，非壯麗無以重威，且無令後世有以加也。」【註1】劉邦聽了大悅。因此，宮殿營造的指導思想是儒家禮制，是尊卑貴賤的等級制度，它鮮明地反映了中國傳統文化中注重鞏固人間社會政治秩序，特別是體現統治者的權威與財富，也象徵著封建王朝的強大。唐初駱賓王有詩說：「山河千里國，城闕九重門。不睹皇居壯，安知天子尊？」【註2】「九天閶闔開宮殿，萬國衣冠拜冕旒」，【註3】王維的詩句，使人們感受到唐代大明宮早朝時的莊嚴、帝王的尊貴，以及唐王朝的威儀。

註1 《史記‧高祖本紀》。
註2 《帝京篇》。
註3 《和賈舍人早朝大明宮之作》。

　　宮殿是中國古代建築中發展最為成熟、成就最高、規模最大的一類建築，故宮則是歷代宮殿建築的集大成者，也是我國古代宮城發展史上現存的唯一實例和最高典範。故宮城牆以內的面積達到72萬平方公尺，現存建築面積16.7萬平方公尺。紫禁城蘊含著深刻的政治、文化意義，體現了「皇權至上」的倫理思想。它的規劃設計是附會封建宗法禮制的，繼承了傳統的宮城、內城、外城的三重城制度，居都城中央。有大明門、天安門、端門、午門、太和門、太和殿、中和殿、保和殿等五門三殿。明代三大殿等南部建築為「外朝」，以北建築為「內廷」，乾清門內及乾清宮之廷為「燕朝」，也就是所謂的「寢」。總體規劃佈局仍可見「五門三朝」、「前朝後寢」、「左祖（太廟）右社（社稷壇）」，體現儒家的理想和封建禮制。傳統的陰陽五行學說在紫禁城建築中也得到運用。

　　如果說，秦漢宮殿主要是通過高台建築形式追求「非壯麗無以重威」；那麼隋唐宋元以來，則力求通過縱向排列，從空間序列上取得整齊、莊重、威嚴的藝術效果；而紫禁城正是將以往的實踐經驗兼收並蓄，成為我國封建社會後期宮殿建築的典範。在建築佈局上，故宮強調所謂「中正無邪」，即中軸對稱的方式，從永定門開始，經前門、天安門、端門、午門、太和殿、景山、地安門、鼓樓、鐘樓，北京城市和皇家建築形成一條長約8公里的中軸線。故宮在這條中軸線的中部，其中最重要的建築外朝三殿和內廷三殿都座落在這條中軸線上，其餘建築則對稱佈置左右，形成強烈的反差與對比。同時以層層推進、步步深入的手法，給人以深遠、悠長之感。太和殿是整個宮殿建築的中心，它不僅占據了最主要的建築空間，而且在佈局和建築上還調動了種種手段來襯托它，集中體現了皇帝至高無上的封建威權，

「非壯麗無以重威」在此得到絕好的印證。

故宮修成後，當時的文淵閣大學士金幼孜做了〈皇都大一統賦〉稱頌：「萃四海之良材，伐南山之巨石」；「以相以度，以構宮室。棟宇崇崇，檐楹秩秩。以蓋以覆，陶冶埏埴。以繪以圖，黝堊丹漆。煥五彩之輝煌，作九重之嚴密。」「超淩氛埃，壯觀宇宙。規模恢廓，次第畢就。奉天屹乎其前，謹身儼乎其後。惟華蓋之在中，竦摩空之偉構。文華翼其在左，武英峙其在右。乾清並耀于坤寧，大善齊輝于仁壽。」「左祖右社，蔚乎穹窿；有壇有廟，有寢有宮。」【註1】

作為皇宮的故宮，是皇權的象徵，是封建王朝的中樞所在地，成為鮮明的政治符號，有著至高無上的地位，它莊嚴、肅穆，也充滿神祕感。

正因為如此，故宮博物院的創立，就具有兩方面的意義：其一是民主革命的又一勝利，是對封建復辟勢力的一次致命打擊；其二是我國文化藝術史上的一個偉大業績。

辛亥革命結束了滿清的統治，根據《清室優待條件》，溥儀還暫居紫禁城內廷，這一住就是13年。不僅大清皇帝「尊號」仍存，且繼續使用宣統年號，並享受中華民國對待外國君主之禮遇。遜清皇室在北洋政府的庇護下，不斷進行與民國政府法令相抵觸的活動。1917年張勛復辟破壞共和的鬧劇，便是其中的一幕。1924年9月的第二次直奉戰爭中，愛國將領馮玉祥發動震驚中外的「北京政變」，修正《清室優待條件》，驅逐溥儀出宮，完成了辛亥革命未完成的事業。接著

註1 〔清〕於敏中等編纂：《日下舊聞考（一）》，北京古籍出版社，2001年，第93頁。

成立「清室善後委員會」，負責清理清室公產、私產及一切善後事宜，成立圖書、博物館籌備會。在點查過程中，清室遺老及保皇懷舊軍閥、官員的阻撓與破壞從未停止。發現的溥儀與內務府大臣金梁、保皇派頭子康有為的密謀復辟的往來信件，使人們進一步看清，馮玉祥將軍驅逐溥儀出宮是正確的，因為只要溥儀還住在清宮內廷，遜清遺老、舊臣和保皇黨人就斷不了復辟的念頭。鑒於當時的緊迫形勢，同時根據圖書、博物館籌備會完成的籌備工作，善後委員會決定於1925年10月10日舉行故宮博物院成立典禮。10月10日是中華民國的國慶日，這當然是頗有用意的。在成立大會上，曾任攝政內閣總理的黃郛致詞說：「今日開院為雙十節，此後是日為國慶與博物院之兩層紀念；如有破壞博物院者，即為破壞民國之佳節。吾人宜共保衛之。」執行驅逐溥儀出宮的警衛司令鹿鍾麟說：「大家都聽過『逼宮』這齣戲，人們也指我去年所作之事為『逼宮』。但彼之『逼宮』為升官發財，或為做皇帝，我乃為民國而『逼宮』，為公而『逼宮』。」【註1】人們在講話中一再強調在這一天成立故宮博物院的深意。把博物院與民國等同起來，既說明博物院的意義重大，也表示了要像保護民國一樣保護博物院的決心。

　　博物館是以文化教育為目的，收藏、研究、展示和保存實物的機構。19世紀下半葉在洋務運動、維新運動中，有識之士不斷提倡引進西方類型的現代博物館，作為「開民智」的重要措施。由於辦博物館被視為「新政」之一端，遭到清政府的反對。故宮博物院的成立，將紫禁城這座昔日帝王居住的宮苑禁區，變為平民百姓可以自由參觀的

註1　《益民報》1925年10月11日。

場所；將作為君主法統象徵和僅供皇帝觀賞享用的珍貴文物，變為全民族的共有財富。故宮博物院成立時，就制定了《故宮博物院臨時理事會章程》。1928年，國民政府頒佈了《故宮博物院組織法》，這是中國歷史上第一部有關博物館的法律，後來又頒佈了《中華民國故宮博物院理事會條例》。這兩份文件在故宮博物院的發展史上具有十分重要的意義，標誌著博物院已由草創走向成熟，也是中國博物館事業走上正軌的開端。

故宮博物院是以故宮及其豐富的珍藏為基礎建立起來的中國最大的博物館。「宮」與「院」是什麼關係？當人們從世界遺產的視角看待故宮時，這個問題就很清楚了。

1972年，聯合國教科文組織在法國巴黎通過了《保護世界文化與自然遺產公約》，確定為了人類的今天和未來，將世界範圍內被認為具有突出和普遍價值的文物古蹟和自然景觀列入《世界遺產名錄》，以確保遺產的價值能永續保存下去。公約規定，對於世界遺產，整個國際社會都有責任予以保護。1987年，故宮被列入世界文化遺產。世界遺產組織對故宮的評價是：「紫禁城是中國五個多世紀以來的最高權力中心，它以園林景觀和容納了家具及工藝品的9,000個房間的龐大建築群，成為明清時代中國文明無價的歷史見證。」這說明，故宮文物藏品與故宮古建築都是曠世之寶。故宮文物藏品的一個重要特點是與故宮古建築的不可分割。

故宮成為世界文化遺產，使人們對故宮古建築價值的認識有了深化。建築是人類歷史文化的紀念碑，偉大的建築往往成為一個城市、一個民族，甚至一個國家的象徵物。故宮就是這樣的象徵物，故宮不只是宏偉的古建築，還包括珍藏其間的文物精品，它們聯結在一起，

成為中華傳統文化的一個載體與中華文明成就的一個標誌。故宮所代表的是已經成為歷史的文化，而且有著宮廷文化的外殼，同時它卻代表了當時的主流文化，經過了長時期的歷史篩選和積累，當然不能簡單用「封建落後」來概括。故宮和博物院不是毫不相干或對立的，而是有機的統一，是相得益彰。把它們結合起來，就可看到，故宮博物院是世界上極少數同時具備藝術博物館、建築博物館、歷史博物館、宮廷文化博物館等特色，並且符合國際公認的「原址保護」、「原狀陳列」基本原則的博物館和文化遺產。世界文化遺產的基本精神是文化的多樣性，從世界文化遺產的角度，人們努力挖掘和認識故宮具有的突出的和普世的價值。

　　「文化遺產」觀念的引入，突破了傳統的「文物」觀念的侷限性，強化著遺產的環境意識、共享意識，以及全社會都必須承擔管理和保護的理念，促使人們從「大故宮」的觀念來看待故宮保護。這在故宮保護中得到充分體現。不僅要保護故宮本身，還要保護它的環境。過去只重視對故宮本身的保護，後來認識到與皇宮連在一起的護城河也是皇宮的當然組成部分，必須治理，於是就有了20世紀90年代投資6億元人民幣、費時3年的護城河治理，改變了長期存在的髒、亂、差面貌。根據世界遺產委員會的要求，在文化遺產地的周邊必須劃定「緩衝區」，以保護其周邊原有的歷史風貌和環境。2005年故宮緩衝區方案確定，總面積達到1,463公頃。這一方案的實施，將使故宮外圍環境傳統風貌的歷史真實性得到有效保護。北京舊城是以故宮為中心規劃發展起來的，人們更認識到，北京舊城的整體保護必須重視作為中心區域的故宮的保護。這種不斷提升的文物保護意識與理念，有力地推動著故宮的整體保護。

故宮作為世界文化遺產，對它的保護提到了重要的議事日程。
2002年10月17日開始的故宮百年來的最大規模的修繕，引起海內外的
高度關注。這次維修，通過保護故宮整體佈局、徹底整治故宮內外環
境、保護故宮文物建築、系統改善和配置基礎設施、合理安排文物建
築的使用功能、提高文物展陳藝術品味與改善文物展陳環境等「完整
保護、整體維修」的五大任務，使故宮重現盛世莊嚴、肅穆、輝煌的
原貌。故宮維修堅持祛病延年、最少干預、最大限度地保存故宮古建
築真實性和完整性的原則。從世界遺產的高度，故宮修繕工程既是保
護我國珍貴的文化遺產，也是履行我國對國際社會的莊嚴承諾，它的
根本意義在於實現人類文明延續和可持續發展。世界遺產事業所倡導
的是由各國政府保護文化的多樣性。故宮修繕所秉持的保護理念及修
繕中所堅持的具有中國傳統特色、實踐證明是正確的技術與做法，不
但對國內，而且也對國際世界遺產保護理論作出了應有的貢獻。2007
年5月，在北京召開的「東亞地區文物建築保護理念與實踐國際研討
會」通過的《北京文件》，對中國遺產保護的政策和原則給予很高評
價，對故宮等世界遺產地的修繕給予充分的肯定，這是對不同文化背
景的世界遺產及其特色的保護方式的尊重。

三 故宮學的視野

故宮學是北京故宮於2003年提出的，它是以故宮及其豐富收藏為
研究對象的一門科學。故宮學研究主要包括紫禁城宮殿建築群、文物
典藏、宮廷歷史文化遺存、明清檔案、清宮典籍及故宮博物院的歷史
六個方面，有著豐富深邃的學科內涵。故宮文化是以皇帝、皇權、皇

宮為核心的皇家文化。從反映皇家文化的特點來劃分，故宮學有狹、廣兩義。狹義的故宮學是人文科學的一門獨立學科，廣義的故宮學則是一門知識和學問的集合。長達80年的有關故宮的實踐和研究成果是故宮學的基礎，故宮學的提出並確立將使其研究進入自覺階段，從整體上提高故宮研究的水平。故宮學體現出的故宮博物院對傳承弘揚中華文明的強烈的責任感、使命感和自覺性，它倡導的「故宮在中國、故宮學在世界」理念所蘊含的開放的工作思路、自覺的創新意識，不僅引領著故宮學術研究從自發走向自覺、積極規劃故宮的學術前景、提高故宮的學術影響力和學術地位，更為故宮保護和博物館建設事業提供了理論的指導。

從故宮學的視野看待故宮，不僅認識到故宮古建築、宮廷文物珍藏的重要價值，而且看到宮廷歷史遺存有著同樣重要的意義；更為重要的是，古建築、文物藏品、歷史遺存以及在此發生過的人和事，是一個不可分割的文化整體。這一認識是故宮學得以產生的重要依據，也有利於進一步挖掘故宮的歷史文化內涵。故宮文化的這一整體性，也使流散在院外、海外、國外的清宮舊藏文物、檔案文獻有了一個學術上的歸宿。基於此，兩岸故宮博物院在學術研究上的交流與合作就是不可避免的，人為的阻隔只能是暫時的，事實上這種交流也是在不斷地發展。

在故宮學的影響下，北京故宮文物保護觀念有了新的變化，對文化遺產概念的理解與認識逐步深化，更加自覺地對故宮進行全面的保護。制定了《故宮博物院2004～2010年文物清理工作規劃》，啟動了徹底清理藏品的工作。對原來認為是「資料」的10萬多件藏品予以重新鑑別定級，對由於歷史原因重視不夠的大量宮廷遺存給以新的認

識。北京故宮在認真清理文物藏品的基礎上，正在編印《故宮博物院藏品大系》、《故宮博物院藏品總目》，向社會公開發行，更好地為公眾服務，為院內外乃至海內外的故宮學研究者提供便利。文物徵集也有了新的思路：突破舊有的收藏理念，入藏著名現當代畫家和一批國家級工藝美術大師的代表作品，確立起從傳承民族文化角度審視當代藝術品、從保護民族財富的高度認識徵集收藏的新理念。

從故宮學角度審視，故宮不僅是舉世聞名的物質文化遺產，同時也承載著重要的非物質文化遺產內容，其中最突出的是中國古代宮殿建築的工藝技術。它們一方面以物質的形態存在於建築物中，一方面以手藝的形態，通過工匠口傳心授世代相傳。故宮有專門的維修管理機構和施工隊伍，湧現過一批古建大家和專門工藝人才。這次故宮大規模維修，進行全過程跟蹤影像記錄，實行「師承制」，就是為了使古建築技術薪火相傳。書畫裝裱等文物保護傳統技藝，也是需要保護和傳承的非物質文化遺產。2008年，北京故宮的中國古代官式建築傳統工藝和書畫裝裱工藝已被公佈為國家非物質文化遺產項目。

故宮學的提出與確立，正在推動著北京故宮學術視野的擴大與研究的深入。以保護文化遺產和弘揚傳統文化為主旨的《故宮學刊》於2004年創刊，《故宮博物院院刊》、《紫禁城》成功改版，並在其他圖書出版方面，大力開拓、挖掘故宮文化資源。院古書畫研究中心、古陶瓷研究中心、古建築研究中心陸續成立，正在籌建的還有藏傳佛教文物研究中心、明清宮廷史研究中心。積極主動地與院外科研院所進行聯合考古、學術考察和辦學，學術成果大量湧現，故宮價值及豐富內涵不斷得到發掘。

從故宮學的視野來看故宮與故宮文物，就能認識到故宮文化的經

典性。從物質層面看，故宮只是一座古建築群，但它不是一般的古建築，而是皇宮。中國歷來講究器以載道，故宮及其皇家收藏凝聚了傳統的特別是輝煌時期的中國文化，是幾千年中國的器用典章、國家制度、意識形態、科學技術，以及學術、藝術等積累的結晶，既是中國傳統文化精神的物質載體，也成為中國傳統文化最有代表性的象徵物，就像金字塔之於古埃及、雅典衛城神廟之於希臘一樣。因此，從一定意義上說，故宮文化是經典文化。經典具有權威性和代表性。故宮體現了中華文明的精華。經典具有不朽性。故宮屬於歷史遺產，它是中華5000年歷史文化的沉澱，蘊含著中華民族生生不已的創造和精神，具有不竭的歷史生命。經典具有傳統性。傳統的本質是主體活動的延承。故宮所代表的中國歷史文化與當代中國是一脈相承的。中國傳統文化與今天的文化建設是相連的。對於任何一個民族、一個國家來說，經典文化永遠都是其生命的依託、精神的支撐和創新的源泉，都是其得以存續和賡延的筋絡與血脈。

故宮是什麼？從故宮學角度來審視，它是紫禁城，是皇室藏品，也包括曾在這裡發生過的人和事，更是這幾方面所組成的文化整體。因此，不僅故宮文物具有國寶地位，而且整個故宮就是一個國寶，有著更為豐富的內容。

故宮文化的這種整體性、豐富性及象徵性，使故宮成為取之不竭的文化寶藏。保護故宮及其藏品，就是保持我們與祖先聯繫溝通的渠道，就是保護中華民族的文化根基。故宮豐厚的文化資源，對於我們傳承中華民族的優秀傳統文化，對於弘揚和培育民族精神、建設中華民族共有精神家園，對於加強同世界各國的文化交流、擴大中華文明的國際影響力，都能夠發揮獨特的重要作用。

在中國周代，曾設「天府」的官職，「掌祖廟之守藏與其禁令」
【註1】。後來，歷史上就稱朝廷藏物之府庫為「天府」；而「子子孫
孫永保用」的誡銘，更是寄託著對後人永遠寶愛和使用的期望。故宮
過去是、現在更是一個「天府」。瑰寶聚集，來之不易；滄海桑田，
文明永續。基於雖有兩個故宮博物院但故宮只有一個的中華民族文化
認同感，以及兩個博物院的收藏都是中華民族文化遺產的事實，因此
努力保護好這筆豐厚的文化遺產，並為弘揚中華傳統文化、使中華文
明賡續不斷而努力，就是兩個故宮博物院莊嚴而神聖的歷史使命。

註1 《周禮·春官·天府》。

主要參考文獻

1.《北京志・故宮志》，北京市地方誌編纂委員會編，北京出版社，2005年10月。

2.《故宮滄桑》，劉北氾著，南粵出版社、紫禁城出版社，1988年2月。

3.《故宮博物院藏文物珍品全集》，60卷，香港商務印書館。

4.《故宮博物院八十年》，紫禁城出版社，2005年。

5.《中華文物播遷記》，杭立武編著，台灣商務印書館，1980年11月。

6.《故宮跨世紀大事錄要》，宋兆霖總編輯，台北故宮博物院，2000年1月。

7.《故宮四十年》，那志良著，台灣商務印書館，1980年8月。

8.《故宮七十星霜》，昌彼得總編輯，台灣商務印書館，1995年10月。

9.《國立故宮博物院巡禮》，台北故宮博物院，2002年1月。

10.《物華天寶》，林曼麗主編，台北故宮博物院，2007年2月。

11.《國立故宮博物院年報》2001年、2003年、2004年、2005年、2006年、2007年。

後　記

　　這是一部首次將兩岸故宮博物院的文物藏品並列一起介紹的小書。揆其意義，主要有二：從公而言，是想讓公眾瞭解兩岸故宮博物院文物藏品的淵源、流變及全貌，進一步認識故宮的價值、意義及地位；從私而言，則是我從事故宮學研究的基礎和需要，是一項必須完成的工作。近年來，我對該課題念茲在茲，蓋源於此！

　　我對兩岸故宮博物院文物藏品的研究始於2005年，即故宮博物院建院80周年。通過搜集資料，分析研究，於2007年10月，寫出一篇約4萬字的長文，為兩岸故宮藏品的分類與介紹，基本上是現在第五章的內容。但覺得就文物談文物，沒有這些文物的來龍去脈，沒有兩個博物院的基本狀況，使人難以獲得全面認識。2008年春節，又拿出一個11萬字的稿子，但仍感到有些部分講得不夠。後在此基礎上又下了較大功夫，結果文字翻了一番，成了現在的模樣。好比麵條，越抻越長。但我始終抱著認真負責的態度。其實書稿的反覆過程，也反映著我研究的進展與認識的提高。

　　然而，我也感到了其中的困難。主要有兩點：一是資料的掌握，

二是對兩岸藏品特點的認識。台北故宮的文物藏品在上世紀50、60年代就陸續公佈了，一些大宗的收藏早已為人所知，此外的其他門類，多歸入「珍玩」一類，種類不算少，但一般數量有限，有的雖經多方瞭解，具體情況我仍不很清楚。北京故宮的文物藏品，尚未全面對外公佈，有些文物還在繼續清理，極少數類別的文物從未向社會公開過。應該說，資料尚不算是大問題。我認為，「通覽」不應是已有資料的簡單羅列。對於已有的文物藏品資料，特別是一些重要的作為收藏主體的門類，需要有整體的把握，認識其特點，或進行必要的比較。但這樣就存在一定的「風險」，即可能因資料不足或識見侷限而出錯，甚至貽笑大方。因此我就要求自己，應努力弄清兩岸故宮藏品的真實狀況，同時抱著對燦爛的中華文明的摯愛心和自豪感，實事求是，反對任何偏隘的觀念，力求論述的科學性和客觀性。

關於北京故宮博物院的文物藏品狀況，除參考已經出版的圖書外，還得益於不少同事的幫助，他們是：王連起、余輝、傅紅展（古書畫）、施安昌、尹一梅（碑帖）、劉雨、丁孟、李米佳（青銅器）、陳華莎、呂成龍、王健華、王光堯（陶瓷器）、張廣文（玉器）、方斌、胡國強（銘刻類文物）、張榮等（其他工藝類文物）、任萬平等（宮廷類文物）、王家鵬、羅文華（宗教文物）、朱賽虹、向斯（檔案文獻、古籍善本）、張克貴、周蘇琴（古建類文物）、婁瑋（文物統計）等女士和先生。我還先後請教了耿寶昌、楊伯達、杜迺松、萬依等諸位前輩。他們的無私幫助和熱情鼓勵，使我的研究得以繼續並能有所提升，在此謹致衷心的感謝！

台北故宮博物院的文物藏品，參考的圖書資料儘管比較多，但為了有更加全面的瞭解，我曾請時任台北故宮文獻處處長、現任副院長

的馮明珠女士幫助，她寄來了一些有關藏品的數字以及出版物的目
錄，還複印過一些資料。一直為促進兩岸故宮合作交流而努力的台灣
《中國時報》總經理黃肇松先生也曾給予積極支持，親自把我所需要
的資料帶來北京。在此也謹向他們二位表示誠摯的謝意！

　　當我把書稿交到紫禁城出版社章宏偉先生手中後，並沒有以往那
種書稿告竣的輕鬆之感。兩岸故宮文物藏品是一個重大的研究課題，
這本書只能算是我的初步研究成果。我懇切地希望讀者特別是兩岸故
宮同仁匡謬補缺，使書中的內容得到修正和完善。

2008年6月25日
於北京故宮博物院

國家圖書館出版品預行編目資料

天府永藏：兩岸故宮博物院文物藏品概述
　　　／鄭欣淼 著.--初版.
　-- 臺北市：藝術家 ，2009.03
　　336面；16.5×26公分.--

　ISBN　978-986-6565-29-8（平裝）

1.國立故宮博物院　2.蒐藏品　3.文物典藏
　　　　　4.中國　5.臺灣

069.82　　　　　　　　　　98002418

天府永藏：兩岸故宮博物院文物藏品概述

鄭欣淼／著

發 行 人　何政廣
主　　編　王庭玫
編　　輯　謝汝萱・沈奕伶
封面設計　曾小芬
美　　編　張紓嘉
出 版 者　藝術家出版社
　　　　　台北市重慶南路一段147號6樓
　　　　　TEL：（02）2371-9692～3
　　　　　FAX：（02）2331-7096
郵政劃撥　01044798 藝術家雜誌社帳戶
總 經 銷　時報文化出版企業股份有限公司
　　　　　台北縣中和市連城路134巷10號
　　　　　TEL：（02）2306-6842
南區代理　台南市西門路一段223巷10弄26號
　　　　　TEL：（06）261-7268
　　　　　FAX：（06）263-7698
製版印刷　欣佑彩色製版印刷股份有限公司
初　　版　2009年3月
定　　價　新臺幣380元
Ｉ Ｓ Ｂ Ｎ　978-986-6565-29-8